10
傳世經典

國學概論

傅隸樸 著

蓋古人窮畢生之力，
祇究一經，
茲欲以牆面之資，
探索聖經賢傳之微旨，
評斷諸子百家之是非，
論析子墨翰林之流變，
則覆瓿之誚，固已自知其不免矣。

自序

本書初稿爲民國四十四年養病日本時應岡山大學講席之聘而寫，當以扶病之軀，加之授課時間及客邊各種條件限制，急就之下，舛漏甚多。返臺後，經兩年餘之增補刪訂，雖旣竭吾才，然每一檢復，愧情仍集。蓋古人窮畢生之力，祇究一經，茲欲以牆面之資，探索聖經賢傳之微旨，評斷諸子百家之是非，論析子墨翰林之流變，則覆瓿之誚，固已自知其不免矣。第念學問之事，貴在集思，智者千慮，難免一失，愚者千慮，寧無一得，一得雖微，亦未始非涓滴之助，用是不自藏拙，災諸梨棗。倘荷賢達諟正，俾本書得以引玉之功，相附不朽，又作者之所祈求而不得者也。

傅隸樸寫於民國四十七年元旦

凡例

一、國學書目，自漢書藝文志、隋書經籍志、以迄淸修之四庫全書，無不以四部爲其範圍，本書卽依此範圍分五編——小學、經學、史學、子學、文學、——加以論述。

二、本書討論，祇限一般問題，凡屬治學之具體方法，不在討論之列。

三、近代治小學者，無不侈談殷墟甲骨文字，惟甲骨文構形雖與鐘鼎文不無微異，但其造意幷不脫六書準繩，本書於小學之討論，重在六書義例，故不及於甲骨與鐘鼎之是非。

四、六經爲儒家之教本，其主旨在教學者以修己治人之道。後儒解經，頗涉迷信，旣乖先聖述作之旨，亦不合今日之時代精神，故本書討論經學，全本教育立場，於迷信之說，概棄不取。

五、歷史之功用，在以前人之得失爲後人之資鑑，故史家持論之公正與否，記述之翔實與否，實一史書爲良爲穢之分別所在，本書於諸史之評騭，卽本此觀點。

六、先秦諸子之思想學說，爲中國民族文化之精粹，迄今中國能在學術思想上與東西各文明古國一較長短者，仍利賴之。本書於諸子思想學說，除儒家外，多所非議，蓋與儒家思想相較，諸子不無偏失也；若就思想而言思想，則諸子固各有其千秋也。

七、民國以來，白話文學中之詩文、戲劇、小說作品，不無可述者，惟其中或有體製未臻成熟，或有內容政治思想太濃，概加評論既有未便；或論或不論，徒致罣漏之譏，爲勿濫計，故寧從缺。

八、古人姓氏，各書所載，每多歧出，如伏羲之伏，有作包者，有作庖者，有作虙犧，或宓戲者；左丘明之丘，有作邱者；鄒衍之鄒，有作騶者；揚雄之揚，有作楊者；凡此引用，悉依原本，不敢妄改，不一之處，讀者諒之。

九、古人相稱，有用字者，有用號者，有用謚者，有用官位者，有用排行者，有用地名者，各因時代風習而異，應酬文中，爲表敬意，自當循俗，惟著作中存此客氣，徒滋讀者尋檢之煩，故本書稱謂，除歷代帝王悉用廟號或謚號及先秦諸子悉用其習慣稱呼外，其他一概逕稱姓名，非敢不敬，蓋所以爲讀者便利也。

十、作者學無師承，分析問題，一本愚見，於前輩之意見，是則是之，非則非之，故時有是一人之甲見，而非其乙見者，蓋就事論事，不以人爲主，雖不免狂妄之嫌，竊自幸不爲門戶之習所囿也。

國學概論目錄

第二編　經學

第三編　史學

第四編　子學

國學概論

第一編　小學

緒論

小學本爲求學的一個階段，是與大學相對的名稱。大戴記保傅篇說：「古者年八歲而出就外舍。」盧景宣注：「外舍小學，謂虎門師保之學，」周禮保氏養國子。教以六藝，五曰六書。段玉裁說：「六書者、文字聲音義理之總滙也。」所以淸四庫提要把訓詁之學，字書之學，韻書之學，均列入小學。本來識字讀音爲求學的初步，古人把它列爲小學課程，是毫不足怪的。可是由於中國歷史悠久，文字的發展，由簡而繁，所謂「封于泰山者七十有二代，靡有同焉。」到漢代學者已經爲巧說衺辭所迷惑，對文字的形聲義弄不淸楚，於是周代的小學課程，便成了後代老師宿儒窮畢生之力都莫衷一是的學問。故本篇所稱的小學，已經不是周初的國子外舍的本義，而是文字形聲義的演成和它的應用的一種專門學問了。鄭樵說：「經術之不明，由小學之不振，小學之不振，由六書之無傳。」閻若璩說：「學者能知六書，則羣經如指掌。」阮元說：「聖人之道，譬若宮墻，文字訓詁，其門徑也，門徑苟誤，跬步皆歧，安能升堂入室乎？」這些都是說的小學對國學所具的重要性，由於小學對國學有如是重要，所以我們討論國學，不得不以小學爲起點。

第一章　文字

一、八卦爲原始之文字

中國文字形體，在漢以前凡經五變：第一期爲倉頡之古文體，第二期爲史籀之大篆，第三期爲李斯趙高之小篆，第四期爲程邈之隸書，第五期爲杜操之草書。不過實際開中國文字之先河的，應當推本於庖犧所畫的八卦，許愼說文解字敍說：「古者庖犧氏之王天下也，仰則觀象於天，俯則觀象於地，視鳥獸之文，與地之宜，近取諸身，遠取諸物，於是始作八卦，以垂憲象。」江式文字源流表說：「古史倉頡，覽二象之爻，觀鳥獸之迹，別創文字。」這裏很坦白的指出了倉頡的字是就易經的卦爻之文演變而出。劉熙釋名「坤作巛」，廣韻坤下巛，註古文。家語王肅注：「乾天巛地」，以☷卦文與巛形相較，則巛之原出於☷，當無可疑。章炳麟古書六例中以☰（乾）卦爲天，象≋（气），☵（坎）卦爲水，象巛，都有古篆可資對證。尤其明顯的是說卦中所解父母六子之義，它說：「乾、天也，故稱乎父；坤、地也，故稱乎母。」因天地爲萬物生育亭毒之源，故借其義爲父母，乃六書中假借之字。它說：「震一索而得男，故謂之長男；巽一索而得女，故謂之長女；坎再索而得男，故謂之中男，離再索而得女，故謂之中女；艮三索而得男，故謂之少男；兌三索而得女，故謂之少女。」☳卦以一陽居兩陰之首，一望而知其含長子之義：☴卦以一陰居兩陽之首，一望而知其含長女之義；☵卦以一陽居兩陰之中，一望而知其含中男之義；☲卦以一陰居兩陽之中，一望而知其含中女之義；☶卦以一陽居兩陰之後，一望而知其含少男之義；☱卦以一陰居兩陽之後，一望而知其含少女之義。都是六書中的會意字。至於說卦傳第十一章所列舉八卦代表的事物，達一百十二目之多，這些名目的取義，雖無如父母六子的說明，但必各具意義，當無可疑。同時八卦的互重，應當是由體到用的演進，六書中的會意、形聲、轉注的變化，極可能是由此悟入。故認八卦爲中國原始之文字，絕非無據。至於八卦之所以被排出後來的文字領域之外，可能是由其形體太簡，不足以適應社會的進化之故。

二、古文爲倉頡沮誦同造

倉頡之古文，是否卽科斗文，未易斷定，可確言者，其文皆象形指事之類。但幷非倉頡一人所造，據衛恆四體書勢說：「昔在黃帝，創制造物，有沮誦倉頡者，始作書契，以代結繩，蓋二人皆黃帝史也，諸書多言倉頡，少言沮誦者，文略也。」按古者左史記動，右史記言，沮誦之與倉頡，可能是左右二史，他們爲了職務上的需要，照八卦所給的啓示，創造文字，實所謂發明起於需要。不過由於文書記載的偶爾的略漏，遂使倉頡獨享創造文字之盛譽，沮誦之名淹沒不彰。正如今日言進化論者，都盛稱達爾文，而忽略了讓此發明權的華萊士一樣，學問中事，也有幸有不幸的。至於倉頡是否爲黃帝時人，異說頗多，年久迹湮，徒逞臆說，只增紛擾，故本文不論。

三、籀書史書之別

大篆爲周宣王太史籀所著，故又稱籀書，由於應劭張懷瓘等有「太史史籀」之語，遂有以史爲姓，而稱大篆爲史篇者，其實史籀爲太史籀之省稱，正如司馬遷被稱爲史遷一樣，古人多有以官銜冠名上者，以史爲姓，實緣應張之誤。大篆的數量，許愼以爲十五篇，字數多少不見記載，後人因尉律有諷籀書九千字乃得爲史的規定，遂誤認籀書字數爲九千，段玉裁謂此處籀書二字作讀書解，不作人名用，意卽凡能識九千字的可以爲史。大篆十五篇，只是對古文的整理，許敍說：「與古文或異」，正是偶有不同，大部分是相同的意思，大篆籀書史篇三名只是一體，張懷瓘書斷分大篆與籀書爲二體，認籀文卽甄酆六書中之奇字，實屬錯誤。應劭注漢書以史書爲周宣王太史籀所作大篆十五篇也，不知漢書皇后紀中所云之能史書，乃指能寫當時公文書體言，史書之史，乃尉律諷籀書九千字乃得爲史之史，這史是起草文書的官吏，并不是太史之史，也不是史篇之史。史書卽當時公文用的字體，也就是隸書，應劭把史籀與史書混爲一體，錯誤尤甚。

四、小篆之成

小篆是改良古文大篆的一種字體，本來周初的制度對於文字聲音的統一是很注重的，周禮有國子八歲入小學，保氏教以六書的規定。大行人之職，更有九歲屬瞽史喩書名聽聲音的制度。到厲王之後，政令漸弛，舊有制度，多不能行，到孔子歿而微言絕，七十子喪而大義乖，諸侯惡禮樂之害己，悉去其典籍。到了戰國，田疇異畮，車涂異軌，律令異法，衣冠異制，言語異聲，文字異形。及秦始皇統一天下，實行中央集權，一切文物制度，力求統一，於是丞相李斯作倉頡篇，中車府令趙高作爰歷篇，太史令胡毋敬作博學篇，把古文大篆加以簡化修改，名爲小篆，奏請始皇廢除與小篆不合的文字，使天下文字復歸於統一。這三人在著作的時候，是否採取分工合作的方式，抑或各不相謀？史無明白記載，就常情推測，始皇既以小篆爲標準文字，決不會本身先不統一，所謂倉頡爰歷博學的篇名，可能就是各人分擔部分的名稱，漢代書師把倉頡七章、爰歷六章、博學七章，合併爲一，總名之爲倉頡篇，又重按字數，以六十字爲一章，共分爲五十五章，合三千三百字，這是小篆的數量。自從小篆出，古文大篆遂廢，所以西漢人於科斗古文之書多不識。秦以後所稱爲篆書者，均指小篆言。

五、隸書之成

隸書是對篆書革命的一種字體，秦始皇既實行中央集權制，奏事繁多，史稱始皇每日批閱公文，以衡石自程，在這情形下，又發生了文字簡化的要求，於是程邈便適應這種要求而制作了隸書。張懷瓘書斷說：「按隸書者，秦下邽人程邈所作也。邈字元岑，始爲縣吏，得罪，始皇幽繫雲陽獄中，覃思十年，益大小篆方圓而爲隸書三千字奏之，始皇善之，用爲御史，以奏事繁多，篆字難成，乃用隸字。以爲隸人佐書，故曰隸書。」其形體，據徐鍇說：「卽今之隸書，而無點畫俯仰之勢。」中國的字形發展到隸書這階段才算大致定了型。

六、草書的作者

草書是隸書的一種速寫體，在文字的形聲義上都無大影響，並不在小學研究範圍之內，只因許愼說文敍說：「漢興又有草書。」所以附帶在此略加說明。草書的歷史，張懷瓘書斷中有兩則不同的記載，一爲章草，他說：「按章草者，漢黃門令史游所作也。衞恆李誕幷云：漢初而有草法，不知其誰。蕭子良云：章草者，漢齊相杜操始變藁法，非也。王愔云：漢元帝時，史游作急就章，解散隸體，粗書之，漢俗簡便，漸以行之是也。」二爲草書，他說：「按草書者，後漢徵士張伯英所造也。梁武帝草書狀曰：蔡邕云：昔秦之時，諸侯爭長，羽檄相傳，望烽走驛，以篆隸難，不能就急，遂作之，草書也。」黃伯思東觀餘論說：「凡草書分波磔者名章草，非此者但謂之草。」據上引蔡邕之說，草書爲秦時所創，但既無如小篆隸書創作者的人名可按，又無其它文書可徵，恐只是想當然耳。書斷章草條既引「漢初而有草法」之說，草書條又說：「後漢徵士張伯英所造也」，實不免矛盾，蓋其重點在書法，而不在發明人也。若就發明人說，當以蕭子良所說的杜操始變藁法爲可信。因草書的濫觴，乃緣草藁，凡人爲文起藁，字必潦草，史記有上官奪屈原草藁的記載。草藁並無定形，各人就意之所欲爲之，其體自必雜亂，杜操參酌篆隸的形體，將草藁字形加以糾正，成爲一種有規律的草書。東觀餘論說：「故章草當在草書先，然本無章名，因漢建初中，杜操伯度善此書，帝（武帝）稱之，故後世目焉。」杜操既生在史游張伯英之先，故草書應當是杜操所創。

七、漢代文字學情形

漢人在秦焚書之後，閭里書師所教習的只是小篆和隸書，古文大篆絕少知者，這種情形，可以從郊祀志所載：「美陽得鼎，獻之有司，多以爲宜薦宗廟，張敞好古文字，按鼎銘勒而上議曰：此鼎殆周之所以褒賜大臣，大臣子孫刻銘其先功，藏之於宮廟者也，不宜薦見宗廟。制曰：京兆尹議，是。」窺見一斑。當時如不是張敞認識古文字，就要鬧成一個笑話了。宣帝召齊之能通倉頡讀法的人入朝講授，而從之學的也只有張敞一人。平帝元年把史篇和逸禮、古書、毛詩、周官等一同下詔徵求，可見小學一門，在西漢簡直是同古文經學一樣的不發達。西漢雖也有幾篇關於文字的作品，如武帝時司馬相如所作的凡將篇，元帝時史游所作的急就篇，成帝時將作大將李長所作的元尚篇，但都只是一種幫助記憶文字的工具，如同後世的千字文七言雜志之類的書一樣，並不能對文字的形聲義有所闡發。漢書藝文志所稱的揚雄的倉頡訓纂一篇，杜林的倉頡訓纂及倉頡故各一篇，被認爲是漢人釋倉頡五十五章之作，但段玉裁說它們「隨字敷衍，不得字形之本始，字義之所以然。」王莽效法周公，制禮作樂，命大司空甄酆等校訂文字，乃有以篆文疊字從三日太盛，臆改爲三田的事情發生，自此學者競以奇詭相尚，嚮壁虛造不可知之字，遂有馬頭人爲長，人持十爲斗，士乙力爲地，八十四心爲德等不經之談。因此光武時馬援上疏極論文字之訛謬，和帝時乃命賈逵修理舊文。許愼親受業於賈逵，見當時文字譌僞日滋，是非無正，乃採史籀李斯揚雄之書，博訪通人，更參以師說，撰爲說文解字一書，以糾正世俗之迷誤，洞究聖人之微恉，於是自倉頡以來九千之文字，乃得分部別居，不相雜廁，而文字之體用，也由其形聲一望而知，不僅是闡明了古人制字的條例，也開闢了後人研究小學的門徑。丁福保說文詁林序說：「吾人處數千載後，猶能窺見古人文字之精意者，惟賴是書之存，其功眞不在禹下。」實非過譽。

八、說文解字釋題

許愼之書，以說文解字爲名，據曹應鐘解釋其名義說：「說文者，說其字之文，解字者，解其字之誼。如元始也，爲解字，從一兀聲爲說文；天顚也，至高無上爲解字，從一大爲說文。」這樣，把一個字分成文與字，又以字作誼解，實犯穿鑿之病。許敍明說：「文者物象之本，字者言孳乳而寖多也。」文與字是兩個對待的名稱，也可說是六書的總稱，籠統的說，文卽是字，字卽是文，分析來說，文爲字根，字爲文的枝葉。說與解同爲動詞，說者說明，解者解釋，說明是指外在形狀言，如象形指事之類；解釋是就內在含義言，如會意、形聲、轉注，假借之類。籠統的說，說卽是解，解卽是說；分析來說，對文當用說，對字當用解。說文解字以相對爲名，決不可混文字爲一物。且就文字的構造言，字中可包含文，文中却不能包含字，所以曹應鐘把一字分成文與字二節來解釋，如係會意諧聲之字，還勉強可通，如係象形之文，就絕不可通了。一個書名，必須能概括全部內容，決不會對一半說得通，對另一半說不通。王筠六書總說謂：「此書名以說文解字者，說其文，解其字也。」意簡言賅，實較曹氏爲高明。

九、說文部敍

說文解字一書的長處，在它的分類有系統，解說有條例。所謂系統，就是它的五百四十部，始一終亥的分別部居，所謂條例，就是它用六書作訓釋字義的根據。本來在許書之前，史游的急就篇也是以分別部居不雜廁自詡的，可是急就篇只是按照事物的類別分部，如姓名爲一部，衣服爲一部，飲食爲一部，器用爲一部，對於每一字形聲義的成因和運用原則，根本未涉及，以比漫無統紀的凡將、元尙，滂熹諸篇，誠然是有組織多了，若以視許書的「隱栝有條例，剖析窮根源」，（顏之推語）就瞠乎其後，不可以道里計了。關於許書始一終亥的部首排列用意，許氏未有說明，徐鍇著說文繫傳，將從一到亥各部相接的理由加以銓解，於「一」下解說：「天地之始也，一气之化也，天先成而地後定；天者上也，故次之以上。」於「上」下解說：「在上莫若天，上垂三光以示人，故次之以示。」於「示」下解說：「示者三光也，故次之以三。」於「三」下解說；「通三方而後爲王，故次之以王。」於「王」解說：「玉者君子所以比德也，天地之精也，王者所服用也，故次之以玉。」徐氏繫傳，對五百多部首字的解釋，大率類此，這些理由，實在都極穿鑿，經不起推敲，如一部既云天先成而地後定，爲什麼不可次之以土？上字部既云上垂三光以示人，爲什麼不可次以日月，而必次以示呢？諸如此類足以反證繫傳牽強之病者不可勝舉。王筠說：「部首本無深意，祇是有從之者便爲部首耳。……不得以始一終亥大體有義，遂依小徐部敍，字字求義，如序卦傳之不可逡易者，以致周章不通也。」又說：「許君自敍曰：同條牽屬，共理相貫。此謂部首之大綱，以義爲次也；又曰雜而不越，據形系聯，此謂部首之細目不能據義者，以形相系，而濟其窮也。」明白通達，大足以糾正小徐之失。

十、六書原起

六書爲文字製造的條例，最初見於周禮保氏教國子以六書，但誰創設此條例，則不見有明確的記載，韓非子五蠹篇說：「古者倉頡之作書也，自環者謂之私，背私謂之公。」故江氏文字源流表以六書爲史頡之遺法。但許愼說文解字敍說：「倉頡之初作書，蓋依類象形，故謂之文；其後形聲相益，卽謂之字。」段注以依類象形乃指象形指事二體言，其後乃指倉頡以後。準此，則許愼既認定倉頡只造文，未造字，所謂六書之名和它的條例在當時自然不會有。王筠說：「六書之名後賢所定，非倉頡先定此例，而後造字也。」也是否定倉頡制定六書條例之說的。故六書之條例，應當是後世教習文字之學者研究所得。

十一、六書次第

六書的次第，鄭衆周禮注列作：一象形，二會意，三轉注，四處事，五假借，六諧聲。班固漢志所列，則爲一象形，二象事，三象意，四象聲，五轉注，六假借。許愼說文敍所列，則爲：一指事，二象形，三形聲，四會意，五轉注，六假借。這三家的次第以鄭衆爲最亂，惟唐張參五經文字序所引周禮保氏六書次第爲：象形、指事、會意、形聲、轉注、假借，與現行本鄭注次第不同，王筠謂：「按張氏既引保氏，則所列名目，當出鄭注，而次第不同今本，或張氏所據鄭注，爲未經倒亂之本，賈氏則據倒亂之本乎！然二人時代不隔，疑莫能明也。」故現行本鄭注次第不無疑問。就班許二氏次第來評論，一般都認爲班優於許，鄭樵通志說：「六書也者，象形爲本，形不可象，則屬諸事，事不可指，則屬諸意，意不可會，則屬諸聲，聲則無不諧矣。五不足，而後假借生焉。許君首指事，似不可解。」王筠說：「六書次第，要以班書爲是，象形指事，獨體也，而有物然後有事，故宜以象形居首，會意形聲，皆合體也，而會意兩體皆義，形聲則聲中大半無義，且俗書多形聲，其會意者千百之一二耳，即此足以知其先後矣。」孔廣居說：「事與形較，則事虛，事與意較，則事實，故班氏次象事於形意之間也。」他又說明班氏的四象道：「象形多獨體之文，事意聲多合體之字，文爲母，字爲子，事意聲之字皆生於象形之文，故皆以象名之。」據此，則班氏的定次命名都是極有斟酌的。黃元同在六書通故中解釋許氏次第的理由說：「許書部始於一，指畫上而爲一以象天，指畫下而爲一以象地，首指事，先天地也；天之上莫大於日月，故二曰象形，日月是也；地之上莫大於江河，故三曰形聲，江河是也；天地之中人爲大，而人莫大於言動，故曰會意，武信是也。」近人孟森說：「黃君此解，是知許所言爲解字之次第，而班劉言造字之本，故言造字之次第，非有異同也，且許敍亦言倉頡之初作書，蓋依類象形謂之文，其後形聲相益謂之字，文者物象之本，字者言孳乳而寖多也。則亦何嘗不首於象形？是其言造字之法，固與班劉之說合矣。」這是爲許愼彌縫的說話，却正不妨視作許氏次第之誤的證明。

十二、六書義例

六書之名稱雖不創於許愼，然爲六書下定義幷舉例說明之的，——有籍可按者——當以許愼爲第一人。顏師古注漢書，全採許氏之說；賈公彥疏周禮，舉例未變，而釋文則小異。自是而後，研究小學者，無論宗法許氏，抑或反對許氏，其論據皆不能完全脫離許氏所下定義，這裏就按照班志的次第，許敍的定義，以及各家對六書的意見，分別加以討論。

甲、象形

象形一體，許愼的定義是：「畫成其物，隨體詰詘，日月是也。」段玉裁注說；「有獨體之象形，有合體之象形，獨體如日月水火是也，合體者從某而又象其形，如眉從目，而以乙象其形，箕從竹，而以甘象其形，衰從衣，而以冄象其形，……獨體之象形，則成字可讀，輔於從某者，不成字，不可讀，說解中往往經淺人刪之，此等字半會意，半象形，一字中兼有二者。會意則兩體皆成字，故與此別。」這是說象形字中亦有合體者，其別於會意者，則會意爲兩體皆爲獨立之文，而象形中則一爲獨體之文，一不成文。鄭樵六書略序於象形字有十形六象之分，所謂十形者：「有天物之形，有山川之形，有井邑之形，有草木之形，有人物之形，有鳥獸之形，有蟲魚之形，有鬼物之形，有器用之形，有服飾之形。」所謂六象者：「則有象貌、象數。象位、象氣、象聲、象屬。」此外「又有象形而兼諧聲者，則曰形兼聲，有象形而兼會意者，則曰形兼意。」鄭氏十形六象之說，意在以詳補許氏之略，不知名物的定義，只當就其原則說明，如以列舉爲能，則將弄巧反拙，卽如鄭氏舉草木之形，就遺了竹科，舉人物之形，就混了男女，又怎能算得詳盡？至於鄭氏的形兼聲，形兼意，則顯然是爲眉箕衰一類字形所迷惑，其實段氏所說的象形中之合體，一體成字，一體不成字者，應當是指事，而不是象形。江聲六書說曾批評許氏書中此種情形道：「說文解字中，頗有言象形，而實爲指事者，不可殫述，姑舉一二言之：如不字，一在上，即以爲天，象鳥之傳天而遠去，察其不來下之形，則不可之意見；至字，一在下，即以爲地，象鳥之尾翼向上，而首著地，視其下集之形，則來至之意可識。……叔重皆云象形，顧其形皆由意造，亦因字而生者，故曰實爲指事。」許愼於象形字所下的定義極明確，而於解字中却不免自亂其例，殊爲可惜。鄭樵意欲補許氏之略，未識大體，轉增繳繞。後儒因許書中有以指事會意爲象形者，乃予刪汰，段玉裁譏爲非是，以護許氏之短，亦非實事求是之道。許敍既言「文者物象之本」，又說「畫成其物」，是其本意固認獨體爲象形之文，所以我們只當遵其定義，不可循其亂例。

乙、指事

許敍說：「指事者，視而可識，察而見意，二𠄟是也。」這兩句定義，殊不夠明確，如視而可識，就近乎象形，察而見意，就近乎會意，所以這一條定義的界說，全靠了舉例的「二𠄟」兩字爲補充。王筠的六書總說謂：「惟六書之中，指事最少，而又最難辨，以許君所舉上下二字推之，知其例爲至嚴，所謂視而可識，則近於象形，察而見意，則近於會意，然物有形也，而事無形，會兩字之義以爲一字之義而後可會，……惟有上丅以兩畫成爲一字，上下本非物也，然視之而已識上下之形，兩劃既皆非字，則幾於無以爲義，然察之而已見二𠄟之義。」王氏對上下兩字的解釋足以補許氏之不備，然於指事的定義，仍未能有所發明。孔廣居說文疑疑說：「事者人事也，指者指此事也，如上下兩物相等，從下視上，則上物必小於下，從上視下，則下物必小於上，故二𠄟二字象之，徐楚金繫注以本末爲指事，以一在木下爲本，一在木上爲末，木之本末，非人事，會意也。釆之爪在木上，㕟之又在馬後，舂之舉杵臨臼上，暴之奉米出日中，莫非事也。」孔氏以指事必指人事，乃一卓見，惟其舉例中之釆字暴字均爲合體字，似當屬會意。段玉裁謂：「徐楚金及吾友江艮庭往往認會意爲指事，非也。」足證王筠「指事最少，而又最難辨」之說爲不誣了。

丙、會意

許敍說：「會意者，比類合誼，以見指撝，武信是也。」段注謂：「會意者，合誼之謂也，凡會意之字，曰从人言，曰从止戈，人言止戈二字皆聯屬成文，不得曰从人从言，从戈从止，而全書內往往爲淺人增一从字，大徐本尤甚，絕非許意，然亦有本用兩从字者，固當分別觀之。有似形聲，而實會意者，如拘鉤笱皆在句部，不在手金竹部。」段氏於从字使用例的說明，在這裏很重要，因凡用从某者都是分別子母的合體字。鄭樵說：「二母爲合體，一子一母爲諧聲。」母爲類，子爲聲。从字表示母體所在，所以諧聲字多就偏旁用从某以示所屬，會意字爲平等合體字，無子母之軒輊，所以信字用从人言，武字用从止戈，示無偏重。至於拘鉤笱三字，本來應以手金竹爲類，（康熙字典卽如此分類）句爲聲，許氏却悉納入句部，以聲代形。錢塘與王無言論說文書中已指此爲許氏自亂其例。中國字書向重左文，卽每字的部類均在左邊，由於說文這種變例，所以王聖美治字學主張右文，卽以右邊爲部類，如戔小也，水之小者曰淺，金之小者曰錢，歹而小者曰殘，貝之小者曰賤，諸如此類之字，均以戔爲義。戴震曾因此而欲作諧聲表，變古代以義相統之例爲以聲相統。這些事實說明了聲亦有統義的可能，同時也不啻認定了拘鉤笱三字應爲形聲字。故段注中所說的「有似形聲，而實會意者」，應該說是本爲形聲，而作會意者，才是公正的說法。據許氏會意的定義及舉例來看，似乎只有合體字才是會意字，但孔廣居說文疑疑說：「會意有合體，止戈爲武，人言爲信是也；有獨體，如倒人爲匕（化），化者生也，人之生倒懸而下，故以倒人爲意：反𢇍（絕）爲㡭（繼），㡭者不絕也。有省體，如骨之省而爲冎也，以骨上剔肉爲意；鳥之省而爲烏也，以烏身與目皆黑，人不辨其目爲意。」在這裏我們可以爲會意字的定義加一注脚——不論爲合體抑是獨體——它的意義都與它的字根不同。

丁、形聲

許敍說：『形聲者，以事爲名，取譬相成，江河是也。』段注謂：「以事爲名，謂半義也，取譬相成，謂半聲也，江河之字，以水爲名，譬其其聲如工可，因取工可成其名。其別於指事象形者，指事象形獨體，形聲合體；其別於會意者，會意合體主義，形聲合體主聲。」王筠謂：「書有六體，形聲實多，若江河之類，是左形右聲，鳩鴿之類，是右形左聲，草藻之類，是上形下聲，婆娑之類，是上聲下形，圃國之內，是外形內聲，闤闠衡銜之類，是外聲內形，此形聲之等有六也。」惟闤闠衡銜之例，說者以爲非是，應改爲聞問閎閩等字。形聲字等類，大概不出此範圍。形聲字顧名思義，一邊爲形，一邊爲聲，如上列六例，都很淺顯易知，然亦有費解者，如鮮字以魚羊合體，不見鮮字之音，酎字以酉寸合體，不見酎之音。原來形聲字，取聲之字，有爲獨體象形指事之文，亦有爲合體會意之字的，遇字形過於複雜者，往往省其形體，於是表音字的元形晦了。如上舉鮮字之音便在羊旁，羊即羴之省體；酎字之音在寸旁，寸即肘之省體，孔廣居謂：「諧聲有形聲，有省聲，省體諧聲者，古人之約煩就簡也，如鮮之羴省，融之蟲省，可推而知，如羔之照省聲，則難知矣。」所以要認識形聲字，先得明白省體字，如省體不明，就無法了解形聲了。

戊、轉注

許敍說：「轉注者，建類一首，同意相受，考老是也。」對轉注一體的意見，向分二派；一派以形體釋轉注，一派以訓詁釋轉注。主形體一說的，以爲轉注仍爲造字形體之一，這一派的倡議者是唐孫愐、裵務齊等，他們以考字左回，老字右轉，爲轉注之體，戴仲達的六書故，周伯琦的六書正譌，以爲老从人毛匕，是會意字，考从老省丂聲，屬諧聲字，左回右轉之說，實不合轉注體例，於是他們另舉側山爲阜，反人爲匕(化)等以爲轉注之例。朱駿聲說：「此指山人已成之形，爲阜匕續生之事，卽所謂指事。」故其說仍不能或立。鄭樵以轉注別聲與義，分之爲建類主義，如考老㱿屨等是；建類主聲，如鳳凰羅羅等是；互體別聲，如啎啻唯售等是；互體別義，如猶猷愚惱等是。朱駿聲斥其「既無條理，且多俗字，舛謬尨雜，眞爲兒戲。」所以用不着再加批評。

以形體言轉注最具體的，應當推曹仁虎的轉注古義考。他用比較的方式說：「轉注近乎會意，而與會意不同，轉注者，以此合彼，而不離其原意，如以老合丂爲考，而考字仍與老字同義，以老合蠹爲耋，而耋字仍與老字同義，推之以老合旨爲耆，而耆字亦卽老字之義，以老合句爲耇，而耇字仍有老字之義，以老合占爲耆，而耆字仍有老字之義。會意者以此合彼而各自爲義，如止戈爲武，而武字已非止字之義；人言爲信，而信字已非人字之義，此轉注與會意之分也。轉注又近乎諧聲，而與諧聲不同。轉注者，彼與此本屬同意，如丂字本有氣礙之象，老人之哽噎似之，故以老合丂爲考，从丂得聲，而仍與老同義；𠷎字本有屈曲之象，老人之傴僂似之，故以老合𠷎爲壽，从𠷎得聲，而仍與老同義；推之毛爲眉髮之義，與老人之頭白有合，故以老合毛爲耄，从毛得聲，而即从老得義；旨有意旨之義，與老人之指使有合，故以老合旨爲耆，从旨得聲，而即从老得義；老人面黎若均，故以老合句爲耇，从句得聲，而亦从老得義；老人面斑如點，故以老合占爲𦒷，从占得聲，而亦从老得義。諧聲者，彼與此，一主義，一主聲，如以水合工爲江，工字本無水義，而但取其聲，以水合可爲河，可字本無水義，而但取其聲，此轉注與諧聲之分也。……蓋轉注又近於假借，而與假借不同，轉注者，一義而有數文，故耆老皆有老義，而老亦可稱壽考耄耆；假借者，一文而有數義，故令爲號令之令，亦爲令善之令，又爲使令之令，長爲長短之長，亦爲久長之長，又爲長幼之長，此轉注與假借之分也。」這段議論，雖頗言之成理，然所舉轉注字例，始終不脫考老數字，殊不足以概全。曾國藩答朱太學書說：「轉注之字，大抵以會意之字爲母，以得聲者爲子，而母字從無不省畫者，省畫則母字之形不全，何以知母意之所自來，惟好學深思，精心研究，則形雖不全，而屬從之字，意可相受。」按耄與耋二字都是以老爲母的字，都未省畫，何得謂「從無不省畫者？」曾氏的見解，乃是踏襲徐鉉徐鍇以諧聲中聲義兩近者當轉注，以及楊桓三體已上展轉附注，是曰轉注之說的謬誤。所以他在書尾說，「間以示同好，疑信參半。」已自承得不到人的全信。戴震批評二徐之說道：「此以諧聲中聲義兩近者當轉注，不特一類分爲二類甚難，且較義之遠近，必多穿鑿。」朱駿聲批評楊桓說：「謂三體以上，展轉附注，三體四體，不過數字，悉屬會意，或兼諧聲，淺之談，不足置辯。」以訓詁釋轉注的，認轉注只是字義的運用，無關形體，倡此說的爲明楊愼，他以四象爲經，注借爲緯，經爲體，緯爲用。江永承其說，謂「本義外，展轉引伸爲他義，或變音，或不變音，皆爲轉注。」江氏弟子戴震更確定轉注就是互訓的別名，他以爲轉注就是轉相爲注，說文中於考字訓之曰老也，於老字訓之曰考也，就是對轉注一名的具體說明。而且說文老从人毛匕，考从老省丂聲，已明示一爲會意，一爲形聲，許敍中引考老爲他的定義作證，顯然是表明會意形聲字都可以作轉注用，如果認轉注爲形體，這一引例豈不是自相矛盾？許愼或不致荒唐若是。段玉裁注謂：「建類一首，謂分立其義之類，而一其首，如爾雅第一條說始是也；同意相受，謂無慮諸字意恉略同，義可互受，相灌注而歸於一首，如初哉首基，肇祖元胎、俶落權輿，其於義或近或遠，皆可互相訓釋，而同謂之始是也。獨言考老者，其顯明親切者也。老部曰：老者考也，考者老也，以考注老，以老注考，是之謂轉注。」故比較兩派的論證，應該當以訓詁一派爲長；轉注之字，固多部類相同如考老耆耋之字者，但亦有部類相同，而幷不能互注者，如耆字在老部，却無老字之義。亦有部類不同，而義相似者，如大禹謨「耄期倦于勤」，蔡傳：「九十曰耄，百年曰期。」是期亦與耄耋等字同義，但期幷不在老部。尤其是段舉爾雅諸例，都足以證明轉注爲訓詁之事。至江聲所說：「說文之五百四十部，皆建類一首也，凡某之屬皆从某，是同意相受也。」果如所言，則轉注一目卽可概括中國字學了，何必再分作六書？實在欠通。

己、假借

許敍說：「假借者，本無其字，依聲託事，令長是也。」假借與轉注同是屬於字的用法的，也就是訓詁之事，所不同的，是轉注以數字共一義之用，假借則以一字作數義之用。轉注的用端在義，假借的用稍偏於聲。由於許慎這一定義下得明確，所以未有形體與訓詁兩方面的爭執。不過各家的解釋也極端煩雜，如鄭樵的解釋：「有同音借義，有借同音不借義，有協音借義，有借協音不借義，有因音借義，有因借而借，有語辭之借，有五音之借，有三詩之借，有十日之借，有十二辰之借，有方言之借。」列舉了十二種之多。朱駿聲則舉出「假借之源三」，「假借之例四」，「假借之用八」，其瑣碎也不下於鄭氏。江聲謂：「假借一書，為誼極蕃，凡一字而兼兩誼三誼者，除本誼之外，皆假借也。」我們打開中國的字書看，有幾個字不是在兩誼三誼以上者？換言之，中國字多部分都是可假借的，這些字的假借方式，千變萬化，往往隨義隨形隨聲隨人隨時隨地，用法各不相同，又如何列舉得盡？強相糾纏，只有治絲益棼，鄭朱兩氏每將轉注與假借混淆，便因此故。所以我們對這一問題，只當認定它的幾個大原則。按假借字的產生，不外三種因素：第一是本無其字，取它字在意義上可相譬況的來用，如借鳳鳥朋飛之義以譬況友朋之朋，借日落時鳥棲於巢之義以譬況西方之西，完全是從意思上借用的，這類字自始至終，未造本字，所以現在成了本字，據說文所載共有來、朋、西、韋、子、烏六字。第二是依聲託事的假借字，完全起於人類的原始音符觀念，他們不問字義如何，只要聲同，便把它拿來代替所要表達的事物，譬如說衣服的衣和依賴的依，聲同而義不同，但要用依字的人，他不會寫依字，便把衣字作依字用，這類完全借聲的字，必須從它上下的文義上去認定它是否假借字，若無上下文聯繫，就無法確定它是否假借字了。許氏定義中舉例的令長兩字，便是包括上兩形態的，令為命令之令，縣官為一縣發號施令之人，故借稱縣官為縣令，長為長短之長，又為長幼之長，縣官為一縣之長，故借稱爲縣長。縣令之令和縣長之長，雖始終未造本字，因爲令長二字的原意義仍保存着，故它們是否用作假借字，完全從它們的上下文去決定。第三種是省筆字或別字，後代的訓詁家爲注釋經傳的便利，用通假的條例算它們作假借字，實際上并不是假借字。省筆字以金石之文爲多，原因是古代工具不精，雕刻困難，爲求省力，就隨便減損筆畫，或去其偏旁，如石鼓文的「其魚維何」被省作「隹可」，就是一例，而後人却稱之爲省借；別字以先秦經傳中爲多，原因是古篆筆畫繁複，當時字典說文等工具書不完備，雖有疑惑，無從檢校，類似字形，常易混淆，如檀弓「子蓋言子之志於公乎？」「然則蓋行乎！」鄭注：「蓋當作盍」，已明白的指出這是錯字，但後人却名之爲增借。原因是注疏家要尊重經傳在學者心中的地位，不願坦白承認這些錯誤，以啓後學輕視古人之漸，便巧言彌縫，於是像朱駿聲所說的「傳寫雜而失眞」的一些別字，也都成了假借字。王筠六書總說中注說：「凡云古字通用者，乃注疏家體例固然，實係以聲借用，非其字本通也，首手尺赤皆通，則亦無不可通，此類以不效古人爲是。」這段話雖只是對通假之例而言，但亦可悟省借增借一說之謬。

十三、字學不可廢師承

自許氏說文解字一書問世後，研究文字者，如北魏江式的文字源流表，北齊顏之推的書證，都對它備致推崇，唐陸德明撰經典釋文，孔穎達賈公彥撰五經正義，李善注文選，釋慧琳撰一切經音義，也羣相引據，無有訾議之者；到唐乾元間李陽冰創字學新義，刊定說文，開排斥許氏之端，宋王安石遂作字說二十四卷，對一切字都取義解，抹殺許氏六書之例，如說「波者水之皮」，「以竹鞭馬爲篤」，全憑臆說。所以蘇軾譏之說：「然則滑是水之骨，以竹鞭犬，有何可笑耶？」但因王安石大權在握，當時一班想藉文章進身的，都不得不遵用他的說法，所以字說一書流行很廣，到了南宋，鄭樵又作六書略，以詆許愼，說許愼僅知象形、諧聲二書，六書已失其四。樓鑰甚至罵許愼爲「野陋淺薄，謬妄欺世」。由於這種反動的影響，元明兩朝的學者無不習于望文生訓，藐視許書。直到清代一般漢學家以聲音訓詁爲校理經傳之工具，許氏說文才重被珍視，其間最有助於許氏說文者首推段玉裁的說文注，其次桂馥的說文義證，王筠的說文句讀及釋例，朱駿聲的說文通訓定聲，都可說是許氏文字學的功臣。就上面所論六書的情形以觀，許愼對六書所下諸定義，均極精確完美，惟在字的正書與俗書之間的去取及說解方面，不免時有自亂其例之處，所以戴震批評說：「說文於字體字訓，罅漏不免，其論六書，則不失師承。」李陽冰王安石鄭樵等竟因其罅漏，而推翻其有師承的義例，遂形成宋元明三代文字學的橫溢旁決，不可究詰之局，這不能不說是中國文字學生命中的一段厄運。師承之束縛學術的自由發展，正如禮法的限制人之任意行爲一樣，誠不能無弊，但往深一層推究，社會無禮法，則人皆放浪於形骸之外，弱肉強食，倫常毀滅，其勢不淪衣冠於禽獸不已；同樣，學術無師承，則後學皆人逞臆說，嚮壁虛造，勢必變經義爲野言，盡失古人之眞。家語載「子路問於孔子曰：請釋古之道，而行由之意，可乎？子曰：不可，昔東夷之子慕諸夏之禮，有女而寡，爲內私壻，終身不嫁，不嫁則不嫁矣，亦非清節之義也；蒼梧嬈娶妻而美，讓與其兄，讓則讓矣，然非禮之讓也。不愼其初，悔其後，何嗟及矣！今汝欲舍古之道，行子之意，庸知子意不以是爲非，以非爲是乎？後雖悔，難哉！」學古不守師承，徒逞臆說，必如王安石之字說，鑄成亙古大笑話。小學所以不可廢師承的，一方面是避免踏孔子所給子路指示中的弊端，一方面也正如顏之推所說：「若不信其說，則冥冥不知一點一畫有何意焉。」

第二章　聲音

一、最初音讀

小學一門，是形聲義并重的，但許慎說文解字的重點却偏於形義，於音讀方面，只在解字時指出字中聲音所在的部位，如說元字从一兀爲聲，丕字从一不爲聲之類便算了。而對於秦漢以來失讀了的古音，却不能像對紛亂了的古文篆籀一樣訂立一個條例出來，釐正和確定。所以在訓詁上有許多因聲音而起的疑難，便無法從說文解字中尋求答案，這不能不說是一種遺憾，不過這種遺憾，不能獨責許慎，因爲許慎的六書條例，是有師承的，聲音之學，未經師說，他也只好寧缺毋濫了。按之倉頡造字，伶倫制律的傳說，聲音之學可以說是和文字之學爲同一時代的產品，且更有謂聲音之事早於文字的，如孔穎達尙書序疏所說：「言者意之聲，書者言之記。」潘未類音說：「聲音先文字而有，聲止於一，字則多寡不論，或一音而數字，或有音而無字。」錢塘與王無言論說文書謂：「文者所以飾聲也，聲者所以達意也，聲在文之先，意在聲之先。」都是同此主張的。不過中國的聲韻之學發明雖很早，但它的表現，只在詩歌當中，此外幷無學術上的條例可言，倉頡的古文對於聲讀如何安排，無記載可考，周禮大行人之職，九歲屬瞽史，喻書名，聽聲音，是統一音讀的制度。但也無聲讀方法的說明，史籀的讀法，據許愼說文匋下云：「史篇讀與缶同。」可知籀書的注音方法是讀同；周禮：「司門掌授管鍵，以啓閉門。」鄭司農注云：「鍵讀爲蹇。」可知大鄭所用注音方法是讀爲，故許愼說文解字中注音也只用讀若。

二、反切的形成

上節所說的讀同、讀爲、讀若的注音方法，是極不科學的，朱駿聲謂：「三代秦漢之嬗，聲以世遷；九州南北之迢，言因方易。」顏之推音辭篇說：「南人以錢爲涎，以石爲射，以賤爲羨，以是爲舐；北人以庶爲戍，以如爲儒，以紫爲姊，以洽爲狎。如此之例，兩失甚多。」劉熙釋名說：「古者曰車聲爲居，所以居人也；今曰車聲近舍。」在此南北古今音讀差異情形之下，如果只憑讀同、讀爲、讀若之類的方法去識別音讀，那麼，究竟是以南方音爲準，還是以北方音爲準呢？究竟是以古音爲準，還是以今音爲準呢？這就大成問題了。而且在無同音字可引注，或者所引之同音字生僻難識，讀者仍將無法得其音讀。爲了補救這類缺失，於是何休公羊傳用長言短言來分辨，高誘注淮南子，用緩氣急氣來區別，這一用發音定音讀的方法，較之讀同讀爲的方法，的確已進了一步，然長短緩急以何爲標準？所給人的印象仍不免模糊。到了東漢末年，鄭玄的弟子孫炎發明了反切，中國文字音讀的問題，才算得了解決。（有謂孔安國已曾用過反切，此學不始於孫炎者，然孔氏傳注，疑問頗多，未敢妄據。）禮部韻略謂：「音韻展轉相協謂之反，亦作翻，兩字相摩以成聲謂之切，其實一也。」更明白的說，反切就是拚音法，把一個字音緩讀就成了反切的二字，把反切的二字急讀，便成了所要知道的字音，如簫字音，緩讀爲西么，西么二音急讀便成了簫。這一發明，可能是由何休與高誘的長短音和緩急氣的啓示，但所用的方法，似乎採之佛經的梵音。中國的三十六字母（卽見溪郡疑）雖於唐中葉始由釋神珙、釋守溫仿梵語而創立，但佛經的傳入中國，實在東漢明帝時，當時西域僧摩騰竺法蘭以白馬馱經來中國，住於洛陽鴻臚寺，其宣揚佛法，講授經典，想必以梵語拚音法教人，孫炎很可能間接或直接得其傳授。鄭樵七音略序云：「七音之韻，起自西域，流入諸夏，梵僧欲以其教傳之天下，故爲此書，雖重百譯之遠，一字不通之處，而音義可傳，華僧從而定之，以三十六爲之母，重輕清濁，不失其倫，天地萬物之音，備於此矣，雖鶴唳風聲，雞鳴狗吠，雷霆驚天，蚊虻過耳，皆可譯也。」這段話雖只是對梵語拚音法的讚美，然其方法之爲士林所重視，不難於此推知，換言之，其對中國音讀方法所生的影響，必甚巨大。

三、韻學的演進

在孫炎反切的發明之後，梁朝沈約又發明了四聲譜，所謂四聲，就是按照每字發音的高低強弱，定爲四等，以平上去入別之。這一發明，一方面把反切作了進一步的發揮，一方面把前此詩歌中的不成文的音韻法則，定出一個條例來，梁書說，「約撰四聲譜，以爲在昔詞人，累千載而不悟，而獨得胸襟，窮其妙旨，自謂入神之作。」就四聲在中國音韻學上所生的作用言，這段話是不算誇大的。自從四聲之說興起後，相繼產生了呂靜的韻集，夏侯該的韻略，陽休之的韻略，周思言的音類，李季節的音譜，杜臺卿的韻略等音韻專著，隋陸法言與劉臻、顏之推、魏淵、盧思道、李若、蕭該、辛德源、薛道衡等八人因見呂靜等六家著作各有乖互，乃共同討論南北是非，古今通塞，欲削除疏緩，更撰一部精碻的韻書，幷推陸法言爲主筆，於是陸法言乃摘取古今字書音韻，及當日同仁所討論的筆記，撰成切韻五卷，計分平聲五十七韻，上聲五十五韻，去聲六十韻，入聲三十四韻，合共二百零六韻，成爲中國權威的韻書，到唐朝孫愐重爲刊定，改名爲唐韻，到宋代陳彭年等奉勅重修，賜名廣韻，因爲他們只是就切韻加以增訂，韻部分類，仍依切韻之舊，所以仍題爲陸法言撰。宋末王文郁併廣韻的平聲五十七部爲上下各十五部，上聲二十九部，去聲三十部，入聲十七部，合爲一百零六韻，平水人劉淵據以刊行於江北，世因稱爲平水韻，元初黃公紹承用其部類作韻會。韻學演進到此，遂登峯顛。

四、變協的流弊

中國聲韻學的發展，與文字的過程正相同，都是由簡趨繁的，戴震說：「三代古音，惟有平入二音，無去上聲。」章炳麟說：古人於聲音僅分開口闔口二音，後分半闔爲撮口音，半開爲齊齒音，共爲四聲。」明魏驥論觀卦云：「今轉注之說，則彖象爲觀示之觀，六爻爲觀瞻之觀，竊意未有四聲反切已前，安知不爲一音乎？」從這三段說話推斷，可知時間愈古，聲音愈單純，時間愈後，聲音愈煩碎。古詩從虞廷和歌以迄詩經，用韻大致相同，惟易經繫辭用韻間或夾雜方音，與詩經的韻有些不同，足見春秋時的聲韻已稍起變化了。蓋自大行人之職廢，方音併起，春秋標齊言之傳，離騷以楚辭爲名，聲音比文字更混亂，東漢已不識古韻，錢大昕謂：「七月末章已有歧音，清廟一什，半疑無韻，非無韻也，古音久而失其傳耳。」所以今韻的分類儘管比古韻爲細密，發音也比古音爲有法則，但用今韻去讀古書，更會扞格不通，一般用今韻讀古書的人，爲了勉強求通起見，便想出了變音求協與變字求協的方法，如東漢韋昭因詩經「王姬之車」的車如讀居，便不能與華字爲韻，認爲車當讀尺奢切。其實華字的古音讀如敷，正與居爲韻，改車爲尺奢切，不惟失去車字的古音，也失去了華字的古音。唐明皇讀尙書至「無偏無頗，遵王之義」，以頗與義不成韻，引易經「无平不陂」之陂與頗字訓詁無別之據，詔改頗爲陂，其實義字古音讀爲我，正與頗爲韻，改頗爲陂，反而兩失了。因之較謹愼的學者，如沈重、顏師古、吳棫、朱熹等人便採韋昭變音求協的方法，大膽的如范諤昌、孫奕、楊愼等人便用唐明皇改文以求協的方法，於是音韻學不惟不能有助於讀經，反而成了倒亂經文的禍根。

五、古音學的興起

爲了挽救變協之弊，有識的學者便發動了對古音的研究，最初提出研究結果的是宋鄭庠，他把廣韻的二百零六部簡化爲六部，（把廣韻的五十七個平韻選擇三十個爲代表，依聲分爲六部，上去聲韻卽隸於平韻部內，有入聲者亦附平韻，無則缺之。指示出古韻的寬簡。其次是明陳第，他撰詩古音，指出詩騷自有本音，并無協韻。到清初顧炎武用三十年時間，從廣韻研究入手，用唐人音韻正宋人之失，用五經音韻正六朝唐人之失，撰成音學五書：一音論，說明聲音變化之理，二詩本音，贊同陳第詩有本音，無協韻之說，三易音，從易經中韻語推求古音，其可通者通之，其不可通者闕之，四唐韻正，引古音以正唐韻之失，五古音表，將鄭庠的六部韻析爲十部。陳澧謂：「國朝諸儒小學，度越千古，其始由於顧亭林作音學五書，亭林之意，惟欲今人識古音；乃古音明，而古義往往因之而明，此亭林始願所不及也。」顧氏之書問世後，毛奇齡曾著古今通韻，力加駁斥，但毛氏用今韻以求古韻，條例愈多，糾紛愈甚，清代小學家很少同意他的。相反的，顧氏之說，則一直爲學者奉爲圭臬，不過也受到不少的修正，如江永便析顧表的十部爲十三部，段玉裁又析爲十七部，戴震則析爲十八部，孔廣森則析爲十九部，王念孫則析爲二十一部，近人又有分之爲二十三部和二十八部的，大抵時間愈後，分析愈細，切韻廣韻都同一例。

六、分韻不宜太細

據前面所述古人發音之簡，則知古人分韻不會太繁，所以後人將古韻分析愈細，只是古韻的枝節更多，并不就是對古韻的研究更澈底，如鄭庠的第二部韻爲支微齊佳灰，顧炎武江永都無變更，段玉裁却將它們分成三部，以之咍爲第一部，脂微齊皆灰爲第十五部，支佳爲第十六部，至於之脂支三字的讀法有何差別，他自己却始終弄不明白，直到晚年，還寫信問江有誥說：「足下能知其所以分爲三乎？僕老耄，倘得聞而死，豈非大幸！」足見鄭顧諸氏所以不將此三韻分裂者，實得以簡馭繁之法，段氏這種分析，當然是有古籍中的用法爲依據的，要知古籍用韻通轉極廣，如只從某一角度去定分類的標準，那就會纏繞不清了。所以儘管戴震王念孫等對段氏這種分類服其精細，但連他本人都不知此種分類的所以然，何以使後之讀其韻部的人了解？章炳麟說：「窮言音理，大地將無解音之人。」眞是閱歷之語。

七、聲隨義轉之非

顧炎武對於每字的音讀，認爲有本音有方言，每一字固定的通用音讀，是它的本音，凡音讀與本音異者，都是方言，古音眞諄爲一類，耕清爲一類，但孔子贊易，於這兩韻常互用不分，顧氏以爲此卽方言的影響，謂「五方之音，雖聖人有不能改者。」這正是他不以協韻亂古音的條例。而錢大昕答問音韻三則却說這是顧氏輕於持論，他把顧氏說的本音當作正音，把顧氏所說的方言當作轉音，他說：「古人有韻之文，正音多而轉音少，則謂轉韻爲協，固無不可。」不知顧氏本音之說，正所以反對協韻，錢氏如以詩有協韻來反駁顧氏詩有本音無協韻的主張，則見仁見智，正不妨各是已見，如以顧氏信方言而不信轉音爲錯誤，那實是昧於顧氏的根本觀點。因爲錢氏主張轉音之說，他又提出一個聲隨義轉的原則出來，認爲一切轉注假借之字，音讀均隨義爲轉變，并舉了詩經中的許多例證，如小旻之「是用不集」，集義爲就，卽轉從就音，鴛鴦之「秣之摧之」，摧義爲莝，卽轉從莝音；瞻卬之「無不克鞏」，鞏義爲固，卽轉從固音；載芟之「匪且有且」，且義爲此，卽轉從此音，并說：「明乎聲隨義轉，而無不可讀之詩矣。」無可否認的，上面這些例子都是聲隨義轉的，但詩「烝之浮浮」，烝，氣上升也，「烝畀祖妣」，烝，進也，「文王烝哉，」烝，美也，「立我烝民」，烝，衆也，「烝在桑野」，烝，置也。每字義皆不同，而讀音却同。爾雅：臺朕卬吾予也，初哉首基始也，古音何曾有聲隨義轉之例，「燕人麗而周人貉」，方言由來不同，朱氏用少數特例，以偏概全，令人不能不反疑其「輕於持論」了。

八、顧炎武對古音學的貢獻

顧炎武研究古音的方法，乃是用歸納法，從經傳中的韻語去求證它的本音，如尙書的「遵王之義」的義字，怎知其當讀爲我？他引易象傳「鼎耳革，失其義也；覆公餗，信如何也。」以及禮記表記「仁者右也，道者左也；仁者人也，道者義也。」這些韻例爲義當讀爲我的證據。范諤昌改易漸上九「鴻漸于陸，其羽可用爲儀」中的陸字爲逵，以與儀協，朱熹以爲良是，但炎武舉詩經「汎彼柏舟，在彼中河，髧彼兩髦，實惟我儀，之死矢靡他』。的儀韻以證明儀當讀爲俄，正與陸字爲韻，改陸爲逵非是。易小過上六「弗遇過之，飛鳥離之。」朱熹以爲過離不成韻，顚倒遇過作「弗過遇之」，以遇與離爲韻，炎武舉易離九三「日昃之離，不鼓缶而歌，則大耋之嗟。』以爲離的本音爲羅之證，羅與過爲韻，不當顚倒爲過遇。孫炎的反切，補救了注音之窮，但無法證明所切出的音，是否卽爲古人所讀之音，炎武用以韻正音的方法，先求得古字的本音，以爲切音的指標，不僅是挽救了經文被倒亂的厄運，同時也端正了切音的趨向，於是經音明，經義也隨之而明，顧氏音學五書的貢獻，眞可與許愼的說文解字同其不朽。

九、文字聲音學之合一

顧炎武之研究古音，目的并未求與說文相配合，所以他的音學五書與說文解字了不相干，後來的小學家爲了使文字聲音之學歸於統一，於是段玉裁註說文時，便按照他的六書音韻表於每字下注明所屬韻部。朱駿聲更著說文通訓定聲，把說文解字的組織拆散了，用他所立的古韻十八部重行貫串諸字。至此，小學的聲義形才得合而爲一，訓詁的工具才臻完備。

第二編　經學

緒論

何謂經？中庸說：「凡爲天下國家有九經。」孝經說：「夫孝天之經，地之義，民之行也。」桓譚新論說：「經者常行之通典。」皇侃說：「經者常也，法也。」都把經作爲常道解。左傳仲尼曰：「夫晉國將守唐叔之所受法度，以經緯其民。」此處的經緯，兼有管理教化二義，因此漢儒又於經書之外，造出七種緯書。所以經書一義，卽生民必當遵行之書。也可以說是記載或者發揮人生大道的書。莊子天運篇載孔子謂老聃曰：「丘治詩書易禮樂春秋六經。」爲六經之名之最初出現。孔子這裏所說的六經，不過表明這六種書爲修齊治平之要籍而已，並未稱詩爲詩經，稱書爲書經，稱易爲易經，稱禮爲禮經，稱樂爲樂經、稱春秋爲春秋經。以經與書名聯稱，乃漢儒所爲。自儒家有了六經之名，在儒家之外的學派，也效法將其重要著作稱之爲經，數千年來羣認經爲著作中之最尊者。乃近人章炳麟却獨持異議，他認爲經並不作大道常道解，經乃是線之別名，經書就是線裝書，他解釋經傳論三體說：「繩線聯貫謂之經，簿書記事謂之專（傳），比竹成册謂之侖（論）。」照這解釋，經傳論只是書籍裝釘上的分別。但我們要問的，經是用繩線聯貫，比竹成册的侖是用什麼東西聯貫的呢？如果這種簿册也是用繩線聯貫的話，那爲什麼不也稱之爲經呢？而且竹簡繁重，決非經線所能聯貫，史記稱孔子讀易韋編三絕，是古人聯貫竹簡所用的是韋，而不是線，很爲明顯。既然易經是用韋編，爲什麼不稱之爲易韋？退一步說，我們姑承認章氏所說的三種不同方式裝釘法，試問爲什麼要用此不同的方式，而不採同一方式？這裏面必有它的分寸，否則同屬書籍，比竹成册者爲什麼不可以繩線聯貫？繩線聯貫者爲什麼不可以比竹成册呢？如果線裝書是不同於簿書竹册的，則經書一名所表示的意義就不止於裝釘形式了。此種立異標新，眞無聊之極。

六經受秦火焚失，到漢文始開獻書之路，立博士之官，但歷經文景武昭至宣帝甘露三年詔諸儒所講的仍只五經，缺了樂經一目。清人邵懿辰在所著禮經通論中說：「樂本無經也，詩爲樂心，樂爲聲體，樂之原在詩三百篇之中，樂之用在禮十七篇之中，故曰興於詩，立於禮，成於樂。子所雅言，詩書執禮，不言樂也。先儒惜樂經之亡，不知四術有樂，經無樂，樂亡，非經亡也。」但近人黃侃在其六藝略說中謂：「樂本有經，蓋卽周官大司樂二十職，或謂樂經至秦燔失，或謂樂本無經，殆皆不然也。」但無論樂經之有無存亡的眞情如何，漢代不立樂經博士，則係鐵的事實。故六經是春秋戰國的經學，漢代經學只有五經，唐初以三禮（周禮、儀禮、禮記）三傳（公羊、穀梁、左氏）合詩書易爲九經。到文宗開成間刻石於國學，又加入論語、孝經、爾雅，成爲十二經，宋人列孟子入經部，遂成了現行的十三經。以下卽就此十三經分別加以論述。

第一章　易經

一、釋名

易緯說易一名而含三義，即簡易、變易、不易。所謂簡易者，是不煩不擾，澹泊不失；所謂變易者，是五行迭終，四時更廢；所謂不易者，是天上地下，君南臣北，父坐子伏。這三種解說都是漢儒穿鑿之論，決不是易的本義。釋易最具體的，莫過於繫辭傳，它有四處提到簡易：一、「乾以易知，坤以簡能。」二、「易簡之善配至德。」三、「夫乾確然示人易矣，夫坤隤然示人簡矣。」四、「夫乾，天下之至健也，德行恆易以知險；夫坤，天下之至順也，德行恆簡以知阻。」這都是釋乾坤卦德的，而不是釋易之取義的。不易一說，在易傳中根本不見提到，惟有變易一名，差與繫辭所說相近，繫傳說：「易之為書也，不可遠，為道也屢遷，變動不居，周流六虛，上下無常，剛柔相易，不可為典要，唯變所適。」又說：「在天成象，在地成形，變化見矣。是故剛柔相摩，八卦相盪，鼓之以雷霆，潤之以風雨，日月運行，一寒一暑。」其它言變化之理的話很多，但並未嘗專論五行迭終，四時更廢。五行四時即漢儒卦氣爻辰之類，把易經變成了曆書，這豈是作易者的宗旨？易之作用靠了六十四卦三百八十四爻的相乘，故說：「爻也者，效天下之動者也。」就自然現象說，宇宙萬物，都由相摩相盪而生，就人事說，吉凶悔吝，都由動作而生。所以易經一書，完全是講變動之理的。孔穎達正義序說：「夫易者變化之總名，改換之殊稱。」章學誠說：「先儒之釋易義，未有明通若孔氏者也。」也正是同意變易一說的表示。

二、畫卦之人

繫傳下說：「古者包義氏之王天下也，仰則觀象於天，俯則觀法於地，觀鳥獸之文，與地之宜，近取諸身，遠取諸物，於是始作八卦，以通神明之德，以類萬物之情。」這裏很肯定的指出了畫卦的是包義。三國志魏書載淳于俊答高貴鄉公說：「包義因燧皇之圖而制八卦。」高貴鄉公問道：「使包義因燧皇而作易，孔子何以不言燧人氏沒包義作乎？」俊不能對。自是以後，於包義畫八卦之說，很少有異議的。近代因安陽的龜甲文出土，考古者斷定其爲殷代卜辭，以其中不見有言及八卦者，遂疑殷代以前無所謂八卦，易卦用蓍，其法比龜卜爲進步，當是後人補救龜卜的一種占法。果爾則包義畫卦一說，就不能存在了。但我們姑捨甲骨文本身的許多問題不談，如謂甲骨文無八卦的痕迹，便可否定殷以前有八卦，那麼，在易經卦爻辭中也未見有龜卜的痕迹，（繫傳中有以蓍龜幷言的，但繫傳乃後學附入，非易經本文。）我們是否可據以否定甲骨文爲殷代卜辭呢？道不同，不相爲謀，卜辭之不談八卦，正與卦辭之不談卜是一樣的。漢魏去古未遠，一般學者的見聞料不至比今之所謂學者更陋，而且其疑古之識見與精神如王充輩所具者也決不會低於今之所謂考據學家，何以當時學者均異口同聲毫無異辭？像這種一知半解所生出的異論，是不足取的。

三、重卦之人

重八卦爲六十四卦者爲誰？是一個異說很多的問題。約而言之，可以分成四種意見：一派認爲包義所重，其代表人物爲虞翻王弼等；一派認爲神農所重，其代表人物爲京房鄭玄等；一派認爲大禹所重，其代表人物爲孫盛；一派認爲文王，其代表人物爲司馬遷。司馬遷以爲文王拘於羑里，於憂悶中重八卦爲六十四卦，這是把文王演爻誤爲演卦。孫盛則根據鄭玄周禮三易注「夏曰連山」，連山以重艮爲首，遂認重艮爲禹所爲。但連山亦名列山，列山爲神農之號，杜子春曰：「連山伏義。」是連山之是否爲夏代發明，已成問題，孫氏之說，亦未足爲準。京房等以繫傳下載有包義氏沒，神農氏作，取益卦之象以作耒耜，又取噬嗑之象，定日中爲市之制，益與噬嗑都是重卦之名，雖然包義有取離卦之象以作網罟之事，但本卦之離在先，不一定爲重卦之名，所以他們認定重卦始於神農。但他們却忽略了繫辭還有「上古結繩而治，後世聖人易之以書契，蓋取諸夬」的一段記載，夬爲重卦之名，書契既始於包義，則取夬的當然也是包義，故神農之說亦不能成立。虞翻等的證據則在繫傳下第一章，它說：「八卦成列，象在其中矣；因而重之，爻在其中矣。」這裏的因而兩字很有力，表示八卦成列之後，隨卽重之爲六十四卦，重卦與列卦是一件工作，幷不是分工的，包義既是列卦之人，則重卦之人當然也是他了。這四派的意見，似以包義一說理由爲長，所以本文卽認定包義爲重卦之人。

四、八卦的作用

八卦是原始的文字，在小學編中已有說明，但它的作用，却幷不限於文字一項。在文字之外，它還具有社會倫常，民生經濟的作用。原始人類無知無識，一切任性，其野蠻程度，當不會高出獸類多少。包羲既爲之君長，不能不講求統治之道。故包羲以乾坤爲天地之名，告訴人民，天上地下卽天尊地卑之義，在人民懂得了上下尊卑之義後，他便進一步告訴人民君父就是天，臣妾就是地，所以君父當受尊敬，臣妾當服從指揮。在君臣父子之外，他又以六子的次第，告訴人民男女長幼之序。孔子說：「名不正，則言不順，言不順，則事不成。」有了八卦，才有名分，有了名分，社會的倫常才得確定，這是八卦對社會秩序的作用。原始人類，不知利用器物以克服自然，完全憑藉體力與自然相搏鬥，犧牲必大，包羲爲了啓迪民智，便依卦形卦義，教人民製作器物，以爲謀生之助，他的第一個大發明便是網罟的製作，原始人民茹毛飲血，完全靠了捕捉生物爲活，在當時無制獸之具，以徒手搏獸，其慘痛可知，包羲於是教他們取離☲卦上下完滿中間空虛的形狀製爲捕捉禽獸水族的網罟，使人民能比較安全而容易的得到食物，繼包羲這種啓示之後，神農又取益卦之義，教民斲木爲耜，揉木爲耒，以耕土地，改食五穀；到人民有了多餘生產品，需要交換的時候，他又取噬嗑的卦義，教人民日中爲市，建立以有易無的貿易制度。神農之後，黃帝又取乾坤上下之義，教人民製爲上衣下裳，以禦寒暑；又取渙卦風行水上之義，教人民刳木爲舟，削木爲楫，以爲水上交通工具；又取隨卦下動上悅之義，教人民服牛乘馬，以爲陸上交通工具；又取小過上動下止之義，教人民製作杵臼，以爲農作物加工的工具；又取睽卦距離之義，教人弦木爲弧，剡木爲矢，以爲戰鬥的武器；又取大壯卦義，教人民建築宮室，以避風雨，又取大過卦義，教人民製作棺槨，以爲埋葬之用。這是八卦對民生經濟的作用。從這些事件看來，八卦實爲中國法律經濟教育一切文化的搖籃。

五、三易的取義

八卦既具有如上之作用，包羲對他自己的這一發明，自必竭力推行，以求普及民間，但元始人民野性難馴，強迫教育，會招致反感，所以必須用因勢利導的方法。以八卦相重，爲吉凶禍福之占，便是包羲教育的手腕，因元始人民畏天信鬼，迷信深，採用一種迷信方法，教他們去認識八卦這幾個符號，幷加利用，最易見效。這正好比「上大人，孔乙己，化三千，七十士，爾小生，八九子，佳作仁，可知禮。」原是塾師們教兒童尊孔的歌訣，但爲了求其普及起見，便將它演爲賭博的工具，供民間玩耍。至今湖北鄉村中尙盛行着這種紙牌，許多目不識丁的鄉材婦孺，他們都能把這幾句話背得爛熟，把這幾十個字認識得一筆不差。可能由於包羲的目的不在傳播迷信，也可能由於當時未有足夠的記錄工具，故包羲八卦吉凶的斷辭以及占筮的方法，今均無考。儘管文字的記載不全，但這種迷信的流傳，却隨時在演進。到了周朝，遂有三種占法，爲官府所採用，周禮春官太卜的職務，掌三易之灋：一曰連山，二曰歸藏，三曰周易。關於這三易的名稱解釋，向分兩派：杜子春說：「連山伏義，歸藏黃帝。」鄭玄的易贊及易論則說：「夏曰連山，殷曰歸藏，周曰周易。」鄭氏幷爲這三名下義解說：「連山者象山之出雲，連連不絕；歸藏者萬物莫不歸藏於其中；周易者言易道周普，無所不備。」按鄭氏的義解，周普之義當係取自繫傳「易之爲書也……周流六虛」，歸藏可以稱爲包羅萬象之義，實在也還是周普的意思，獨連山一解，殊嫌牽強無意味。所以孔穎達主杜說，不主鄭說，不過他根據世譜諸書所載「神農一曰連山氏，亦曰列山氏，黃帝亦曰歸藏氏」，認連山卽神農代號，歸藏卽黃帝代號。也就是說連山爲神農之易法，歸藏爲黃帝之易法。日人山澁江保曾加強此一主張說，神農初期，人民食毛飲血，穴居野處，多在高山，其卦因民俗以艮爲首，故稱之爲連山；到黃帝時，人民已習慣耕稼，遷居平地，地著萬物所歸藏也，其卦因民俗以坤爲首，故曰歸藏。這一解說，雖不見之經典，然證以歷史事實及連山歸藏的卦序，似亦非毫無可採，故我以爲連山當屬神農，歸藏當屬黃帝。包羲草創八卦，并無完備的易法。鄭玄以爲夏曰連山，殷曰歸藏，當是根據桓譚新論，新論說：「連山八萬言，歸藏四千三百言，夏易煩，殷易簡也。」蓋連山歸藏兩易，初亦無文字記載，夏用連山，乃錄爲連山易；殷用歸藏，乃錄爲歸藏易。桓氏卽以夏易殷易稱之。禮運載孔子說他欲觀殷道而之宋，得坤乾焉。說者謂坤乾卽以坤爲卦首的殷易，也就是歸藏。惟連山歸藏二名不見於漢書藝文志，桓譚之說，不知何據，隋書經籍志載有晉太尉薛貞注的歸藏十三卷，不載連山，唐書藝文志載有司馬膺注連山十卷及薛貞注歸藏十三卷，北史劉炫傳謂炫僞造連山以應徵。惟皇甫謐帝王世紀曾引連山禹娶塗山女事，酈道元水經注曾引連山崇伯鯀伏於羽山之野事，均在劉炫之前。歸藏除了晉中經簿，阮孝緒七錄，隋書經籍志有記載外，鄭樵通志略還載有初經、齊母，本蓍三篇，所以漢以後這兩易的眞僞錯雜，很難判斷。好在這兩易并不列於六經，它的眞僞於易學不發生多大的影響，所以值不得多去探究。關於周易一名，杜子春無解說，鄭玄以爲是取周普之義。我以爲周字應當是取周代國號爲名，以示與夏殷有別，若說易道周普，難道連山歸藏就不周普嗎？易在當時旣有夏易殷易周易之稱，是易乃爲通稱，必須加一周字乃成專稱，故周易者應當是周代之易的意思。

六、文辭的作者

易經的文辭，約分三部：一爲卦辭，二爲爻辭，三爲十翼。卦辭是每一卦的斷語，爻辭是每一爻的斷語，爻爲文王所演，故相傳卦爻之辭都爲文王所作，但爻辭中有引用武王克商之後的事，非文王所能先見，故有認爻辭爲周公所作者，其所以稱文王而不及周公者，蓋以父統子業之故。十翼的名目是：上彖一、下彖二、上象三、下象四、上繫五、下繫六、文言七、說卦八、序卦九、雜卦十，總名爲易傳。這十翼在宋以前都認爲是孔子所作，但到了宋歐陽修與葉適的時候起了異議，歐陽修在答或問中說，繫辭多用子曰，明非孔子自著；又說文言中「元者善之長，亨者嘉之會，利者義之和，貞者事之幹」，在左傳襄公九年穆姜已稱及，其時距孔子之生還有十四年，如爲孔子之語，穆姜何能預引，左氏雖浮誇，亦不致倒亂先後如是。葉適在講學大旨中說：「周易者，知道者之所爲，而有司之所用也。孔子爲之著彖象，蓋惜其爲異說所亂也，故約之以中正，明之以卦爻之旨，黜異說之妄，以示道德之歸。其餘文言、上下繫，說卦之諸辭，所著之人，或在孔子前，或在孔子後，或與孔子同時，習易者彙爲一書，後世不之深考，以爲孔子之作。」二氏之說，都有根據，非憑臆測，所以孔子自著的只有彖象四篇，其餘的都是後學記錄夫子的講義。彖文在總論卦義，發揮卦辭之義理；象有大小之別，大象總釋一卦之象，小象分釋六爻之象。上下繫解釋爻卦變化作用及卦爻辭語例，近乎訓詁；文言專釋乾坤兩卦之義；說卦解說卦旨卦形卦名諸義；序卦說明六十四卦先後排列的意義；雜卦或釋卦德，或釋卦義，無甚奧旨。就以上文辭的性質說，卦爻辭、彖、象、文言，有關經旨，應該細讀，繫辭說卦序卦雜卦，完全是些凡例，一讀卽可。

七、經旨

前已說過，八卦原始是一種教育工具，後因推行上的演變，遂成了占筮之具，占筮是純迷信的，爲儒家所不取，易經何以能列於六經？這是我們討論易經，所當首先明白的，關於這一問題，歐陽修曾作極有價值的闡釋，他說：「六十四卦，自古用焉，夏商之世，占筮之說，略見于書，文王遭紂之亂，有憂天下之心，有慮萬世之志，而無所發，以謂卦爻起于奇耦之數，陰陽變易，交錯而成文，有君子小人進退動靜剛柔之象，而治亂盛衰得失之理具焉，因假取以寓其言，而名之曰易。至其後世，用以占筮。」這裏說明了文王作周易的本旨，乃在教人以治亂盛衰得失之理，後世用以占筮，實非文王本意。所以他又說：「大衍占筮之一法耳，非文王之事也。」孔子爲什麼也來從事易的研究呢？歐氏也有說明，他說：「孔子生於周末，懼文王之志不見於後世，而易專爲占筮用也，乃作彖象，發明卦義，……所以推原本義，而矯世失，然後文王之志大明，而易始列于六經矣。」這裏告訴了我們孔子作彖象的目的乃在發明文王的本意，挽救易被用作占筮之具的流弊。觀此，則文王孔子作易的用心，不僅不是在占筮，實是在反對占筮，易之所以能列入六經，卽在這種反對占筮的教義。但自西漢孟喜造爲陰陽災變之說詭稱其師田生且死時枕其膝獨傳之，易學遂偏向了旁門。喜又造爲卦氣之說，配卦於節氣，京房從而張大之，易學竟成了曆學。東漢末年魏伯陽采孟京之說，參以方士道家之術，著周易參同契，於是易又成了道家煉丹之術。五代北宋之交陳摶師魏伯陽之術，演天地自然之圖，傳至邵雍，遂成了象數之學，至此，易經的本旨全失了。郝敬談經說：「聖人作易，立人之道而已，學易者亦學爲立人之道而已。」顧炎武日知錄說：「孔子論易，見于論語者，二章而已，曰加我數年，五十以學易，可以無大過矣。曰南人有言曰：人而無恆，不可以作巫醫，善夫！不恆其德，或承之羞。子曰：不占而已矣。是則聖人之所以學易者，不過庸言庸行之間，而不在乎圖書象數也。今之穿鑿圖象以自爲能者，畔也。」都可說是對經旨的正確的說明。

八、易文平易

文王孔子旣把易經作爲教育的工具，他們決不會故作幽深玄渺，令人不可理解之言，自晦其教義，由於後來釋道兩家引用易理爲他們傳教的佐證，於是故神其解，把易經之旨說得幽深微妙，再加以部份談術數者的附和，益令人不可捉摸，於是學者視易爲畏途，望而却步，至今學校讀經，不敢讀易，多少是受着這種情形的影響。朱熹答呂伯恭書說：『竊疑卦爻之辭，本爲卜筮者斷吉凶，而因以訓戒，其可通處，極有本甚平易淺近，而今傳注誤爲高深微妙之說者，如「利用祭祀」，「利用享祀」，只是卜祭則吉；「田獲三狐」，「田獲三品」，只是卜田則吉；「公用享於天子」，只是卜朝覲則吉；「利建侯」，只是卜立君則吉；「利用爲依遷國」，只是卜遷國則吉；「利用侵伐」，只是卜侵伐則吉。』近人有謂易經許多文辭，都是記載當時社會情狀的，如說屯卦的「六二：屯如，邅如，乘馬班如，匪寇婚媾，」「六四：乘馬班如，」求婚媾，「上六：乘馬班如，泣血漣如，」只是描寫當時搶婚的風氣，說搶婚人騎着大馬，聲勢洶洶地像盜匪一樣前來搶人，被搶的女子哭得眼睛都出血了。但這故事和卦文有什麼關係呢？如果我們指不出它所寓托的卦爻之義，這種文字就全是浪費。在易經中引具體故事的文字幷不少，如晉卦，就會引「康侯用錫馬蕃庶，晝日三接」的故事；既濟一卦，便會引「高宗伐鬼方，三年克之」的故事，但都是舉例，幷不是純歷史故事。如果我們把故事社會化了，而不能引證到卦爻的命義，那種毛病將與汝爲高深幽渺之說者殊塗同歸，越出了研究易學的範圍。

九、卦象爲教義之輔

就占筮來說，自當以卦象爲主體，文辭爲說明卦象之附屬物；但就經旨來說，卦爻彖象之辭，才是聖人的教育主旨所在，卦象不過幫助讀者對這些教旨的了解，加深讀者對這些教旨的印象之具，正同史地教室中所用的圖表，生理教室所用的人體模型一樣。如泰卦☷☰之象，乾在下，坤在上，乾爲陽爲君子，坤爲陰爲小人，下爲內，上爲外。表示君子人外表上雖與小人無別，而內不失其嚴正，所以就是「君子道長，小人道消也。」否卦☰☷，坤下乾上，表示一個人外表上道貌岸然，滿口仁義道德，而內心裏奸詐狡猾，一肚子男盜女娼。所謂「小人道長，君子道消也，」既濟卦☵☲，離下坎上，象徵水在火上，因爲水性潤下，火性炎上，水火相接，表示互相爲用，所以作事能濟。未濟卦䷿，坎下離上，象徵火在上，水在下，彼此性能相背而馳，接觸不上，所以作事不能濟。又如師卦䷆，坎下坤上，卦辭說：「師貞，丈人吉，无咎。」這是個用兵的卦象，師字意思是羣衆，也可說是軍隊。貞的意思是公正，丈人是老成莊重的人，吉就是吉利，无咎就是無損傷。整個的解釋，就是率領軍隊，要態度公正，故主帥必用老成莊重的人，然後方能有利無害。爻辭：「初六，師出以律，否，臧，凶。」初六是本卦的第一爻，象徵着用兵的首要條件，師出以律是說行軍要有紀律，否，是無紀律，臧，是即使有功，凶，是終必有禍。「九二，在師中，吉，无咎，王三錫命。」九二是本卦的第二爻，本卦只此一爻屬陽，有上面的六五爻與之呼應，有陰陽協調，剛柔相劑之利。這一爻是就擇帥言，說以這種人當主帥，便能多吉少凶，而成功之日，且將得到君王的隆重封賞。「六三，或輿尸，凶。」這一爻也是論擇帥的，六三是第三陰爻，就爻的正位說，初三五都是陽爻的位置，二四六方是陰爻的位置。現在六三以陰爻而居陽爻的位置，而它的下面又爲陽爻，而上面又得不到一個陽爻與它相呼應，換言之，這種人領兵，對下既有指揮不動的驕兵悍將，在上又無全心信任他的君主，在這情形下，可能會損兵折將，遭遇到凶險。輿尸就是運尸回來，即損兵折將之意。「六四，師左次无咎。」這一爻是指臨陣對敵時的情形而言，六四以陰居陰位，算是得位，指前線上的軍事佈置大體得宜，但它上面得不到陽爻的協助，等於行軍無接濟，在此情勢下，惟有全師而退，才可免懸軍深入的危險。（左次有作移軍左邊高險之地解者，管見以爲左字作退字解較宜。）「六五，田有禽，利執言，无咎，長子帥師，弟子輿尸，貞凶。」五爻爲君位，六五以陰柔之性，主持國政，人地相宜，田有禽就是國士受到侵犯的意思，利執言，就是師出有名，自己不爲戎首，在這種情形下作戰，無不利。長子帥師，是說選帥一定要用那爲衆所服的長子，弟子輿尸，是說如用其它不爲衆望的子弟領兵，準會損兵折將。貞就是準會的意思，這裏的長子就是指爻中九二言，所謂弟子就是指爻中六三言。「上六，大君有命，開國承家，小人勿用。」上六得位，象徵着戰爭的勝利結束，大君有命，是天子論功行賞，開國是功大的封侯建國，承家是功次者給以世襲爵位，小人勿用，是說有功之人如係小人，不可大封，以防其叛亂。綜觀本卦卦義，全爲戰爭而設，從戰爭的發動一直到戰爭的結束，全盤統籌得非常週詳，這些道理，如果僅用口說，未免抽象，若把這卦象擺在面前，全局形勢，便可瞭如指掌。所謂「聖人立象以盡意，設卦以盡情僞。」就是此類。史稱張良爲漢高祖借箸代謀，也就是採用圖解的，所以研讀易經，我們應當以卦象爲文辭說明的圖表，才可以領略到聖人製作的深意，不致陷入釋老術數的魔障。

十、易學傳授考

易經雖無它經的今古文之爭，然師承却極複雜，鄭樵通志總序說：「易雖一書，而有十六種學，有傳學，有注學，有章句學，有圖學，有數學，有讖緯學，安得總言易類乎！」這裏只就其尙世以來的傳授系統，略爲記述。古籍所載，孔子授易於商瞿子木，子木授魯橋庇子庸，子庸授江東馯臂子弓，子弓授燕周醜子家，子家授東武孫虞子乘，子乘授齊田何子莊，田何於漢初授東武王同子中及雒陽周王孫、梁人丁寬、齊服生，王同授菑川楊何字叔元，叔元授京房，京房授梁丘賀，賀授子臨，臨授御史大夫王駿，丁寬又別授田王孫，孫授施讎孟喜，讎授張禹，禹授彭宣，孟喜授焦延壽，京房又受易於焦延壽。諸家之學立於學官的情形，最早者爲田何楊何之易，到宣帝時又將施讎孟喜梁丘賀三家之易立於學官，是爲施孟梁丘易，元帝時京房受易於焦延壽，以明災異得幸，故學官又立京氏易。成帝時，劉向校祕書，考易說，以爲前此諸家易說都祖述田何、楊叔、丁將軍，大誼略同，惟京氏爲易，黨焦延壽，獨得隱士之說。在上述系統之外，又有費直治易，無章句，只以彖象繫辭文言解說上下經，因所用的書皆古字，故有古文易之稱。與費同時的又有高相之易，亦無章句，專說陰陽災異，兩家均未得立於學官，僅傳於民間。陳元鄭衆皆傳費氏易，馬融更爲之作傳以授鄭玄，玄作易注，荀爽又作易傳，魏王肅王弼幷爲之傳，於是費氏之易大行，高相之易衰歇。晉永嘉之亂，施氏梁丘之易亡，孟氏京氏費氏三家之易無傳人，唯鄭玄王弼所注行於世。四庫提要說：「易本卜筮之書，故末派寖流於讖緯，王弼乘其極敝而攻之，遂能排擊漢儒，自標新學，然隋書經籍志載晉揚州刺史顧夷等有周易難王輔嗣義一卷，冊府元龜又載顧悅之（案悅之卽顧夷之字）難王弼易義四十餘條，京口閔康之又申王難顧，是在當日已有異同，王儉顏延年以後，此揚彼抑，互詰不休，至穎達等奉詔作疏，始專崇王注，而衆說皆廢。故隋志易類稱鄭學寖微，今殆絕矣。」這裏告訴了我們自王弼之易出，一直占着易學的優勢，到唐朝則定於一尊了。宋代易學，邵雍以周易爲後天之易，包羲之易爲先天之易，幷作先天卦位圖以申其說，其學偏於術數，實非儒家之本旨。與邵雍異流同源者尙有劉牧之易數鉤隱圖。程頤作易傳，專論義理，朱熹作周易本義，以與易傳相表裏，又作易數啓蒙，以發明邵氏先天圖義，蓋宋代易學極少能脫離釋道二家之影響者。到清代惠棟撰易漢學，掇拾漢代諸家遺說，以否定宋學，此外，黃宗羲之易學象數論及胡渭之易圖明辨，糾正以術數治易之失，均爲易學之功臣。

第二章　書經

一、今古文本的來歷

書經原以虞書夏書商書周書爲名，到漢初伏生始名之爲尚書，孔穎達疏說：「尚者上也，言此上代以來之書，故曰尚書。」它的底本，原爲唐虞夏商周五代的政治檔案，據說原有三千多篇，經孔子刪定爲百篇，用爲教材。到秦始皇焚書，首遭焚毀。濟南伏生爲秦博士，私藏一部於屋壁中，秦末天下大亂，伏生家亦受殃及，到漢室安定後，開放挾書之禁，伏生搜索舊藏，僅得二十九篇：堯典、臯陶謨、禹貢、甘誓、湯誓、盤庚、高宗肜日、西伯戡黎、微子、牧誓、洪範、金縢、大誥、康誥、酒誥、梓材、召誥、洛誥、多士、無逸、君奭、多方、立政、顧命、康王之誥、費誓、呂刑、文侯之命、秦誓。(一說伏壁僅得二十八篇)便用這二十九篇教授齊魯之士，漢文帝提倡儒術，聞伏生之名，擬徵其入朝講學，後因其年老，僅命掌故晁錯往其家受業。伏生有弟子歐陽生，再傳大小夏侯，以尚書之學有名於時，後均立博士，是爲尚書今文學。伏書之外，有所謂古文尚書者，隋書經籍志以爲孔子末孫孔惠在秦焚書時，私藏於屋壁，孝武時魯恭王壞孔子舊宅，得之於屋壁中，仍還給孔氏，這書爲科斗文，時無識者，安國把它與伏生的今文本校對一過，多出了十六篇：舜典、汨作、九共、大禹謨、棄稷、五子之歌、胤征、湯誥、咸有一德、典寶、伊訓、肆命、原命，武成、旅獒、冏命。便把它們用隸書翻出，以獻於武帝。又承詔作傳，既畢，適值巫蠱案發生，（此據僞孔序言，按巫蠱案發生時，安國已早卒，時間殊不符。）未上於政府，留家以授都尉朝，朝授膠東庸生，庸生授清河胡常少子，常授號徐敖，敖授王璜平陵塗惲，惲授賈徽，徽授子逵，是爲尙書古文學。又一說孔傳古文尙書，上政府後因遭巫蠱案擱置，遂散佚。由於孔安國之古文尙書本有亡佚一說，遂產生了兩種古文尙書本：一爲漢末鄭玄注本，一爲東晉梅賾獻本。只因劉向別錄載古文尙書爲五十八篇，鄭本遂分今文經二十九篇，爲三十四篇，分逸經十六篇爲二十四篇，合五十八篇之數，梅獻本分今文爲三十三篇，分逸經爲二十五篇，也合五十八篇之數，只是篇目與鄭本差異。唐太宗命孔穎達等撰定五經正義，孔穎達採用梅獻本，於是頒行天下，沿用至今，鄭注本遂於無形中受淘汰。這是現行書經本的歷史。

二、史料上的貢獻

書經所涉及的時代，上起唐虞下迄春秋，所以前人有「六經莫古於於書」的說話，因爲易經雖說是起於包羲，但包羲只畫卦，并未作辭，也就是說未成爲書，易之成爲書乃起於文王作辭，故實際上易經只是周代的作品。虞書所載，是唐虞兩代的歷史，其所以不稱唐書而稱虞書者，則因堯舜二典均爲夏代史官所修，採取以近包遠的方式。至於書的開始所以斷自唐虞者，則因唐虞以前荒遠難徵，其所以終於秦誓者，據說是因秦穆公過而能改，有合假年學易之旨。章學誠說：

「六經皆史」，這一說用於書經特別相宜。因爲記載唐虞夏商周的史迹政令之詳盡，再未有過於本書的，如堯典所載堯禪位於舜之前的種種試探，以及雒誥中所敍殷遺民反抗周朝統治的情形，均爲古史中最珍貴之資料，史記中敍唐虞禪讓及湯武革命，差不多全錄自尙書。此可見本書對上古史料貢獻的一斑。

三、體類的劃分

書經的文體，分爲六類，卽所謂典、謨、訓、誥、誓、命者是。典含有憲法的意思，它在我國政制史上占有同於英國不成文憲法的地位。堯舜二典，均以禪讓爲主腦，後代有些讓位的故事，固都本此二典，就是魏晉的篡竊，也要假借禪讓的美名和儀式，才算合法，便是其確證。謨是計劃書，也可說是施政方針。訓是建議書，它有積極和消極兩類性質，積極就是對政府的善政加以鼓勵的意見，消極就是對政府的惡政加以勸阻的意見。誥是佈告，也可說是曉諭。誓是約言，舊時代的誓師詞，以及今日所用的條約誓文，都是它的遺制。命是命令，與今日之下行公文相同。這可說是我國文體最早的分類，茲將尙書現行本的篇目按照其體類分別於次：

典：堯典　舜典

謨：大禹謨　皋陶謨　益稷　禹貢

訓：伊訓　高宗肜日　太甲（三）　咸有一德　洪範　無逸　旅獒　周官　五子之歌

誥：湯誥　盤庚（三）　微子　西伯戡黎　大誥　康誥　酒誥　梓材　立政　召誥　武成

雒誥　多士　金縢　君奭　多方　仲虺之誥　康王之誥　呂刑
誓：泰誓（三）　甘誓　湯誓　牧誓　胤征　費誓　秦誓
命；說命（三）　顧命　文侯之命　微子之命　冏命　君牙　蔡仲之命　君陳　畢命

在上六體之外，曾有人以爲貢（禹貢）歌（五子之歌）征（胤征）範（洪範）應當各自成體，竊以爲禹貢敍禹別九州，隨山濬川，任土作貢，完全同於計劃方案，自不能因它所說的是成果，便別立一體。胤征敍征討之事，應歸誓體內，洪範是箕子積極性的政治建議，五子之歌意在勸懲，是消極性的政治建議，都應在訓體內。而且卽以題名爲體，於例也不大合。

四、政教的宏旨

書經不止是在時代上早於其它各經，卽在內容的包攝之廣上，也正如昔人所云「六經莫備於書」，因爲易禮詩春秋所涉各限一端，而書則兼述幷及，不受任何局限，如易經的卜筮之理，洪範之稽疑已涉及；詩主言志，后夔之樂教已涉及；禮重節文，虞書之五禮已涉及；周禮設官分職，周官六卿率屬已涉及；春秋論征伐褒貶，便是皋陶命德討罪之義。這些還只是就形式方面說，至於它所示的政教精神，實爲儒家思想的源泉，也就是中國民族性的搖籃。這精神是什麼呢？就是中，「允執厥中」，書所以始，「咸中有慶」，書所以終。一部書經的宏旨就在這中字上。禮記載孔子說：「夫禮所以制中也」，便胎原於此。中字的意思是什麼？我認爲就是指人性的上中下三等，帝堯禪位於舜的訓辭，是「允執厥中」舜亦以命禹。我們要了解這中字本義，應該從它的上二句去探討，這段訓辭的全文是「人心惟危，道心惟微，惟精惟一，允執厥中。」（此雖古文之言，然論語堯曰篇既引之，當非無據。）在過去的釋經者，對這段訓辭的解釋，都鑽進了牛角尖，以致「危微精一」四字成了理學家打坐參禪的口號，越鑽越不通。其實堯舜的思想都是從經驗上產生，幷不是根據什麼哲學理論而發。過去一般的解釋，都把中字的重點放在執政者身上，以危微精一是教執政者自已去明心見性。殊不知政治者乃管理衆人之事，徒善尙且不足以爲政，獨善又何足以爲政？堯舜這訓辭的意思，乃教執政者立法施政一定要注意民情，所謂民情就是人性，人性有三等：上焉者損己利人，下焉者損人利己，中焉者利己利人，損人利己屬於人心，是帶有原始獸性之心，這種心任其自由發展，足以危害人類的生存，所以說『人心唯危』；損己利人是一種含有高度理性的心，是經過極艱苦的克治工夫而成，非可期之於一般人，所以說「道心惟微」；利人利己是中庸之道，在天性平和的人固樂於這樣做，就是具有損人利己及損己利人兩極端性格的人，只須因勢利導，也很容易納之於軌物之中。所謂「允執厥中」者，就是教執政者把握這中庸的人性，以爲立政施教的標準。鄭玄注中庸「執其兩端，用其中於民」二語說：「兩端，過與不及也，用其中於民，賢與不肖皆能行之也。」正可移作「允執厥中」一說的解釋。把上面的訓辭以意譯作白話，便是說：「爲政之道，不可好高鶩遠，把理想懸得過高，強人之所難；也不可一味放任，養成人民偷惰自私之風，而要從合情合理，一般社會大衆都樂意而且容易做到的觀點去設計執行你的政策。」此之謂「王道本乎人情」。左傳載鄭子產爲政，『有事於伯石，賂與之邑，子太叔曰：國皆其國也，奚獨賂焉？子產曰：「無欲實難，皆得其欲，以從其事，而要其成，非我有成，其在人乎。何愛於邑？邑將焉往？』可以說深得堯舜訓辭之妙。這是一段極平常踏實的政教理論，決不是爲了執政者個人修養而發，因爲堯之禪舜，舜之禪禹，都是經過了長期而複雜的試驗的，在他們決定禪位之前，早已於對方的心性有深切的認識和了解，用不着在交接儀式中還教以修身的道理。經書中有許多極平易踏實的言論，都不幸被一般學究用艱深的解釋歪曲得使人莫明其妙，普通人之所以怕讀經書，新學者之所以反對讀經書，未始不由這般故弄玄虛的學究爲之厲階。論語孟子中所有教育思想，無不從人情作出發點，都是得自書經的執中遺教。

五、文字艱澀之故

韓愈說：「周誥殷盤，詰屈聱牙。」乃指文字上口之難，七略說：「尚書直言」，漢志說：「讀應爾雅。」乃指文意之晦。故書經由來號稱難讀。但各篇的難易也極不一致，有的文理平順，幷不十分聱口，後人因之致疑於這些文理平順者非原作。章炳麟解說：「尚書二十九篇，口說者皆詰屈聱牙，敍事則不然，堯典、顧命，文理明白，盤庚、湯誥、酒誥、洛誥、召誥之類，則艱澀難讀，古者右史記言，左史記事，敍事之篇，史官從容潤飾，時間寬裕，頗加斟酌；口說之辭，記於匆卒，一言既出，駟不及舌，記錄往往急不及擇，無斟酌潤飾之功，且作篆之遲，遲於眞草，言速記遲，難免截去語助，此異於敍事者也。」這意見可能有一部份是對的，但顧命既是病榻旁的記錄，又怎能算作從容修飾的敍事文？章氏曾說尚書顧命篇有「奠麗陳教，則肄肄不違」一語，從來都沒人能解這兩個肆字的用意，到清代江艮庭始說明多一肆字，乃直寫當時病人垂危，否本強大的口吻。足見顧命中也有難懂的語句。所以這種難懂的情形，我以為還是信七略所說的「尙書直言」一語為近事實，所謂直言就是照口語筆記的話，至於同一口語，而有難懂易懂之別的，則完全因筆記的人的鄉土不同之故，如現在北平人用方言所寫出的白話文，就要比廣東人用方言所寫出的白話文易懂多了。我們決不能說北平人的白話是經過從容修飾的故易懂，廣東人的白話是匆卒寫出，故難懂。至於以詰屈聱牙為眞古文，以平順易懂者為偽託之作，更非確論，試看孟子的文字比莊子的文字就平順，我們能說莊子非眞戰國時文字，而係漢人依託的嗎？故尙書文字之艱澀不一者，一方面因它是用古代口語寫成，二方面是作者非同一時地之人。

六、孔傳古文眞偽辨

尙書在漢代有今古文之別，但幷無今古文之爭，不僅兩家無爭，而且兩家互相溝通，似極融洽。漢初今文尙書的大師是伏生和他的弟子歐陽生及大小夏侯等，而古文尙書的大師則是孔安國。伏生故為秦博士，，在漢文時已九十餘歲，輩份上當然是孔安國的前輩。孔安國的尙書之學，何所師承？史無明文，但據史記儒林傳稱：「伏生……即以教於齊魯之間，學者由是頗能言尙書，諸山東大師，無不涉尙書以教矣。」又說：「自此之後，……周霸、孔安國、賈嘉頗能言尙書事。」則孔安國之受伏生的影響，至為顯著。孔安國尙書序云：「以所聞伏生之書，考論文義，為隸古寫定。」經典釋文序錄說：「博士孔安國以校伏生所誦，為隸古寫定。」都足以見孔安國的古文尙書乃藉今文尙書而通。又據漢書儒林傳稱：「歐陽生、……事伏生，授倪寬，寬又受業於孔安國。」充分證明兩派之互相切磋。所以漢代今古文尙書之分，只是篇數多少的問題，劉歆讓太常博士書也只責他們「以尙書爲不備」，並未涉及像三傳的經義水火。今古文的爭辯，乃由後來孔傳僞本所演成。本來西漢的古文尙書，在漢書景十三王傳中載有河間王所得古文先秦舊書中的尙書，其篇目及內容若何，因孔壁本的發現，學者都注意後者而忽視前者，所以無可考證。大約是當時有孔子删書爲百篇之說，而孔壁尙書僅五十餘篇之故，成帝遂有徵求古文尙書之舉，而張霸之獻百兩篇尙書，正是對這種希求的滿足。漢書儒林傳說：「世所傳百兩篇者，出東萊張霸，分析合二十九篇以爲數十，又采左氏傳書序爲作首尾，凡百二篇，篇或數簡，文意淺陋，成帝時求其古文者，霸以能爲百兩徵，以中書校之，非是，霸辭受父，父有弟子尉氏樊並，時太中大夫平當，侍御史周敞，勸上存之，後樊並謀反，乃黜其書。」此一僞本，因立被證明，故未能流傳，在經學上未生枝節。從「以中書校之」一語看，是祕府藏有古文尙書，只不過篇簡殘脫不全而已。在張霸之後出現的古文尙書，是鄭玄注本，此本傳自杜林，據漢書儒林傳說：「扶風杜林傳古文尙書，賈逵作訓，馬融作傳，鄭玄注解。」杜林爲光武時人，與其父同爲漢代名小學家，他爲了研究古文，而保持古文尙書本是極自然的。而賈逵馬融又是當時名經師，這一古文尙書本，應該是比較可信的，但可疑的是，孔安國本的傳授系統中，如本章第一節所引，并無杜林之名，此處以賈逵承杜林之後，杜林本是否卽安國授都尉朝之本？抑爲河間獻王本？（史稱獻王「從民得善書，必爲好寫與之，留其眞」。是獻王所得之古文尙書，民間尙有抄本。）殊難明白。在鄭玄之後出現的是東晉梅賾所獻的孔傳古文尙書，此本篇數符合劉向別錄五十八篇，又有大序小序及孔傳，就尚書本子來說，最爲完備，故出世後，學者都尊信它，到孔穎達採之作五經正義底本，頒行天下，遂成官書。但這一本的實際情形，正與張霸的百兩篇本近似，張霸割裂今文，雜采它書，拚湊成百篇之數，以迎合徵書之旨，梅本則割裂今文及逸書，雜采它書，拚湊而成五十八篇，以符劉向別錄古文尚書經五十八篇之數。所不同的是張霸本篇數多，割裂杜撰太厲害，又因與孔安國時代太近，破綻不易掩飾；梅賾與孔安國時隔三代，永嘉之亂祕府藏書俱亡，無可校對之本，而其所增篇數不太多，割裂既不太厲害，杜撰手法也比較高明，故歷南北朝隋唐數百年，竟無有疑之者。可是時間的考驗，甚於一切，到了宋代，漏洞遂被指出了。漏洞之最先被發現的是書序，孔安國尚書序云：「書序，序所以爲作者之意，昭然義見，宜相附近，故引之各冠其篇首。」這是說書序原不隨篇，乃由孔安國引序冠篇。它的形式，與毛詩的小序相同，各篇之前都有一篇小序，說明本篇大意，只有大禹謨、皋陶謨、益稷以及康誥、酒誥、梓材等篇原爲三篇合一篇者均三篇共一序。書序是誰作的呢？史記有孔子序書之說，反對書序的人說序字作編次解，幷不作序文解，另一方面，史記中敍述唐虞夏商周史事，常有一節同於書序的小文，這類文字是史公自己的說明，還是引用書序，極難斷定。漢書藝文志說：「書之所起遠矣，至孔子纂焉，上斷於堯，下訖於秦，凡百篇而爲之序，言其作意。」明指書序爲孔子所作，以此類推，則史記的序書，也當是作書序了。故在宋代以前，都以爲書序出孔子之手。到北宋末年，吳棫發現書序有與經文不相符的地方，如康誥篇乃武王封康叔爲衛侯之誥命，篇首「惟三月哉生魄」至「乃洪大誥治」一節，據蘇軾說，乃洛誥「周公拜手稽首」上之文，編者不識，誤將洛誥脫簡收編在此。

作序者不知分辨，竟將錯就錯，以本篇爲成王之書；又梓材篇前半用「王曰」，用「汝」，明爲君上對臣下說話的口氣，後半改用「王惟」，明爲臣下對君上陳述之辭，語氣完全相反，而小序概認係周公告康叔之語，也不知分辨，因懷疑書序非出孔子之手。朱熹受到這種啓示，在其答董叔重的書中說：「書序恐祇是經師所作，然亦無證可考，但決非夫子之言耳。」這偶像一經推倒，便疑者紛起，朱熹的高足蔡沈作書集傳，便自行解題，不理小序，郝敬尙書辨解說：「夫序者直也，作者有未明之志，序以直之，易無序卦，則不知演易之義，詩無古序，則不知美刺之由，皆篇中所未傳，懼來者之無稽，故著爲序，……如書序祇依篇中文義重複演說，不用固無傷也。」這又是就需要上起的懷疑，跟着書序之後，傳的破綻也露出了，孔安國爲武帝時人，孔傳禹貢纏水出河南北山及積石山在金城西南二條所用地名，皆在西漢之後始有；又傳泰誓「雖有周親，不如仁人」，與論語中的孔注不同；又孔本篇目已有湯誓，而孔注論語「予小子履」句，乃以爲墨子所引湯誓之文，似不曾見過孔本湯誓者，足證孔傳之出僞託。跟着經文的割裂杜撰也被看出了，於是梅本古文尙書，遂被判定爲僞造的了。判此案最具體的首推明人梅鷟，他的尙書考異說：「東晉有高士皇甫謐者，見安國書擢棄，人不省惜，造書二十五篇，大序及傳，冒稱安國古文，以授外弟梁柳，柳授臧曹，臧曹授梅賾，遂獻上而施行焉。」繼梅鷟作有力的證僞者，爲清初的閻若璩，他作古文尙書疏證，把梅本中許多可疑的問題，逐條摘發，攻擊得體無完膚，雖然毛奇齡作古文尙書冤詞，力爲辯護，也終無法翻案。綜上所述，梅本古文經之出割裂臆造，序傳之出僞托，已成學術界之定案，無再討論之必要，但有當存疑者，僞造之人，究竟是皇甫謐，還是王肅或梅賾，由來說者不一，雖年久迹湮，無法確定，但此一疑點，不可不知。至康有爲等以古文二十五篇出劉歆僞造，此說如眞，整個西漢歷史記載都要被推翻，殊不敢苟同。關於書序，漢書說張霸的百兩篇本曾經採用，是西漢早有書序存在，故陳壽祺在左海經辨中主張西漢今文尚書有序，崔適等則以爲書序亦出劉歆之徒僞造，朱熹則以爲出周秦低能經師之手，管見以爲張霸比劉歆爲早，張霸既已利用書序，當非劉歆之徒僞造，朱熹以爲出周秦經師之手，在周秦間經文未被倒亂，當無前舉洛誥等篇錯簡誤序之事，依錯簡誤序的情形推測，作序者定在秦火之後，最可能的人物應當是歐陽生，伏生以九十餘的高齡，說話都不清楚了，講授那殘編脫簡紛亂了的經文，照應不到，自是常情，歐陽生直記師言，不能發現其中漏洞，正同孔穎達等作正義不能發現梅本的漏洞情形一樣。錢玄同考定晚近出現之漢石經序殘字爲歐陽生本，正足爲此一推測之助。梅本之爲僞造，雖經辨明如上，但以其沿用之久與結撰之精，并未能因其僞而廢之。朱彝尊經義考說：「按古文尚書，晉唐以來未有疑之者，疑之自吳才老始，而朱子大疑之，其後吳幼清、趙子昂、王輿耕輩羣疑之，至於梅氏（鷟）之讀書譜，羅氏（敦仁）之尚書是正，則排擊亦多術矣。近山陽閻百詩氏復作古文尚書疏證，其吹疵摘謬加密，而蕭山毛大可氏特著古文尚書寃詞以雪之，合兩家之說，無異輸攻而墨守也。愚闇之見，其書久頒於學宮，其言多綴緝逸書成編，無大悖理，譬諸汾陰漢鼎，雖非黃帝所鑄，或指以爲九牧之金，則亦聽之。且如小戴氏禮，王制、月令、緇衣諸篇，明知作者有人，參出漢儒，非禮之舊，顧士子學習，守而不改，至於易之序卦傳，李清臣、朱翌、王申子皆疑焉，要不得而去也。」可算平情之論。此外，明代又出現豐熙的兩種古文尙書，據說一爲流傳高麗之本，一爲流傳日本之本，顧炎武在日知錄中已斥其僞妄，且在學術界未生作用，故不多論。

第三章　詩經

一、詩教最廣

詩經是中國第一部文藝作品，也是儒家最重要的一部教科書，孔子說：「詩可以興，可以觀，可以羣，可以怨，近之事父，遠之事君，多識於鳥獸草木之名。」這是詩對人生的作用；大序說「故正得失，動天地，感鬼神，莫近於詩，先王以是經夫婦，成孝敬，厚人倫，美教化，移風俗。」這是詩對政治的作用。家語困誓篇載：「子貢問於孔子曰：賜倦於學，困於道矣，願息於事君，可乎？」孔子曰：詩云：溫恭朝夕，執事有恪，事君之難也，焉可息哉？曰：然則賜願息而事親。孔子曰：詩云；孝子不匱，永錫爾類，事親之難也，焉可以息哉？曰：然則賜請息於妻子。孔子曰・刑于寡妻，至于兄弟，以御于家邦，妻子之難也，焉可以息哉？曰・然則賜願息於朋友。孔子曰：詩云：朋友攸攝，攝以威儀，朋友之難也，焉可以息哉？曰：然則賜息於耕矣。孔子曰：詩云：晝爾于茅，宵而索綯，亟其乘屋，其始播百穀，耕之難也，焉可以息哉？」昔人謂：「六藝以詩教爲最廣」，證以這段對話，眞絲毫不假。

二、刪詩問題

史記孔子世家說：「古者詩三千餘篇，及至孔子，去其重，取可施於禮義，……三百五篇，孔子皆絃歌之，以求合韶武雅頌之音。」這是配合論語「吾自衛返魯，然後樂正，雅頌各得其所」的言論，也就是孔子曾經刪詩的積極的意見。但反對的人，以爲論語中無一字說到刪詩，而且孔子一則曰「詩三百，一言以蔽之。」再在曰：「誦詩三百。」顯然孔子之前詩就是三百篇，孔子的工作，不過爲它配樂而已。要不是三百篇爲前人刪定之數，就是三千之說，爲馬遷誇大之辭。但章炳麟以「史記所說並非虛言，風雅頌已有三百餘篇，考他書所見逸詩，可得六百餘篇，若賦比興也有此數，就可得千二百篇了，周禮稱九德六詩之歌，可見六詩以外，還有所謂九德之歌。……我們以六詩爲例，則九德也可得千八百篇，合之已有三千篇之數，更無庸懷疑。」我以爲孔子說「詩三百」，可能是在刪詩之後，正如他嘗說「知我者其惟春秋乎，罪我者其惟春秋乎」一樣。修春秋爲孔子最後的工作，我們既不能因他提到春秋，便懷疑他修春秋的事實，又怎能因他說「詩三百」，便否認他刪詩一舉呢？證以春秋戰國諸書中所引不見於詩經中之詩之多，則刪詩一事，可能是眞的。

三、詩的時代

詩經的時代，據史記說：「上采契后稷，中述殷周之盛，至幽厲之缺。」似乎包括了夏商周三個朝代，其實詩中所謂夏商二朝，不過後人追頌祖德之辭，決不可以詩中人名所屬的朝代，爲計算作詩者的時代的依據。據梁啓超考證，詩經沒有周以前的詩，最古的作品，不能過西紀前一一八五年之前，最晚的作品，不能過西紀前五八五年以後，頭尾所跨歷史時間約六百年，故史記所說的時代是可疑的。

四、六義

周禮春官說，詩有六義，卽風、賦、比、興、雅、頌。可是詩經的分類，只有國風、大雅、小雅、頌四類，不見賦比興。於是發生了兩派意見，一派說，六義原是六種詩，其所以只用風雅頌爲名的，蓋於六義之中取其大者而名之。嚴粲在他的詩緝章指中便主此說；另一派說，風雅頌是詩之體別，賦比興是詩之辭別，名爲六義，實只三體，孔穎達便主此說，在刪詩節中所引章炳麟「若賦比興也有此數」一語，顯然是以賦比興詩在刪除之列，換言之，也就是主張六義卽是六體。就常識推測，不管刪詩的人是孔子還是其以前的人，決不會將三體詩刪得一字不剩，除非他對那種詩體根本不信任。至於說取其體之大者而名之。不知所謂大小，是相對的名辭，如以詩之多少，爲大小的標準，應該是風雅頌的詩多，賦比興的詩少，今賦比興一首不見，小旣不存，大於何有？只看今本詩經中多於詩下注賦也，比也，興也等字樣，便可知賦比興乃詩之作法，風雅頌乃詩之體類。風就是民間的歌謠，雅就是宗廟朝廷應酬之作，頌就是頌禱文，賦就是直敘法，比就是取譬法，興就是因物起興法，風雅頌三體詩都是用賦比興之法作的，賦比興三法，全藉風雅賦三體而見，所以四始只列風雅頌，而不標賦比興。蓋賦比興幷無獨立的地位。孔穎達的主張是對的。

五、四始

詩經的組織，分為四類，各類篇目如次：

國風：一百六十篇：周南、召南、邶、鄘、衛、王、鄭、齊、魏、唐、秦、陳、檜、豳、曹。

大雅：八十篇。

小雅：三十一篇。

頌：　四十篇：周頌、魯頌、商頌。

合計三百十一篇，這是目錄之數，實際的篇數，却只有三百零五篇，少了笙詩：南陔、白華、華黍、由庚、崇丘、由儀六篇。據經典釋文說：「南陔、白華、華黍三篇，蓋武王之詩，周公制禮，用為樂章，吹笙以播其曲，孔子刪定，在三百十一篇之內，遭戰國及秦而亡，子夏序詩，篇義合編，故詩雖亡，而義猶在也。毛氏訓傳，各引序冠其篇首，故序存而詩亡。」又云；「由庚、崇丘、由儀三篇義與南陔等同。」但觀於儀禮鄉飲酒：「工歌鹿鳴、四牡、皇皇者華，笙南陔、白華、華黍；乃間歌魚麗，笙由庚；歌南有嘉魚，笙崇丘；歌南山有臺，笙由儀」的記載，似乎笙詩只是一種伴奏的音樂，非獨立的詩篇。鄭樵通志總序說：「工歌鹿鳴之三，笙吹南陔之三，歌間魚麗之三，笙間崇邱之三，此大合樂之道也。古者絲竹有譜無辭，所以六笙但存其名，序詩之人，不知此理，謂之有其義而亡其辭，良由漢立齊魯韓毛四家博士，各以義言詩，遂使聲歌之道日微。」據此，則陸德明之說，不無誤會。關於這四種類目的取義，詩序曾有說明：「是以一國之事繫一人之本謂之風；言天下之事，形四方之風謂之雅，雅者正也，言王政之所由廢興也，政有大小，故有小雅焉，有大雅焉；頌者美聖德之形容，以其成功告於神明也，是謂四始，詩之至也。」

六、詩序問題

詩序是幫助讀者了解詩旨的工具，它有大小之分，大序冠於卷首，闡述詩的意義，小序冠在各篇之首，分釋各篇的意旨，確實減少了讀者不少的困難。至於它的作者是誰？蕭統以爲子夏作，但反對者，以爲一、子夏智不及此，二、中冓之言，非外間所得知，三、諸侯尙有世及之君，子夏應知所忌諱。王安石以爲詩人自作；程頤謂小序是國史舊文，大序爲孔子作；沈重謂大序子夏作，小序子夏毛公合作；漢書儒林傳謂：「衛宏作詩序。」隋書經籍志說：「趙人毛萇善詩，自云子夏所傳，作詁訓傳，是謂毛詩古學，而未得立，後漢又有九江謝曼卿善毛詩，又爲之訓，東海衛敬仲受學於曼卿，先儒相承，謂之毛詩序，子夏所創，毛公及敬仲又加潤益。」詩緝引蘇轍之言曰：「大序其文反覆煩重，類非一人之辭者，凡此皆毛氏之學，而衛宏之所集錄也。」參觀互證，應以出衛宏集錄之言爲近是。大小序所解的詩義，直到北宋初年，都無甚異議，自歐陽修撰毛詩本義，獨抒己見後，詩經的新義日出，繼之以鄭樵的詩辨妄，程大昌的詩論，專攻小序之失，朱熹的詩集傳，同鄭樵之說，盡廢小序不用，論詩者遂分成尊序與攻序兩派。四朝聞見錄載：「考亭先生晚注毛詩，盡去序文，以彤管爲淫奔之具，以城闕爲偸期之所，陳止齋得其說而病之，謂以千七百年女史之彤管與三代之學校爲淫奔之具，偸期之所，竊所未安，獨藏其說，不與考亭辯，，考亭微知其然，移書求其詩說，止齋答以公近與陸子靜鬬辯無極，又與陳同甫爭論王霸矣，某未嘗注詩，所以說詩者，不過與門人學子講義，今皆毀之矣。蓋不欲佐陸陳之辯也。」由這裏我們可以看出當時學者對詩序爭論激烈之一斑。平心而論，詩序的來源，既如上引蘇轍的說法——非出一人之手，而這些人又未嘗親炙那些無名的作者，所說又怎能完全符合作詩者的原意？不過作詩是一回事，採詩删詩又是一回事，孔子删詩想必有一個取捨的標準，孔門學者對這取捨的標準，必有所聞，毛詩學者既師承有自，必有他們傳統的解釋，即使說教者難免不因時地的變遷，發生以訛傳訛的流弊，但總不致完全走到相反的方向去，所以這些序說即使不能完全符合作者原意，多少應該可以代表一些删定者的意見，這就是歷代學者多有以詩序爲孔子所作的原因。清人黃中松詩疑辨證說：「今觀維天之命，有孟仲子之言，（子夏授曾申，申授李克，克授孟仲子），絲衣序有高子之言（子夏授詩於高行子），皆子夏後人，則序不全爲子夏作矣。……然使序至東漢時始有，則孔子教門人學詩，而未明詩所由作，渾然讀之，何由取益乎？孟子言誦詩讀書，必知人論世，則詩之有序必矣。序與詩同出，不可盡廢，但其中鄙淺附會者不少，則自漢以前經師傳授，所聞異詞，不免乖舛耳。」

七、傳箋

詩經一書，雖經秦火，因它的傳授在諷誦，不獨在竹帛，所以漢代書禁一解，便復原了，在諸經之中，詩是恢復得最快而且最完善的，所以文字未有古今之分，不過文字雖無今古之分，但說詩的仍有今古之分。西漢說詩的有四家，即魯、齊、韓、毛，前三家在西漢初年已立於學官，史記儒林傳說：「言詩，於魯則申培公，於齊則轅固生，於燕則韓太傅。」毛詩因爲在平帝時始得立學官，所以史記未提到。魯齊韓三家詩稱爲今文，毛詩稱爲古文，這并不是毛詩本子是用古文寫的，而是毛詩解釋，完全用古文經義之故。毛詩的史實合於左傳，毛詩的典章合於周禮，毛詩的訓詁合於爾雅。前三家詩魯詩在晉代亡失，齊詩在魏代亡失，韓詩在北宋亡失（僅存外傳），惟毛詩獨存，所以後人便稱詩爲毛詩。毛詩之毛指誰？漢書藝文志只言毛公，未舉其名，後漢書儒林傳始云：「趙人毛長傳詩，是爲毛詩。」隋書經籍志稱：「毛詩二十卷，漢河間太守毛萇傳，」在長字上加了一草頭，後世多因之。鄭玄詩譜說：「魯人大毛公爲詁訓傳於其家，河間獻王得而獻之，以小毛公爲博士。」這裏又出了兩個毛公，關於兩毛公的分別，陸璣毛詩草木蟲魚疏說：「孔子刪詩授卜商，商爲之序以授魯人曾申，申授魏人李克，克授魯人孟仲子，仲子授根牟子，根牟子授趙人荀卿，荀卿授魯國毛亨，毛亨作訓詁傳以授趙國毛萇，時人謂亨爲大毛公，萇爲小毛公。」經典釋文引徐整之說：「子夏授高行子，高行子授薛倉子，薛倉子授帛妙子，帛妙子授河間人大毛公，毛公爲詩故訓傳於家，以授趙人小毛公，小毛公爲河間獻王博士。」兩說對子夏的傳授系統雖歧，而所敍大小毛公則同。根據上兩說，作傳的是大毛公，作博士的是小毛公，隋志以爲毛萇傳，恐係錯誤。毛詩立於國學後，鄭玄爲之作箋，申明毛義以難魯齊韓三家，三家之學遂衰，魏王肅又著說申毛難鄭，自是鄭王兩說之爭，亘數百年，到孔穎達用鄭箋作正義，於是毛傳鄭箋定爲一尊。

第四章　周禮

一、經的地位之爭

禮有三書，卽周禮、儀禮、禮記。禮記自始卽被認爲禮學的筆記，故以記爲名，無與於經的爭執。儀禮和周禮孰爲經，則一直是個爭論問題。儀禮是一部專講儀式的書，在西漢初年已有傳授，且早立於學官；周禮是專講制度的，在漢武帝時河間獻王得之於民間，獻給政府，被藏於祕府，所以西漢的禮學五大家都不得見，到哀帝時，劉歆校祕書才發見它，認係周公致太平之書，乃請王莽立於學官。東漢末年，鄭玄徧注三禮，認禮器篇所說的「經禮三百，曲禮三千」的經禮便是周禮，曲禮便是儀禮，於是周禮便取得了經的地位，自是以後，除薛瓚注漢書不從其說外，大都無甚異議，惟淸邵懿辰乃以周禮爲記制度之書，不宜稱禮，主張仍名爲周官，推而遠之，以禮經一名屬於儀禮。這種意見，實際上是不通的，要知道周禮的問題，乃在它本身的眞僞上，決不能因爲它只記王制便否定它的地位。因爲制度是禮的根本，一切儀式只不過爲輔佐制度之工具，如無制度以確定君臣官屬的名分，朝覲聘問的儀式從何產生？如何運用？左傳昭公五年載；「晉侯送女于邢丘，……公如晉，自郊勞至于贈賄，無失禮。晉侯謂女叔齊曰：魯侯不亦善于禮乎！對曰：魯侯焉知禮？公曰：何爲？自郊勞至于贈賄，禮無違者，何故不知？對曰：是儀也，不可謂禮，禮者所以守其國，行其政令，無失其民者也。」政令便是制度，據這段分析，儀禮之不能算作禮經，至爲明顯。邵氏說：「若周禮爲經，則儀禮爲其傳矣？」就理論上講，確應如此。鄭玄精於三禮，他對三禮都作注解，原無好惡於其間，其所以稱周禮爲禮經者，完全是從本末上着眼，決不是像俗儒自己長於某一項學問，便抬高某一項學問的地位。故本篇卽依鄭玄的觀點，認周禮爲禮經，先加論述。

二、名稱的確定

周禮一名，左傳太史克曾有「先君周公制禮」之語，中庸亦有孔子「吾學周禮」之說，是其來已古。但漢書景十三王傳稱「河間獻王所得書，皆古文先秦舊書，周官尙書禮禮記。」同書藝文志又載「周官經六篇，周官傳四篇」，不用周禮之名。到劉歆請立於學官時，才又改稱爲周禮。考西漢人之所以稱之爲周官的，乃因尙書有周官一篇，亦記官制，遂疑周禮卽周官，鄭興、鄭衆父子及賈馬都襲這種誤會，所以他們作的周禮解詁，也都以周官爲名，鄭玄駁正這種誤會說：「其名周禮爲尙書周官者，周天子之官也，書序曰：「成王旣黜殷命，滅淮夷，還歸在豐，作周官，是言蓋失之矣。按書之所作，據時事爲辭，君臣相誥命之語，……周禮乃六篇，文異數萬，終始辭句，非書之類。」孔穎達更言其考證周禮一名之見於經籍者凡七，在漢以前從無稱之爲周官者。據此，則劉歆之用周禮爲名，乃是恢復其舊稱。不過，劉歆雖是正名的第一人，但後漢的二鄭賈馬等禮學家均未予信任，經鄭玄的駁正，孔穎達的考訂，然後周禮一名才臻確定，唐以後刻本，差不多全取周禮之名了。

三、眞僞辨

周禮一書，是諸經中最受懷疑的。信任它的人以它是周公攝政期中的作品，可是它所載的建都制度，與召誥雒誥所記不相合，封國制度與武成孟子所記不相合，設官之制與周官所記不合，九畿之制與禹貢所記不相合。孔子雖有刪詩書定禮樂的傳說，可是在本書中無法找出像孔子對詩書易春秋加工的痕迹，而論語一書所記孔子涉及禮的地方，似乎都偏於儀式方面，只有殷因於夏禮，周因於殷禮，可能是指制度而言，然亦不夠詳明，所以也不能肯定那是指周禮而言。至於孟子答周室班爵祿之問，已明白地說是其詳不可得而聞也，諸侯惡其害己也，而皆去其籍。所以有許多人懷疑本書是劉歆僞造了獎成王莽之篡的，這種懷疑，可能起因於周禮之發現與請立於學官，都出劉歆包辦，以及王莽力行周官之制。但左傳載：魯哀公十一年「季孫欲以田賦，仲尼私謂冉有曰：……且子季孫，若欲行而法，則有周公之典在。」是孔子時周禮尚在；荀子正名篇：「爵名從周。」楊倞注：「謂五等諸侯及三百六十官也。」是荀子曾見周禮。章炳麟說：「荀子言禮與周禮合，或者他曾見本書。」因何休說它是六國陰謀之書，近人遂有懷疑本書爲荀子之徒所僞造的。但有力的評判，還是四庫提要，它說：「夫周禮作於周初，而周事之可考者，不過春秋以後，其東遷以前三百餘年官制之沿革，政典之損益，除舊布新，不知凡幾，其初去成康未遠，不過因其舊章稍爲改易，而改易之人，不皆周公也，於是以後世之法竄入之，其書遂雜，其後去之愈遠，時移勢變，不可行者漸多，其書遂廢。……使其作僞，何不全僞六官，而必闕其一，至以千金購之不得哉？且作僞者必剽取舊文，借眞者以實其贋，古文尚書是也。劉歆宗左傳，而左傳所云禮經皆不見於周禮，……歆果贋託周公爲此書，又何難牽就其文，使與經傳相合，以相證驗，而必留此異同，以啓後人之攻擊？然則周禮一書，不盡原文；而非出依託，可概睹矣。」邵懿辰反對周禮爲經甚力，但也說：「惟小戴燕義，大戴朝事，皆引周官，逸周書亦有職方之篇，可證周官非僞作。」宋儒張載語錄亦謂：「周禮是的當之書，然其間必有末世增入者。」

四、冬官及考工記

周禮的組織，按官職分爲天官、地官、春官、夏官、秋官、冬官六篇，每官所屬官員約六十餘人，合計約三百六十人，這就是「禮經三百」一說的來歷。惟河間獻王得此書時已闕冬官一篇，後來懸賞千金向民間徵求，仍不可得，乃取考工記塡補（但仍少段氏、韋氏、裘氏、匡人、楖人、雕人六工。）因爲冬官司空所掌爲百工之事。考工記的來歷，淸人王芝藻的周禮訂釋古本謂其文「奇變而軌乎法，非周公莫能爲之。」但記中有「鄭之刀」，「秦無廬」的句子，鄭之建國在周宣王時，秦之受封，在周孝王時，這兩國名顯非周公所能預知，其非周公作品，斷然無疑。

鄭玄注以記中「荄」「榑」「終古」「戚速」等皆爲齊語，所以江永認其爲東周後齊人所作。此外，又有冬官不亡的一派，首倡的是宋俞廷椿，他撰有周禮復古編，後來元人邱葵吳澄都附和他的意見，邱葵撰周禮補亡六卷，說是冬官一職分散在餘五官中，他參考各家的意見，訂定天官之屬五十九，地官之屬五十七，春官之屬六十，夏官之屬五十，秋官之屬五十七，冬官之屬五十四。這種割它官以彌補冬官的辦法，四庫提要已斥其爲無知妄作。實不如考工記之足以備參考，而又無損於五官。

五、在學術及政治上的盛衰

禮的傳授，中庸載有孔子「吾學周禮」的話，左傳載有孔子問官名於郯子的事，史記孔子世家稱孔子問禮於老聃。但所問於老聃者是周禮還是儀禮，無可考證，郯子所講都是官名來歷，應是周禮。孔子的弟子中精於禮的有子游公西華，公西華自稱願爲小相焉，可見他是習儀禮的。禮運一篇都是孔子論政教的記錄，篇中皆子游所問，相傳仲尼燕居及禮運都是子游所記，則子游是習周禮的了，但子游傳誰？就不可考了。孟子自言於禮不詳，荀子講禮，頗與周禮合，然其師承授受淵源，亦無可考。馬融說秦用商鞅之法，恨周禮與之相反，所以挾書之禁，於周禮最嚴；焚書之舉，於周禮最爲澈底，秦漢之際，無言周禮者，漢武帝更說它是末世瀆亂不驗之書，於河間獻禮，置之祕府，不以立學，蓋猶有孟子所說的「惡其害己」之私情。直到西漢末年，劉歆見之於祕府，請王莽立於學官，始爲世重，但旋遭政變，未得大行。東漢之初，只有劉歆的學生杜子春能明其學，鄭興鄭衆父子賈逵衛次仲等從之學，并爲作解詁，馬融也繼起學它，故周禮之學在東漢漸盛，因爲周禮是古文經學，便引起了林孝存何休等今文學家的反對攻擊，鄭玄繼馬融而起，遍注三禮，認周禮爲周公致太平之書，著文以駁林氏之十論七難。後來賈公彥又作疏以發明鄭注，這是周禮在學術界的重要發展。另一方面，它在政治上也激起過不少的波瀾，如王莽仿周禮實行三公分職，魏宇文泰仿周禮建立六官，自爲冢宰。王安石仿周禮泉府設均輸平準的新法，明清兩代中央政府所設的六部——吏部、戶部、禮部、兵部、刑部、工部，便是周禮六官——天官、地官、春官、夏官、秋官、冬官的遺制。

六、法良意美

周禮一書所以能爲世人重視的，并不全由周公的偶像作用，它本身法良意美，實有值得世人重視之道。程頤說：「有關雎麟趾之意，而後可以行周官之法度。」朱熹說：「位至宰輔，而又得文武爲之君，然後可以行周禮。」這些讚歎決不是架空之論，如它裏面所載的地方基層制度，比閭族黨鄉州之法，評者謂：「閭正族師，即其鄉之人；月吉布告，即其民之事，以徵財賦，則催科不擾；以起徒役，則呼召立通；以相保守，則姦宄難容；以掌撻罰，則禁令難犯；以治獄訟，則欺詐立明；以詰盜賊，則追胥相比；以修農功，則士無遺利；以興賢能，則士無匿情；以教禮俗，則恩義日深；以治兵守，則急難相死。」再如關於天子起居的制度，評者謂：「周公知百官之統，四海之均，其安在於王身，故先以宮室安其身；統以太宰，論道經邦，而其餘小宰內宰以至宮正宮伯，莫不毖以宮刑，其治宮闈，使在王所者，罔非正人，俾之日聞正言，日見正行，以輔成君德，即所以爲正心之端也。次以飲食正其體：膳夫而下主饔烹，甸師而下主漁臘，醫師而下主調和，酒正而下主醬醢，宮人而下主冪帟，皆愼其所以養之。而繼以賦式節其用：雖曰王之膳服不會，而王府掌器物，內府掌貨賄，外府掌邦布，而總於太宰，皆有一定之式，及其用之，而會會其財，司書掌其書，職內以下，莫不式法之是守，使人主不以自利，而常有以厚天下之利，即所以爲修身之端也。終以內宮佐其德：人主親公卿大夫之時少，親宦官宮妾之日多，故必以法裁之，夫人不列於官，而九嬪世婦女御不著其數，而必嚴其選，內宰下大夫之外，如內小臣典婦功，絲線縫染追屨之官，亦皆上士下士爲之，小夫僉壬不得側迹其間，閽寺之徒，曾不數十，又所以爲齊家之端也。是以上智之君，安焉而益聖，中材之主，守焉而寡過，則正心誠意之實，而齊治均平之本統在矣。」歷代大政治家及興國之君，無不嚮往於周官之治的，其故在此。這些制度雖未有在那一代澈底實行過，但歷代君主生活，的確受了它不少的影響和束縛。

七、所具憲法形式

尤足驚奇的，是周官經不僅在立意方面具備了憲法的實質，而在文字方面也具備了現代憲法的形式，試把現行中華民國憲法的幾個大綱領和它一比較便知，如現行中華民國憲法開宗明義的一節說：

中華民國國民大會受全體國民之付託，依據中山先生創立中華民國之遺教，爲鞏固國權，保障民權，奠定社會安寧，增進人民福利，製定本憲法，頒行全國，永矢咸遵。

周禮天官地官春官夏官秋官冬官每章之首均有一段類似之開宗明義的序言說：

惟王建國，辨方正位，體國經野，設官分職，以爲民極。

其次便說明各官之屬性，如天官章云：

乃立天官冢宰，使帥其屬而掌邦治，以佐王均邦國。

地官章云：

乃立地官司徒，使帥其屬而掌邦教，以佐王安擾邦國。

春官章云：

乃立春官宗伯，使帥其屬而掌邦禮，以佐王和邦國。

夏官章云：

乃立夏官司馬，使帥其屬而掌邦政，以佐王平邦國。

秋官章云：

乃立秋官司寇，使帥其屬而掌邦禁，以佐王刑邦國。

形式又與憲法第五章所列：

行政院爲國家最高行政機關。

第六章所列：

立法院爲國家最高立法機關，由人民選舉之立法委員組織之，代表人民行使立法權。

第七章所列：

司法院爲國家最高司法機關，掌理民事、刑事、行政訴訟之審判及公務員之懲戒。

第八章所列：

考試院爲國家最高考試機關，掌理考試、任用、銓敍、考績、敍俸、陞遷、保障、褒獎、撫卹、退休、養老等事項。

及第九章所列：

監察院爲國家最高監察機關，行使同意、彈劾、糾舉及審計權。

完全相同。至於六官各屬職掌之劃分，又和今日各機關之辦事細則相同了。

第五章　儀禮

一、名稱非舊

儀禮與周禮爭經的地位，在上章中已大致說過，茲不復論。至於儀禮之名，何所取義？據宋張淳說：「前人見十七篇中有禮有儀，合而題爲儀禮。」賈公彥疏則以爲士冠禮中「若不醴，則醮用酒。」是兼用夏商之禮；士喪禮中之「商祝」「夏祝」，更明白標出夏商國號，則儀禮中形式，頗多因襲前代者，事至明顯，故只能稱爲儀禮，以泯除時代的界限。儀禮又有曲禮事禮之稱。曲禮之名，見於禮器「曲禮三千」之語，賈疏：「言曲者，見行事屈曲。」鄭玄注曲禮謂「曲猶事也」，事禮之名，當本於此。漢儒因見書中有士冠，士昏，士相見、士喪諸篇名，遂有「推士禮以致之天子」之說，因又有士禮一名。皮錫瑞三禮通論說：「漢所謂禮，卽儀禮，而漢不名儀禮，專主經言，則曰禮經；合記而言，則曰禮記。許愼盧植所稱禮記，皆卽儀禮與篇中之記，非今四十九篇之禮記也，後禮記之名爲四十九篇之記所奪，乃別稱十七篇之禮經曰儀禮。」由此看來，所謂禮經，曲禮、事禮、士禮、儀禮，均後人所加之稱謂，並非其原始名稱。

二、作者推測

儀禮的作者，據賈公彥疏中說，乃周公攝政六年中與周禮同時制作之書。邵懿辰則說：「禮，本非一時一世而成，積久服習，漸次修整，而後臻於大備；旁皇周浹，而曲得其次序大體，固周公爲之也；其愈久而增多，則非盡周公爲之也。」邵氏之說，雖涉籠統，但我們從前節中所指出書中援用夏商禮的事實來看，很明顯的，夏商早已有儀禮的存在，所不可知者，當時是否有成文的條例而已。再往後看，喪服中有子夏傳，康有爲因傳文有喧賓奪主之勢，便在僞經考中逕行認定喪服篇爲子夏所作。其它各篇中又多附有所謂記，這些記是何人的作品，二鄭賈馬都未能指明，鄭玄注謂：「後世衰微，幽厲尤甚，禮樂之書，稍稍廢棄，蓋自爾之後有記乎！」賈公彥以爲喪服篇中本經有傳之外，記亦有傳，子夏決不會自作自解，故作記者，當是子夏較前之人。竊以爲記傳之出東周人——除喪服傳已明載子夏傳外，其它諸記，可能就是孔子求禮於野時，對識大識小之徒的口述筆錄，所以賈疏認記在子夏之前——當無可疑。若連本經亦認爲晚周人作，就未免近誣了。原因是在那禮壞樂崩的當兒，除非像孔子那樣抱悲天憫人之懷的大聖人作了來作挽救世道人心的鼓吹外，（康有為以本書為孔子托古改制之作，意即同此。）其它一般功利及出世主義者，誰還肯浪費精力造此一部深遭時忌的書來自討沒趣？而孔子又是以述而不作自稱的，崔述姚際恆也均認聘禮的主張與孔子意見不盡相符，則本書之非孔子作至明。本經既非孔子所作，當然只有上推周公為較可信了。所以上引邵氏關於本書形成的一段說話，是大致可信的。

三、篇數殘闕

禮器篇說：「經禮三百，曲禮三千。」中庸說：「禮儀三百，威儀三千。」孝經說和春秋說都謂「禮經三百，威儀三千。」禮記謂「正經三百，動儀三千。」都異口同聲的說明了儀禮分量之重。也許就因為簡策太多，反難保全，如左傳載魯司鐸失火，子服景伯嚴令負責搶救禮書出險，在這種意外災禍之下，命令雖嚴，又豈能抗拒那非人力所及的天災，而保全得一簡不失？觀於魯哀公因恤由之喪命孺悲向孔子學習士禮的故事，可知魯國禮書已殘闕不全了。史記儒林傳說：「禮自孔子時，而其經不具，及至秦焚書，散亡益多，如今獨有士禮，高堂生能言之。」未標明篇數。漢書藝文志說：「漢興，魯高堂生傳士禮十七篇，又說：「禮古經者，出於魯淹中及孔氏，與十七篇文相似，多三十九篇。」這裏引出了儀禮的篇數問題，如果儀禮原止十七篇，則後出的逸禮就不可信，如果逸禮可信，則十七篇禮就不是全本。邵懿辰禮經論以為儀禮原文不止今文士禮十七篇，也不止古文禮五十六篇，因孔子以為教學，與其失之繁多，而終歸於廢墜，不如今其簡而可垂諸永久，故刪繁就簡，定爲十七篇，其中冠昏喪祭鄉射朝聘，四際八編，正與禮運中孔子所舉以告子游者脗合，故自高堂生傳禮，西漢五家，從無言禮缺不全者，很顯然的，邵氏以爲十七篇禮乃孔子刪定之本，幷無殘闕。

四、逸禮的眞僞

說到這裏，就不能不探討逸禮的眞僞了。劉歆讓太常博士書說：「魯恭王得古文於壞壁之中，逸禮有三十九，……天漢之後，孔安國獻之。」班固漢書藝文志說：「禮古經者，出於魯淹中及孔氏。」隋書經籍志說：「而河間獻王好古愛學，收集餘燼，得而獻之，合五十六篇，幷威儀之事。」三家所說出處相同，而篇數亦不異，至於孔壁與淹中之本內容有無差異，各家均未提及，僅說是五十六篇中有十七篇與高堂生所傳今禮相同，而文字或異。由於鄭玄只採取了同於今文的十七篇爲混合作注，其餘三十九篇無人傳習，日久遂亡佚了。朱熹說：「古禮五十六篇，班固時其書尚在，鄭康成亦及見之，注疏中多援引，不知何時失之，甚可惜也。」王應麟說：「逸禮三十九篇，其篇名頗見於他書；若天子巡狩禮見周官內宰注，朝貢禮見聘禮注，烝嘗禮見射人疏，中霤禮見月令注及詩泉水疏，王居明堂禮見月令禮器注，古大明堂禮見蔡邕論，又奔喪疏引逸禮，王制疏引逸禮云「皆升合於太祖」，文選注引逸禮云「三皇禪云云，五帝禪亭亭。」元吳澄所輯逸禮見於清蔡德晉禮經本義中者，屬於吉禮的有祫於太廟禮，諸侯遷廟禮，諸侯釁廟禮，屬於凶禮的有奔喪禮，弔禮，屬於軍禮的有出師禮，屬於賓禮的有巡狩禮，屬於嘉禮的有投壺禮，。綜合王吳二氏所記，逸禮三十九篇之名可知者有如上十四篇。邵懿辰以王居明堂禮爲劉歆剽取伏生大傳而成，幷謂卽此一端，可證餘篇皆僞，卽令非僞，亦孔子定十七篇時删棄之餘，大抵禿屑叢殘，無關禮要。丁晏在皇清經解續編中附注說：「位西此論，謂逸禮不足信過矣，當依草廬吳氏別存逸經爲允，至斥逸禮爲劉歆誣僞，頗嫌肊斷，且逸禮古經，漢初魯共王得於孔壁，河間獻王得於淹中，朝事儀見於大戴，學禮見於賈誼書，皆遠在劉歆以前，未可指爲歆贗作也。」據此，則逸禮非僞造之書了。

五、十七篇與五禮

儀禮十七篇的次第，戴德戴聖及劉向三家所列各不相同，茲列表比較如下：

戴德	戴聖	劉向
1. 冠禮	冠禮	士冠禮
2. 昏禮	昏禮	士昏禮
3. 相見	相見	士相見
4. 士喪	鄉飲	鄉飲酒禮
5. 既夕	鄉射	鄉射禮
6. 士虞	燕禮	燕禮
7. 特牲	大射	大射

8. 少牢	士虞	聘禮
9. 有司徹	喪服	公食大夫禮
10 鄉飲酒	特牲	覲禮
11 鄉射	少牢	喪服
12 燕禮	有司徹	士喪禮
13 大射	士喪	既夕禮
14 聘禮	既夕	士虞禮
15 公食	聘禮	特牲饋食禮
16 覲禮	公食	少牢饋食禮
17 喪服	覲禮	有司徹

鄭玄注儀禮，採用劉向次第，賈公彥疏謂：「別錄尊卑吉凶次第倫序，故鄭用之，二戴尊卑吉凶雜亂，故鄭不從之也。」以上十七篇，據鄭氏目錄云，既夕禮即士喪禮下篇，有司徹即少牢饋食禮下篇，故名為十七篇，實際只有十五篇。關於十七篇在五禮方面的歸類問題，邵懿辰謂：「若如周官五禮之目，則喪祭分吉凶二禮，冠昏射鄉合為嘉禮，朝覲為賓禮，而相見燕食，不知於賓嘉誰屬？」據蔡德晉的禮經本義，其歸類如下：

吉禮：特牲饋食禮　少牢饋食禮（有司徹）

凶禮：喪服　士喪禮上　士喪禮下（即既夕禮）士虞禮

賓禮：士相見禮　聘禮　覲禮

嘉禮：士冠　士昏　鄉飲酒　鄉射禮　燕禮　大射儀　公食大夫禮

周官五禮是吉、凶、軍、賓、嘉，這裏缺少了軍禮，因此有謂五禮卽皐陶謨的「天秩有禮，自我五禮有庸哉。」按尙書的五禮，有謂係指公侯伯子男五等爵言者，又有謂五禮上承五典，卽指父子兄弟夫婦君臣朋友言者，冠昏爲夫婦之禮，喪祭爲父子之禮，射鄉爲長幼之禮，朝聘爲君臣之禮，軍於倫常無所屬，故缺。又有謂孔子答問陳說：「俎豆之事，則嘗聞之矣，軍旅之事，未之學也。」十七篇由夫子手定，故只存吉凶賓嘉四禮，不錄軍禮。崔靈恩三禮義宗說：「儀禮者，周公所制，吉禮惟得臣禮三篇；凶禮四篇：喪服上自天子，下至庶人，餘三篇皆臣禮；賓禮惟存三篇，軍禮亡失，嘉禮得七篇。」邵懿辰則謂：「鄉射大射，亦寓軍禮之意，男子有事四方，桑弧蓬矢，初生而有志焉，易曰：弦木爲弧，剡木爲矢。弧矢之利，以威天下，五兵莫長於弓矢也。故射御列於六藝，而言聘射之儀者，以爲勇敢強有力，天下無事，則用之於禮義，天下有事，則用之於戰勝，澤宮選士，各射己鵠，有文士必有武備也，而遂以爲軍禮亡失，亦未識聖人定禮之意矣。」按周禮向被稱爲禮之綱領，其吉凶軍賓嘉五禮之目，確比五等五倫爲接近儀禮的內容，而鄭氏目錄亦循周禮五目區分，所以儀禮十七篇應當按周禮五禮之目區分，本章第四節所引蔡德晉禮經本義逸禮名目屬於軍禮者有出師禮，是軍禮之缺，實由亡失，邵懿辰不承認儀禮殘缺，乃以鄉射大射充軍禮，未免牽強不倫。

六、傳習之少

儀禮的學者，漢初稱高堂生與徐生，但二氏之學，何所師承，無可考證。論語載公西華自稱：「宗廟之事，如會同，端章甫，願爲小相焉。」孔子也說：「赤也束帶立於朝，可使與賓客言也。」足見公西華對於容儀這方面的禮是具有特長的。禮記中禮運禮器諸篇爲子游所記，檀弓則爲子游弟子所記，荀子謂：「仲尼子游爲茲厚於世。」足見子游是精於禮的旨趣的。故漢文時善爲容的禮官大夫徐生，當是衍公西華一派的，傳十七篇的高堂生當是衍子游一派的。惟儀容這一派從公西華到徐生，中間不聞有傳人；經義這一派從子游到高堂生，中間有一個荀子，荀子的著作中有賦禮、禮論，其它各作品中涉及禮的地方也很多，惟荀子上承何人？下授何人？則不可考。高堂生爲秦時人，去荀子之世不甚遠，可能是私淑於荀子弟子。關於高堂生的身世，史記注引謝承書謂：「秦世季代有魯人高堂伯，則伯是其字，云生者，自漢已來，儒者皆號生，亦先生省字呼之耳。」西漢傳習禮學的有十三家，卽高堂生、蕭奮、孟卿、后蒼、閭邱卿、聞人通漢、戴德、戴聖、慶普、夏侯敬、徐良、橋仁、楊榮。關於徐生的身世不大可考，其傳授系統，據史記儒林傳所載：「孝文時，徐生以容爲禮官大夫，傳子至孫徐延徐襄，襄其天姿善爲容，不能通禮經，延頗能，未善也。襄以容爲漢禮官大夫，至廣陵內史，延及徐氏弟子公戶滿意、桓生、單次，皆常爲禮官大夫，而瑕丘、蕭奮以禮爲淮陽太守，是後能言禮爲容者由徐氏焉。」徐生這一派，只是後世贊禮之官，熟悉儀式就行，談不上學問。高堂生這一派爲經義的研究，是眞正的禮學，禮是封建社會的堡壘，也是儒家教育中的主要課程，它的關係之複雜，意義之奧妙，我們不難從禮記中孔子師弟討論的許多問題中窺見一斑。所以墨子非儒篇有「累壽不能盡其學，當年不能行其禮」的批評。戰國之君，對它尤深惡而痛絕，高堂生在秦火之後，能把這十七篇已絕的經學保存傳授下來，眞可謂繼往聖之絕學了。這十七篇是否是儀禮的全本，雖不敢斷定，但它確已具備了儀禮中所最要緊的部門，則是無可否認的事實。高堂生對於禮的言論及思想，不大可考，但他的五傳弟子大小戴的禮記中必含有他的許多教義。儀禮所載全屬禮的程序和儀式，內容既已枯燥之味，再加以文辭雅奧，所以素稱難讀，終漢之世，僅有鄭玄爲之作注，鄭氏之後則有魏王肅的注本，王本亡於唐初，今無可考，繼鄭注之後的研究作品，當以唐賈公彥的疏本爲最著，賈疏乃根據齊黃慶、隋李孟悊二家的疏本寫定，阮元校勘記謂其「文筆冗蔓，詞意鬱轖，不若孔氏五經正義之條暢。」清胡培翬以爲「賈疏疏略，失經注意。」遂發奮著儀禮正義四十卷。四庫提要謂：「儀禮文古義奧，傳習者少，注釋者亦代不數人。」但我以爲文古義奧，固是傳習與注釋者之少的原因，但主要的還在禮者因時世人情爲之節文者也，故叔孫通謂：「五帝異樂，三代不同禮。」儀禮所載的許多繁文縟節，多半已與時代脫節，提不起人的研究興趣。

第六章　禮記

一、釋名

禮記原爲西漢人稱儀禮之名，本書在當時名爲大戴記小戴記，唐貞觀中孔穎達等撰五經正義，廢大戴記不錄，獨取小戴記，小戴記因失去相對的稱呼，被省稱爲禮記，而儀禮固有的禮記之稱遂爲所奪。由於漢書藝文志載有后蒼曲臺記九篇，隋書經籍志又稱「至宣帝時，后蒼最明其業，乃爲曲臺記。」而后蒼之禮學實爲二戴慶普之所自出，鄭樵等遂誤認曲臺記即禮記之別名，不知曲臺者射宮也，因孝宣行大射之禮於曲臺，而蒼爲之辭，凡數萬言，以記其盛，實於禮學無關。只以其文後代無傳，鄭樵等不得見，故有此誤會。記的字義，原爲筆記或記錄，在經書中它的作用與傳類似，傳所以解釋經義，在詩經中有毛傳，在易經中有繫傳，在春秋有公羊、穀梁、左氏傳，記則所以彌縫經文之隙，補足其遺漏，故周禮有考工記，儀禮各篇亦多附記。陸德明說：「此記二禮之遺闕，故曰禮記。」可爲禮記一名的精當解釋。

二、來歷

禮記一書的來源，據隋書經籍志說：「漢初河間獻王又得仲尼弟子及後學者所記一百三十一篇，獻之，時亦無傳之者，至劉向考校經籍，檢得一百三十篇，向因第而敍之，而又得明堂陰陽記三十三篇，孔子三朝記七篇，王氏史氏記二十一篇，樂記二十三篇，凡五種，合二百十四篇。戴德刪其煩重，合而記之，爲八十五篇，謂之大戴記，而戴聖又刪大戴之書爲四十六篇，謂之小戴記，漢末馬融遂傳小戴之學，融又足月令一篇，明堂位一篇，樂記一篇，合爲四十九篇，而鄭玄受業於融，又爲之注。」明指二戴之記，均出於劉向別錄，完全抹殺了高堂生傳禮的史實，因劉歆的七略及班固的藝文志均未嘗涉及二戴之記，故論禮記來源者，多以隋志爲據，實則隋志所稱有未盡然者，如大戴記中之投壺、諸侯遷廟、諸侯釁廟、公冠，以及小戴記中之奔喪、曲禮、玉藻、少儀，一向被認爲儀禮的逸經。大戴的武王踐阼與文王官人，幷出自周書，帝繫出自世本，千乘等七篇出自孔子三朝記，曾子立事等十篇出自曾子，勸學、禮三本出自荀子，禮察、保傅出自賈子，小戴的祭法出自國語，月令出自呂氏春秋，坊記等四篇出自子思子，王制成於孝文時博士之手，三年問出自荀子禮論，鄉飲酒義出自荀子樂論，樂記亦出自荀子樂論，逸禮及周書世本和這些子書，在西漢都有傳本，當然爲高堂后蒼禮學所利用之資料，故二戴所記，當係秉承師訓，各以己見爲删取，非必全採別錄。鄭玄爲禮學大家，其六藝論未嘗有禮記出別錄之說，僅於三禮目錄中指出禮記篇目在別錄中所屬門類，這正可見別錄和戴記實各自成書，未嘗有何干連。孔穎達禮記正義說：「其禮記之作，出自孔氏，但正禮殘闕，無復能明，故范武子不識殽烝，趙鞅及魯君謂儀爲禮。至孔子歿後，七十二之徒，共撰所聞，以爲此記，或錄舊禮之義，或錄變禮所由，或兼記體履，或雜序得失，故編而錄之。」亦未曾採用隋志之說，四庫提要評隋志之說爲「不知所本」，足見其說之無據。關於馬融增足月令等三篇之說，四庫提要駁稱：「疏又引玄六藝論曰：戴德傳禮八十五篇，則大戴記是也；戴聖傳禮四十九篇，則此禮記是也。玄爲馬融弟子，使三篇果爲融所增，玄不容不知，豈有以四十九篇屬於戴聖之理？況融所傳者乃周禮，若小戴之學，一授橋仁，一授楊榮，後傳其學者有劉祐、高誘、鄭玄、盧植，融絕不預其授受，又何從而增三篇乎？今之四十九篇，實戴聖之原書，隋志誤也。」戴震更稱：「後漢書橋元傳七世祖仁著禮記章句四十九篇，橋所見篇數已爲四十九篇，不待融足三篇甚明。」按今本禮記四十九篇之曲禮、檀弓、雜記均分爲上下篇，如不分上下，恰合四十六篇之數，故就目錄言，小戴爲四十六篇，就篇數言，爲四十九篇，隋志謂馬融增足三篇，可能係由此種情形致誤。

三、小戴記非刪取大戴記

至隋志謂小戴刪取大戴之說，如果係事實，則小戴記的四十九篇，應該就是大戴記的闕目了。朱子語類先說：「大戴佳篇，皆爲小戴采取，存者不逮。」後來又說：「大戴闕目，本自不存，非由小戴取之。」當係發現前言不符事實後故更正。孔廣森從它書中找得一部份大戴記的闕目，謂「唐本信有增多於今，而亡逸諸篇，殆非小戴所取。」小戴篇目既不全符大戴闕目，則小戴記之非刪取自大戴記，事實甚明。錢大昕謂大戴八十五篇，小戴四十六篇，合之適符一百三十一篇之數，大小戴互相刪取之說，實非無稽。這一說的數字雖巧合，但大戴記中的哀公問於孔子與投壺二篇完全同於小戴記，大戴記的禮察與小戴記的經解有一半相同，大戴記的曾子大孝爲小戴記祭義中的一段，如果去其重複，則大小戴合計的篇數便不符一百三十一篇之數了，換言之，錢氏的證據便不能成立。所以管見以爲（一）二戴之記，乃各就師說纂輯，可能不知有劉向別錄本的存在，當然非刪取別錄而成。（二）馬融增四十六篇爲四十九篇之說，乃由目錄分上下篇之誤會所致，實無其事。（三）大小戴互相刪取之說，乃隋志誤信晉人陳劭周禮論序，大小戴實各不相謀，至小戴記之少於大戴記者，乃由小戴標準較嚴之故，并非從大戴記刪取。

四、作品時代

禮記的纂輯時期，以大小戴所生時間來推論，自當是在西漢末年，與劉向略同，但因七略及漢志均不載戴記書目，所以後儒如毛奇齡、桂馥等均否認漢代有禮記一書。按二戴之記，雖七略及漢志不載，但鄭玄不僅於六藝論中指出二戴記各具的篇數，并且爲小戴記作注，列入三禮，此一事實，自不容有何懷疑。惟禮記一書，雖輯於漢儒，其篇章則非盡出漢儒之手，多係前代相傳之文。故朱熹稱董仲舒雖爲漢儒之最醇者，但樂記精言，決非仲舒所能做到。邵懿辰謂：「今按二戴各篇，以出自荀賈二子者爲最近，而其文亦最卑，賈子保傅乃引古記而爲之傳，禮察亦衍經解之文入其政事疏中，添綴之痕，顯而易見，取之者，爲其前有古記，非直取賈子書也，舍此三數篇，則莫不奧衍閎深，其文非周人莫能爲，其理非聖人莫能到矣。」至於王制一篇，史記封禪書明載孝文使博士作王制，盧植注亦以爲係孝文時博士所作，鄭玄答林碩書則以爲王制作於孟子之後，這或許是因王制篇所言爵祿與孟子相合之故。俞樾亦認王制是孔氏遺書，七十子後學所記。果爾，則禮記中除了所錄賈子之篇外，均爲晚周作品了。

五、比附經義

邵懿辰謂：「禮經有記，猶易之有十翼，春秋之有三傳，雖各自爲篇，實相比附。」眞的，儀禮有士冠禮，禮記便有冠義，儀禮有士昏禮。禮記便有昏義，儀禮有鄉飲酒禮，禮記便有鄉飲酒義，儀禮有鄉射禮，禮記便有射義，儀禮有燕禮，禮記便有燕義，儀禮有聘禮，禮記便有聘義，儀禮有少牢、特牲，禮記便有祭義、祭法、祭統諸篇，儀禮有喪服，禮記便有喪服小記，喪大記等篇。此僅就邵氏以儀禮爲經而言，若以周禮爲經言，則劉向別錄中所列制度、通論（見後）兩目下諸篇，當有不少是周禮的傳釋。朱熹晚年曾擬撰儀禮經傳通解一書，將儀禮依劉錄鄭注本的次第排列，把戴記各篇依義分繫於其下，他自己擔任家禮、鄉禮、學禮、邦國禮、王朝禮五類的編纂，把喪祭兩門交門人別編，附於其後，可惜未能實現。

六、研習之盛

禮記的傳授，漢書儒林傳云：「大戴授琅邪徐氏（徐良），小戴授梁人橋仁字季卿，楊榮字子孫，仁爲大鴻臚，家世傳業。」大戴記在徐良之後的傳授不詳，小戴記在後漢則有高誘、鄭玄、盧植諸人相繼研習，由於鄭注小戴記，列入三禮，魏王肅專與鄭玄立異，又另爲小戴記注，於是小戴記之學獨盛，南北朝間，爲作義疏者，南人有賀循、賀瑒、庾蔚之、崔靈恩、沈重、范宣、皇甫侃等，北人有徐道明、李業興、李寶鼎、侯聰、熊安生等，唐孔穎達等撰五經正義，採用鄭玄注本，義疏則以皇氏爲本，熊氏爲輔。從此小戴記鄭注取得了禮記的官書地位。到宋代衛湜作禮記集說，采集鄭玄以迄宋代一百四十四家之說，最稱賅博。元陳澔也作集說，以簡便見稱，其書在當時幷不大行，到明代用作國學教本，遂大見重。清代杭世駿又仿衛湜的體例作續禮記集說，集錄宋元以迄清初諸家說禮的議論，以別擇精審見稱。此外孫希旦的禮記集解，朱彬的禮記訓纂，都以賅博見稱。另有竄改原書一派，在魏有孫炎的禮記注，唐有魏徵的類禮，元有吳澄的禮記纂言。小戴記的研習之盛，於此可見一斑。大戴記在漢代無注本，到後周才有盧辯的注本出現，但很疏略，又以傳習者少，譌脫很多。宋人雖有十四經之目，仍罕習者，直到清初，經戴震盧文弨等爲整理校勘，文稍可讀，阮元擬爲作注未成，孔廣森與汪照同時作大戴記補注，大戴禮才隨着研習者的興趣，漸有回復舊觀之勢。

七、作用在本經之上

禮記在地位上只是本經的輔助物，但就作用言，則遠在禮經之上。周禮所載，都是法制，儀禮所載，都是儀式，二書的組織既死板，文字也枯燥，如不是專門習禮的人，很少願意去讀它們的。禮記則不同，它完全以具體的方式敍述禮的功用和它的變化及成因。使讀者如在講堂上聽先生隨題發揮，旁徵博引，逸趣橫生，介人樂不知疲。它不僅說明了許多禮俗的意義，而且告訴了人許多社交上應該注意的小節。如曲禮中：「弔喪弗能賻，不問其所費；問疾弗能遺，不問其所欲；見人弗能館，不問其所舍。」這些細事與六官五禮毫不發生關係，然人與人間的恩怨，往往由此種因，又如同篇所說的「將上堂，聲必揚，戶外有二屨，言聞則入，言不聞則不入。」這類小節的注意與否，在一個變亂的政局中，往往是禍福的根由。它不僅在封建社會中是極有益的教訓，就是在民主社會的今天，也仍然是個人的榮辱所繫，不比那些周官儀禮中的條文，每爲時代所淘汰。至於禮運一篇，把禮的功用發揮到極點，簡直等於一篇三禮序言，不止是闡釋了儒家習禮的終極目標，更表現出儒家高明博厚的精神。所以禮記一書，不管它是出自七十子後學之手，還是出自漢儒之手，它之含有聖人的微言大義，是無可否認的。唐以後學者都把它當作禮學的講義，其受重視，遠在本經之上，實非無因的。

八、篇目歸類

禮記各篇的性質，鄭玄曾於目錄中引劉向別錄所分門類加以注明，今卽照所分門類表列於下：

制度：曲禮上下　王制　禮器　少儀

通論：檀弓上下　禮運　玉藻　大傳　學記　經解
　哀公問　孔子閒居　仲尼燕居　坊記　中庸
　表記　緇衣　儒行　大孝

明堂陰陽：月令　明堂位

喪服：曾子問　喪服小記　雜記上下篇　喪大記　喪服大記　奔喪　問喪　服問　間傳　三
　年問　喪服四則

子法：文王世子　內則

吉事：投壺　冠義　昏義　鄉飲酒義　射義　燕義　聘義

祭祀：郊特牲　祭法　祭義　祭統
樂記：樂記

第七章　春秋

一、釋名

孟子說：「晉之乘，楚之檮杌，魯之春秋，一也。」檮杌與乘爲私名，春秋與之對舉，似亦屬私名。魏了翁說：「春秋之名，經無所見，惟傳記有之，昭二年韓起聘魯，稱見魯春秋；外傳魯語：司馬侯對晉悼公云：羊舌肸習于春秋；楚語：申叔時論傅太子之法云：教之以春秋；禮坊記云：魯春秋記晉喪云：殺其君之子奚齊；又經解：屬辭比事，春秋教也。凡此諸文所說，皆在孔子之前，則知未修之時，舊有春秋之目，其名起遠，亦難得而詳」。由這些例證看來，春秋又似乎是史書的泛名了。尹知章管子注中說：「春秋卽周公之凡例，而諸侯之國史也。」這一說比較折中而符事實。因爲周公所訂修史的凡例，記事必以四時爲首，故凡諸侯之國史循此例者，均以春秋爲名。晉史以田賦乘馬之事爲主，故名爲乘，楚史記惡人以昭訓戒，故取檮杌爲名，這是說晉楚之史，各有其重點，故各有私名，但羊舌肸所習之春秋，實卽晉史，申叔時所論教太子之春秋，實卽是楚史，是乘與檮杌仍以春秋稱也。故春秋一名，對周代諸侯言，乃是史的泛名，但對其他朝代而言，則爲周史的私名。周公爲什麼要以春秋爲修史的凡例呢？賈逵說：「春爲陽中，萬物以生；秋爲陰中，萬物以成。欲使人君動作不釋中也。」梁賀道養以爲「春貴陽之始，秋取陰之初。」魏了翁駁這兩說道：「計春秋之名，理包三統，據周以建子爲正言之，則春非陽中，秋非陰中；據夏以建寅爲正言之，則春非陽始，秋非陰初。」近似的解釋，是韋昭晉語注中所說的，春秋記人事之善惡，而自以天時，謂之春秋，周史之法也。」可惜語義不十分顯豁，明顯的而確當的解釋，當推杜預春秋左傳序，他說：「春秋者，魯史記之名也。記事者以事繫日，以日繫月，以月繫時，以時繫年，所以記遠近，別同異也。故史之所記，必表年以首事，年有四時，故錯舉以爲所記之名也。」

二、旨在正人心

孔子爲什麼要修春秋？這是研究春秋所首當明白的。唐啖助於此曾就三傳學者的意見作比較的評論，他說：「夫子所以修春秋之意，三傳無文，說左氏者，以爲春秋者周公之志也，暨乎周德衰，典禮喪，諸所記注，多違舊章，宣父因魯史成文，考其行事，而正其典禮，上以遵周公之遺制，下以明將來之法；言公羊者則曰：夫子之作春秋，將以黜周王魯，變周之文，從先代之質；解穀梁者則曰：平王東遷，周室衰微，天下板蕩，王道盡矣，夫子傷之，乃作春秋，所以明黜陟，著勸戒。吾觀三家之說，誠未達乎春秋大宗。予以爲春秋者，救時之敝，革禮之薄。杜氏所論褒貶之指，惟據周禮，若然，則周德雖衰，禮經未泯，化人足矣，何必復作春秋乎？何氏所云：變周之文，從先代之質，雖得其言，不用之於性情，而用之於名位，周德雖衰，天命未改，變從夏政，惟在立忠爲教，原情爲本，非謂改革爵列，損益禮樂者也。故夫子傷主威之不行，下同列國，首王正以大一統，先王人以黜諸侯，不書戰，以示莫敵，稱天王以表無二尊，反云黜周王魯，悖禮誣聖矣。范氏之說，粗陳梗概，殊無深旨，且歷代史書，皆是勸懲，春秋之作，豈獨爾乎！」這一段議論，駁公羊何氏者還算中肯，駁左氏穀梁兩家之說，實在欠當。他以爲杜預所說的正典禮，遵遺制，果爲修春秋的目的，則禮經尚在，只要用禮經教人就夠了，何必再作春秋呢？不知孔子正因禮經只是空言，不足以挽救放失之人心，所以不得不採用深切著明的行事來作亂臣賊子的當頭棒喝。他駁范寗勸懲之說，以爲歷代史書，皆是勸懲，豈獨春秋如此？不知以史書爲勸懲之具，實以春秋爲權輿，尚書雖是春秋以前的史書，但尚書並不著勸懲之迹，所謂歷代史書者，在尚書之外，都是春秋以後作品，即無一不是以春秋爲法者，如果春秋不著勸懲，那只是一篇流水賬，怎配得稱經？啖氏開以臆說經之端，如上所論，適足以見其牆而而已。關於這一問題的解答，最好的還是孟子所說的「世衰道微，邪說暴行有作，臣弒其君者有之，子弒其父者有之，孔子懼，作春秋。」他又說：「王者之迹熄而詩亡，詩亡然後春秋作。」這裏說明了孔子修春秋的動機，是爲了怕亂臣賊子的猖獗，而制裁亂臣賊子的利器，一是國家的刑罰，一是社會的清議。周自平王東遷，中央政府已無力執行對亂臣賊子的刑罰，所恃以維持人心的僅有社會的清議，這種清議，在當日未有報紙，全靠了民間傳播的風詩，這類詩可以頌讚一個人的功德，也可以揚播一個人的罪惡。由於社會有這種清議工具，所以凡是廉恥未喪盡的人，對於自己的行爲，都不能不有所戒慎，可是後來因中央政府的採詩官廢，這類詩也衰歇了，在這有形無形的制裁力量都告消失的時候，一般亂臣賊子便更肆無忌憚了，所謂弒君三十六，亡國五十二，風紀之壞達於極點。孔子周遊列國，遍干諸侯，本相藉政治力量，來挽回世運，可是除了在魯國做過三個月的司寇，誅了一個僞君子少正卯之外，一直不能再有發揮作用的機會，在此無可奈何的情勢下，終於給他想出了一條通路，就是採用詩的諷刺原則，用文字力量來執行勸懲，詩是講含蓄的，它的諷刺，多借比興，指桑罵槐，言之者無罪，聞之者足以戒。因此他便採用魯國的現存史料，用一種誅心的記述方法，把這過去不久的人和事加以褒貶，以爲當時人的儆惕，所以他說：「我欲載之空言，不如見之行事之深切著明也。」用白話來說，就是「與其空言勸人爲善，不如以具體的事實給人更深的反省。」所以春秋的目的，完全是爲了端正當時的人心。

三、利用魯史的情形

孔子爲什麼獨要採用魯史作底本呢？乃因魯爲周公之後，在諸侯中最受尊重，諸侯間大小事故，對魯國的赴告特別周詳，同時魯國的政局比較安定，史料的保存比較完整，所以吳季札晉韓起聘魯時都以禮樂在魯爲言，另一方面魯國的文化水準較高，史官的記述，也多能遵循周公的凡例，故杜預春秋左傳序說：「仲尼因魯史策書成文，考其眞僞，而志其典禮，上以遵周公之遺制，下以明將來之法，其教之所存，文之所害，則刊而正之，以示勸戒，其餘則皆即用舊史。」則就是說，孔子修春秋只是將魯史之記述有重大教育意義的加以強調，其有下字欠斟酌或失當的地方，便加以刪削修正，使之合於勸懲的原則，換言之，就是在記述事實時，滲入微言大義，使亂臣賊子見了知所畏懼。至於純史實之無關勸懲者，孔子仍沿用舊文，不加更動。這裏告訴了我們孔子修春秋的態度，同時也給我們知道了魯史所給予孔子的便利地方。故同序又說：「蓋周公之意，仲尼從而明之。」這是說用春秋寓獎懲之意，本是周公的原意，孔子不過從而發揚光大之而已。

四、義例非孔子所創

曾有人反對杜預的意見，以爲孔子修春秋果是爲了發明周公之遺意，那就不能見出孔子的偉大了。觀於子曰：「知我者其惟春秋乎，罪我者其惟春秋乎！」以及史記所稱孔子「筆則筆，削則削，游夏之徒不能贊一辭。」豈不都成了誇大之辭嗎？其實這種辯論是多餘的，杜序說：「周禮有史官，掌邦國四方之事，達四方之志，諸侯亦各有國史，大事書之於策，小事簡牘而已。」史官的制度，既爲周禮所規定，這當然是周公一種彰往知來的深意所寄，孔子之所以要修春秋的，是鑒於「周德既衰，官失其守，上之人不能使春秋昭明，赴告策書，諸所記注，多違舊章。」失去了獎懲的作用，我們只看晉趙穿弒靈公，史官董狐便因趙盾不能討賊，而徑書「趙盾弒其君」的事實。就可以證明春秋的書法，本是古已有之的，不過後世史官的識鑒不足以語此，有的畏懼如齊太史所受的殺身之禍，不敢本着舊例秉筆直書，以致失去史書應有的作用。孔子目擊道喪，便援用古義，重修魯春秋，以爲撥亂世反之正的工具，我們對孔子修春秋的價值，應當從它的功用上去衡量，不當從書法義例的發明上去衡量。孔子曰：「其義則丘竊取之矣。」他自己既明白承認春秋的義例是竊取前人的，我們何必爲他去爭這無用的發明權呢？書經說：「知之非艱，行之維艱。」訂修史的義例，幷不是難事，如何使所記史實都能切合那些義例，才是難事。不然，春秋各國都有國史，爲什麼竟沒有一部能與孔子所修者媲美的呢？這就可見孔子糾正史官違失之功，所以春秋的義例雖非孔子創立，幷無損於孔子修春秋的偉大成就。

五、微言大義

春秋的價值全在微言大義上，所以讀春秋最要緊的是明白它的微言大義所在。所謂微言，在爲後王立法；所謂大義，在誅亂臣賊子。微言的表現在字眼上，大義的表現在責任上，如「隱公元年夏五月鄭伯克段于鄢」的經文，記鄭伯兄弟鬩牆的公案，如果用白話說：哥哥懲戒弟弟，那是正常的行爲，假使說哥哥打贏了弟弟，那就不合倫理了。經文所用的克字，就是打贏的意思，據左傳解經：「段不弟，故不言弟，如二君，故曰克，稱鄭伯，譏失教也。」所以微言所在的地方，便是語含諷刺的地方。又如定公二年冬十月「新作雉門及兩觀」的經文，按雉門及兩觀，爲天子之制，魯以諸侯僭用天子之制，已屬不當，及雉門兩觀焚後，魯公還不知悟，又大修之，據公羊解經，修繕之事，例不予書，此處特以「新作」二字書之，就是譏定公僭妄的微言。昭公十九年許悼公服藥而卒，因許世子未盡嘗藥之責，經便書「許世子止弒其君買」，加他以弒君父的責任；宣公四年夏六月鄭子公因不得食黿之恨，與子家謀弒，子家先不從，子公遂譖之於公，子家因懼而從之，孔子因子家執國大柄，不能阻止弒君之謀，反爲脅從，經便直書「鄭公子歸生弒其君夷，」加他以弒逆的責任；襄公二十一年邾意其以漆閭丘叛降魯國，昭公五年莒夷牟以朱婁及防茲叛降魯國，昭公三十一年邾黑肱以濫叛降魯國，孔子都特別把他們的姓名及叛降來的邑名標在經上，加他們以賣國的責任，這些便是大義所在。

六、經無細例

在微言大義之外，還有正君臣之分，嚴華夷之防的書法，如每年歲首，一定書春王正月，以示大一統；踐土之盟，晉侯召王以朝，實乖君臣之分，故經書「天王狩于河陽」，以維持天子的尊嚴。僖公二十九年王子虎與晉狐偃、宋公孫固、齊國歸父、陳轅濤塗，秦小子憖盟于翟泉，孔子因王子不當下盟諸侯之大夫，改書爲「會王人晉人宋人齊人陳人蔡人秦人盟于翟泉」，一律去其姓名，以泯亂等之迹。宋向戌弭兵之會，晉楚爭歃血先後，晉受宋勸，讓楚領先，但經文仍序楚於晉後，以嚴華夷之防。同時還有內諱的書法，如桓公十八年傳載「公會齊侯于濼，遂及文姜如齊，齊侯通焉，公謫之，以告，夏四月丙子享公，使公子彭生乘公，公薨于車。」很明顯的魯桓公是被姦夫姦婦謀殺，但經僅書「公薨于齊」，以掩家醜。另據程頤說：「春秋凡用民力必書，其所興作不時，害義，固爲罪也；雖時且義，必書，見勞民爲重事也。」關於春秋的書法，三傳學者各爲理出許多條例來，以爲釋經的依據，公羊有胡毋生條例，何休有公羊論例；穀梁有時月日例，范甯的略例；左氏有賈逵父子的左氏條例，潁容的左氏釋例，杜預的釋例。由於各家爭勝之故，條例愈覓愈多，愈究愈細，幾於數萬之文，無一不有條例，而彼此不同之處，便互相非難，引出了許多無謂的糾紛，於是春秋本身有無條例的問題遂發生了。洪興祖說：「春秋本無條例，學者因行事之迹以爲例，猶天本無度，治曆者因天之數以爲度也。」竊以爲條例就是義法，無條例就無義法，如無義法，褒貶何所依據而定？孔子的筆削，在當時應該是有條例的，不過孔子的條例是原則性的，也就是周公春秋的凡例，在他認魯史中不合春秋凡例之處，予以斧削，其合於春秋凡例之處，卽仍用原文不動，其無關勸懲的純史實，自然更不會動。三傳學者，尤其是公羊家，幾於對經文的每一字句都解釋其所用條例，以致牽強附會，穿鑿失實，而產生出如劉知幾史通惑經篇所舉的未喻十二事及虛美五事，反而增加了讀經者的迷惑。故三傳學者所立的那些瑣細條例，都非春秋所本有。

七、素王說之非

由於春秋所記二百餘年間的史實，十二公的行事，本着一種命德討罪，彰善癉惡的態度，直等於操着天子黜陟予奪的大權，所以孟子說：「春秋者，天子之事也。」齊太史子與也歎美孔子說：「或者天將欲與素王之乎！」弟子因孔子救世之敎，功在萬世，遂又有「仲尼賢于堯舜遠矣」的稱讚。後人以孔子修春秋稱之爲素王，左丘明傳春秋，便稱之爲素臣，這實在是厚誣孔子。孔子修春秋的本意，只在明是非，正人心，幷不是爲了滿足個人政治上的野心，如果他存有此心，不僅他的人格大成問題，就是春秋這書也將半文不值了。本來因孔子有德無位懷抱不平的人，所在多有，子路便曾提議使門人爲臣，但孔子駁斥他說：「吾誰欺？欺天乎？」孔子既不肯以無臣為有臣，又怎肯以非王而稱王呢？匹夫而為萬世師，一言而為天下法，孔子自有他的天爵，那些想以政治的王冠來推尊孔子的人，實在都是製造陳橋之變的心理，太淺之乎視聖人了。

八、黜周王魯說之非

公羊學者更以孔子用魯十二公紀年，含有黜周王魯之意，這也是在以小人之心度君子之腹，本來孔子的倫理思想是親親而仁民，仁民而愛物，對一切事物，都有親疏厚薄之分，我們不能說孔子於魯國絕無阿私之處，只看他的經文如葬「我君桓公」之類的語氣，是多麼親切，除了上節所敍內諱的例子之外，如論語所載他稱昭公知禮的故事，都是極顯著的偏袒之例，但隱惡揚善，本是儒家教人的美德，若犯分亂紀，正春秋之所筆誅，他豈有知法犯法之理？春秋所以用魯十二公紀年者，不過為了沿襲魯史之便，他之所以於每年歲首必標「王正月」以示尊周正朔者，可能就是為了預防這種猜疑。魯為周公之後，周公不奪成王之位，而謂孔子欲藉史文以魯來代周於六百年之後，必無是理。觀於子曰：「如有用我者，吾其為東周乎？」可以證明他對周朝的殘局，始終是想維持的。杜預辯正這一誣謬說：「曰：然則春秋何始於魯隱公？答曰：周平王東周之始王也，隱公讓國之賢君也，考乎其時則相接，言乎其位則列國，本乎其始則周公之祚胤也，若平王能祈天永命，紹開中興，隱公能弘宣祖業，光啓王室，則西周之美可尋，文武之迹不隊，是故因其曆數，附其行事，采周之舊，以會成王義，垂法將來，所書之王即平王也，所用之曆即周正也，所稱之公，即魯隱也，安在其黜周而王魯乎？」啖助罵公羊學者悖理誣聖，眞不冤枉。

九、修經年代

關於孔子修春秋的年代，孔叢子居衛篇載子思之言曰：「祖君屈陳蔡作春秋」，史通以爲祖孫之言當可信，認爲作起陳蔡，文止獲麟。左氏舊說以爲魯哀公十一年夫子自衛返魯，十二年告老，遂作春秋，至十四年經成，十四年至十六年的經爲左氏所續，時間與孔叢子之說相近。穀梁家以爲麟應春秋而至，亦略同上二說。公羊惟孔衍同上說，其它諸家均以爲哀公十四年獲麟之後，得端門之命，乃作春秋，至九月而止筆。史記孔子世家亦謂因西狩獲麟作春秋。杜預以爲感麟而作，作起於獲麟，則文止於所起，與諸公羊家之見相同。按修史不同於文學作品，可以全憑想像，與之所至，倚馬可待，孔子既以春秋爲救世之作，則對魯史所採赴告不實之資料的糾正，必須博訪廣咨，求得其實，然後可以下一字之褒貶，史記說他西觀周室，論史記舊聞，是證其非僅據魯史而作，左丘明之能爲春秋作傳，便因他曾隨夫子去搜尋史料。若信公羊家言，則春秋之成不到半年時間，這豈是鄭重其事的人之所爲？鍾文烝穀梁補注說：「麟既爲聖人出，而適出於修春秋三年之後，遂以絕筆焉，於是七十之徒，因以春秋文成所致，自是學者相承用之。」可算是妖而不妄的議論。

十、影響及流弊

由於春秋特重亂臣賊子的誅伐，所以有刑書之稱，事實上春秋不僅爲當時的刑書，自孔子以降，二三千年中，各朝代之引春秋斷獄與解決皇室問題者，眞不勝指屈，春秋差不得已成了一部不成文法典。同時後代修史及以文字立說者，也無不效法這種褒貶精神，故六藝之教雖以詩爲最廣，然維持社會秩序，堅定國族根本，實不能不以春秋之力爲最大。至於春秋的記事，雖以一字爲褒貶，然須數字以成文，其文法組織之謹嚴，曾爲韓愈所稱道，在文字邏輯上，春秋不僅給予後世史家許多法則，同時在造句上也起着極大的示範作用，如「隕石于宋五」的句法，隕字表示聽覺在先，石字表示視覺在次，五字表示察覺在後。那就是說先聽得有物掉下，去看乃知是石，點其數則爲五。北朝斛律金敕勒歌中的名句「風吹草低見牛羊」，以及宋詞人張先的名句「雲破月來花弄影」，都是從這裏學得。但在另一方面，它也給了後世修史者顚倒史實，淆亂黑白的一個壞影響，孔子的本意，雖只在褒貶是非，但由其經不符史實，如前所引許世子弒君及天王狩于河陽諸例，遂使後來修史者，任意黜陟，抹殺史實，如太史公爲項羽作本紀，陳壽以魏爲正統，何莫非春秋爲之厲階？

第八章　左傳

一、名稱的爭辯

左傳是諸經中問題最多的一部書，經今古文之爭從它開端，也以對它爲最烈。這裏就它的幾個顯著問題加以申論。首先要討論的便是左傳的名稱，這一名稱的字面解釋，左氏代表作者，傳代表體製，它是春秋左氏傳一名的簡稱，顧名思義，它是左氏對春秋的傳注。由於初期經文學家否認左氏是解經的書，（劉歆讓太常博士謂左氏不傳春秋。）所以後來的今文學者便否認這一書名。否認最力者為清代的劉逢祿，他根據史記十二諸侯年表中「魯君子左丘明懼弟子人人異端，各安其意，失其眞，故因孔子史記具論其語，成左氏春秋。」的這段記載，以為「曰左氏春秋，與鐸氏虞氏并列，則非傳春秋也。故曰左氏春秋舊名也；曰春秋左氏傳，則歆所改也。」其實劉歆讓太常博士書中只說「及春秋左氏丘明所修」，并未聯綴傳字，稱左氏傳者，見於班固漢書儒林傳，及許愼說文解字敍，儒林傳說：「漢興，張蒼賈誼張敞大中大夫劉公子皆修春秋左氏傳，誼為左氏傳訓故。」說文解字敍說：「北平侯張蒼獻春秋左氏傳。」所以劉逢祿謂係劉歆所改，多少是有些冤枉的。同時劉逢祿又特重「左氏春秋」及「春秋左氏傳」左氏上下地位的更易，其意以為左氏春秋一名只同於鐸氏春秋，虞氏春秋，呂氏春秋之名，這些書雖名為春秋，實與孔子的春秋毫不發生關係，如果稱左氏春秋，就足以斬斷它與春秋經的關係了，如果承認春秋左氏傳一名，則它便會與公羊傳，穀梁傳爭傳經的地位了。章炳麟駁劉逢祿這種意見說：「左氏春秋之名，猶毛詩、齊詩、魯詩、韓詩、孟氏易、費氏易、京氏易、歐陽尚書、夏侯尚書、慶氏禮、戴氏禮，舉經以見傳也。以為不傳孔書而自作春秋者，則諸家亦自作詩、書、易、禮乎？」由於章氏這一駁辯很有力，於是擁護劉逢祿意見的錢玄同便說：「其實左氏春秋之名，正與公羊春秋，魯詩毛詩是同樣的意義，故說春秋左氏傳原名左氏春秋，還是上了劉歆的當。」從上面所述，我們知道左氏傳一名，在西漢初年已有，其所以發生爭論的，乃起因於今文學家推翻左氏傳經的處心積慮，時至今日，左傳一名，已由歷史爲之確定，無可動搖了。

二、左氏身世

史記十二諸侯年表說：「魯君子左丘明……成左氏春秋。」劉歆讓太常博士書說：「及春秋左氏邱明所修。」均明言左氏卽丘明，漢書儒林傳及許愼說文解字敍雖未提及左氏之名，但自西漢以迄唐初，學術界很少懷疑左氏卽丘明者。關於丘明的時代，因舊家語觀周篇有丘明隨孔子往周觀史的記載，也都認爲係孔子同時人，無甚異議，到了趙匡始懷疑丘明非孔子同時人，他說：「夫子自比，皆引往人，故云竊比於我老彭，丘明者，意必夫子以前賢人，如史佚遲任之流，見稱於當時耳。」到宋代王安石作春秋解，便進一步否認左氏卽丘明，他曾列舉十一證以明其說，（但陳振孫直齋書錄解題謂其說出於依托，是當時人已不尊信他。四庫提要謂：「未見其書，不知十一者何據。」是清人也抱懷疑。）於是葉夢得與朱熹又各就左傳記事舉證，謂左氏當爲六國時人，鄭樵作春秋傳，特立左氏非丘明辯一篇，列舉下面八項證據，以實其說：「左氏記韓魏智伯之事，又舉趙襄子之謚，則是書之作，必在趙襄子既卒之後，（葉夢得舉證同）若以爲丘明，自獲麟至襄子之卒，已八十年，使丘明與孔子同時，不應孔子既沒七十八年之後，丘明猶能著書，今左氏引之，此左氏爲六國時人，在於趙襄子既卒之後，明驗一也；左氏戰於麻隧，秦師敗績，獲不更女父，又云秦庶長鮑庶長武帥師戰於櫟，秦孝公時立賞級之爵，乃有不更庶長之號，今左氏引之，是左氏爲六國人，在於秦孝公之後，明驗二也；左氏云虞不臘矣，秦至惠王十二年初臘，（與朱熹舉證同）鄭氏蔡邕皆謂臘於周卽蜡祭，諸經幷無明文，惟呂氏月令有臘先祖之言，今左氏引之，則左氏爲六國人，在於秦惠王之後，明驗三也；左氏師承鄒衍之誕，而稱帝王子孫，按齊威王時鄒衍推五德終始之運，其語不經，今左氏引之，則左氏爲六國人，在齊威王之後，明驗四也；左氏言分野皆準堪輿，按韓魏分晉之後，而堪輿十二次始於趙分曰大梁之語，今左氏引之，則左氏爲六國人，在三家分晉之後，明驗五也；左氏云：左師展將以公乘馬而歸，按三代時有車戰無騎兵，惟蘇秦合縱六國始有車千乘騎萬匹之語，今左氏引之，是左氏爲六國人，在蘇秦之後，明驗六也；左氏序呂相絕秦，聲子說齊，其爲雄辯狙詐，眞游說之士排比之辭，此左氏爲六國人，明驗七也；左氏之書，序晉楚之事最詳，又多楚語，如楚師熸猶拾瀋等語，則左氏爲楚人，明驗八也。據此八節，亦可知左氏非丘明，是爲六國時人，無可疑也。」趙匡所論及鄭氏八驗，乍看，似頗言之成理，但一經詳究，無一能成立。趙匡說「夫子自比，皆引往人」，他却忘了論語所載「賜也何敢望回」之下，孔子說的「弗如也，吾與女弗如也」，夫子自認不如顏回，何嘗是皆引往人自比？據此推斷，左丘明應爲孔子學生輩，孔子之引丘明同恥，正如孟子說「告子先我不動心」。四庫提要說：「至唐趙匡始謂左氏非丘明，蓋欲攻傳之不合經，必先攻作傳之人非受經於孔子。」可謂誅心之論。至於鄭樵的第一證認爲自獲麟至趙襄子之卒已八十年。按獲麟在周敬王三十九年，四十一年孔子卒，四十四年敬王崩，其後元王在位七年，貞定王在位二十八年，考王在位十五年，到威烈王二十三年命趙籍爲諸侯，才合共有七十八年，但趙籍之先爲趙獻子，獻子之先爲趙桓子，桓子之先才是趙襄子，趙籍已是襄子之後的第三代繼承人，襄子死在威烈王元年，距孔子之卒，僅五十三年，鄭樵以趙籍受命爲諸侯之年作襄子逝世之年，所認史實已錯誤。現在再推算丘明年齡，劉向別錄言，左丘明作傳以授曾申（經典釋文引之），檀弓稱曾申爲曾參之子，丘明的年齡可能與曾參不相上下，據史記仲尼弟子列傳，曾參少孔子四十六歲，所以這裏也可假定丘明少孔子四十六歲，鄭樵以獲麟爲始修春秋之年，茲姑依其說，獲麟在哀公十四年，孔子如周觀史當卽在此年，時孔子年七十一，以四十六（丘明年齡）減七十一，爲二十五，故左丘明同乘觀史的年齡當爲二十五歲。周敬王三十九年到周威烈王元年——卽趙襄子逝世之年——爲五十六年，以二十五加五十六，則襄子逝世時，左丘明爲八十一歲，故方孝岳說：「方之伏生，猶未爲老，百歲上壽，書傳所錄，古倘多有，不獨趙襄子卒在所必見，雖目擊韓趙魏列爲諸侯可也。」這是鄭樵第一驗的不能成立。他的第二驗認爲秦孝公時立賞罰之爵，始有不更庶長的官名，左氏引用此官名，足證左氏爲孝公以後人。按史記秦本紀云，寧公卒，大庶長弗忌威壘三父廢太子而立出子，事在春秋之初；同書又有秦懷公四年庶長鼂與大臣圍懷公的記載，也在孝公之前；而且綱目稱秦以衞鞅爲左庶長，定變法之令，是鞅先爲庶長，然後定法。此皆足以證明庶長之爵，爲秦舊有，非鞅所創。至於不更之號，鄭注：「不更，秦爵。」漢書稱商君爲法，於秦戰，斬一首者，賜爵一級，其爵名一爲公士、二上造，三簪褭，四不更。」這是說商君將秦爵分爲二十級，論功行賞，并不是說商君創立二十爵名。鄭氏以二十級中有不更庶長之名，便以不更庶長爲商君所立爵名，實屬錯誤。李慈銘越縵堂日記謂：「就令左氏爲六國時人，亦不得以後人之官制追紀前事。」眞可說是一語破的。這是鄭樵第二驗不能成立。他的第三驗認爲秦惠王十二年始臘，而左氏文有虞不臘矣，故左氏應爲秦惠王以後人。按史記補三皇本紀：「神農氏始作蜡。」鄭司農云：「蜡謂十二月大祭萬物也。」釋文：「夏曰淸祀，殷曰嘉平，周曰蜡，秦曰臘。」禮月令有「臘先祖五祀」是臘祭之由來甚古，四庫提要說：「然考史記秦本紀稱惠文君十二年始臘，張守節正義稱秦惠文王始效中國爲之，明古有臘祭，秦至是始用，非至是始創。閻若璩古文尙書疏證亦駁此說曰：「史稱秦文公始有史以記事，秦宣公初志閏月，豈亦中國所無，待秦獨創哉？則臘爲秦祀之說，未可據也。」這是鄭樵第三驗的不能成立。他的第四驗以左氏稱帝王子孫爲師鄒衍之誕，鄒衍於齊威王時推五德終始之運，左氏引之，則左氏當爲齊威王以後人。鄭氏所云「左氏引之」，未注明所引何語，查左傳言五德者僅昭公九年「夏四月陳災，鄭裨竈曰：五年，陳將復封，封五十二年而遂亡，子產問其故，對曰：陳水屬也，火、水妃也，而楚所相也，今火出而火陳，逐楚而建陳也，妃以五成，故曰五年，歲五及鶉火，而後陳卒亡，楚克有之，天之道也。」及昭公十七年郯子謂：「炎帝氏以火紀，故爲火師而火名，共工氏以水名，故爲水師而水名。」二條，均注明所出，明是史所本有，非左氏造語。而且這些言論，也非鄒衍書中所有，安見左氏引鄒說，鄒衍五德終始之說、不過採洪範五行用之於帝運更代，鄒衍之學實出自洪範及左氏，章學誠謂：「鄒衍侈言天地，關尹推衍五行，書敎也。」便是這種意見，雖然近人有以洪範爲戰國產品者，然都不過從皮毛臆測，誰曾有過切實的證據？在我們不能確切斷定洪範爲鄒衍以後作品，我們就不能說左氏引鄒衍之說，因之鄭樵的第四驗便不能成立。他的第五驗以左氏準堪輿十二次以言趙分，足證左氏爲六國時人，在三家分晉之後。按周禮春官之屬有保章氏，掌天星以志星辰日月之變動，以觀天下之遷，辨其吉凶。足知十二分野之名，乃古人以天星定地域之制，相沿甚古，今鄭樵以戰國時有「趙分曰大梁」之語，遂認左傳襄公二十八年所記分野乃襲六國人之說，其誤正與第四驗同，這是鄭樵第五驗的不能成立。他的第六驗以爲三代時只有車戰，到戰國時始有騎萬匹之語，左氏謂「左師展將以公乘馬而歸」，是左氏爲六國時人，按「服牛乘馬」，早見於易繫辭下，詩大雅說「古公亶父，來朝走馬」，更在周建國之初已知乘馬，而公羊昭二十五年稱「齊景公唁魯昭公于野井，以鞍爲几」，鞍字據說文解釋爲馬鞁具，段玉裁稱爲騎馬而設。故說三代無騎兵則可，說三代無乘馬之事，便欠考了，這是鄭樵的第六驗的不能成立。他的第七驗以左傳序呂相絕秦，聲子說齊，爲游說之士排比之辭，因此丘明當爲六國時人。不知春秋之尙辭令，早成風氣，論語不有祝鮀之佞，而有宋朝之美，難乎免於今之世矣。」史記仲尼弟子列傳稱子貢承夫子之命，游說齊晉吳越，使相互殺伐，存魯亂齊。若以雄辯爲戰國時所專有，則子貢亦非春秋時人了。鄭氏此說可能是襲自朱熹，因朱熹曾說「左傳之文，有縱橫意思」，并認左傳是秦時文字。崔述駁道：「戰國之文恣橫，而左傳文平易簡直，頗近論語及戴記之曲禮檀弓諸篇，絕不類戰國時文，何況於秦？」曾鏞說：「以文而論，左氏豔而富，昔人旣言之，而其辭氣從容溫雅，視戰國之文，兩不相侔。」又說：「左傳中凡以論春秋成敗得失之宗旨，此皆縱橫者流所竊笑爲迂闊之言，而不屑言者也。」劉熙載更從比較上說：「左傳善用密，國策善用疏，國策之章法筆法奇矣，若論字句之精嚴，則左公允推獨步。」鄭樵不知從文字本身推求春秋戰國之異，貿然斷定雄辯爲六國之辭，不免荒唐，這是他第七驗的不能成立。他的第八驗以左氏序晉楚事最詳，又多楚語，認左氏爲楚人而非魯君子。按晉之乘，楚之檮杌，魯之春秋，爲當時史書中之最完備者，孔子既用魯史作春秋底本，則左丘明作傳旁徵晉楚兩國史書，以晉楚史料完備，故敍二國事特詳，因引用原書文句，故多楚語，若以引用楚語便爲楚人，則司馬遷陳涉世家中「夥頤涉之爲王沈沈者」，亦是楚語，那麼司馬遷也該是楚人了。恐無此理。這是鄭樵第八驗的不能成立。鄭氏的八驗既不能成立，則左丘明之爲孔子同時同地之人，已無可疑。但這裏還有一個值得討論的問題，就是左丘明是複姓單名，抑或單姓複名？注論語者多認左丘爲複姓，單名明，太史公自序說「左丘失明，厥有國語。」也以左丘爲複姓，可是左傳書名左氏春秋，并不援公羊穀梁之例，稱左丘春秋，又似乎左爲單姓，丘明爲複名。朱熹認左氏爲楚左史倚相之後。錢錡說：「古人著書，非如後人之自署姓名，作傳者是否爲丘明，蓋不可知，而書之名左氏傳，必相傳無訛，古者左史記動，右史記言，作傳者殆世爲左史之官歟！」這都是認左氏乃由官得姓，也就是說爲單姓。但管見以爲書名左氏傳而不名左丘傳者，可能是因丘秋同音，讀時犯複，故省作左傳，正如歐陽修五代史被省稱爲歐史一樣，古人雙姓之被省呼者爲例甚多，如司馬遷被呼爲馬遷，諸葛武侯被省呼爲葛侯，歐陽修被省爲歐公都是。至於左丘明和孔子的關係，杜預序說丘明受經於仲尼，則係弟子了，但別無佐證；史記年表稱魯君子左丘明，又說他懼弟子人人異端，顯見其不在弟子之列，不過左氏雖非弟子，但他既隨孔子如周觀史，他對於搜集整理史料的工作，一定有所貢獻，換言之，關於孔子筆削的大義，他一定曾親有所聞，孔子的及門弟子很多，其如周觀史獨攜左氏同乘者，中間必有原由，我很疑心左氏眞如錢錡所稱「世爲史官者」，由於他世爲史官，熟於掌故，故孔子拉他同去搜集史料，而孔子所用的底本——魯之春秋——大概也是由他供給，故他與孔子的關係當在師友之間。

三、左氏解經

劉歆讓太常博士的書斥他們「謂左氏不傳春秋」，故左氏之解經與否，實爲今古文家爭論的焦點所在，但太常博士謂左氏不傳春秋的依據何在，因諸博士不肯與劉歆置對，所以後世無傳。漢書劉歆傳稱「劉歆引傳文以解經，由是章句義禮備焉。」這當是劉歆以事實對諸博士的反擊。漢書藝文志說：「邱明論本事而作傳，明夫子不以空言說經也。」足見班固也是主左氏解經的。東漢的今文學家李育羊弼何休與古文學家的陳元賈逵鄭玄的互難，似乎偏在誰的義長，誰的義短，并不集中於解經與否一問題上。晉杜預作左傳集解，分經之年與傳之年相附，比其義類，各隨而解之，更是用具體的事實以證左傳確係解經的。唐劉知幾史通六家篇說：「予觀左氏之釋經也，言見經文，而事詳傳內，或傳無而經有，或經闕而傳詳，其言簡而要，其事詳而博，信聖人之羽翮，而述者之冠冕也。」這裏不僅說明了左傳是爲解經而作，而且把左傳解經之功提得很高。啖助對三傳都不信任，但也說：「左傳…………比餘傳，其功最高，博采諸家，敍事尤備，能令百代之下頗見顚末。」鄭樵雖反對左氏卽丘明，以及左氏爲春秋時人，可是他在通志總序中却說：「春秋得仲尼挽之於前，左氏推之於後，故其書與日月并明，不然則一傳事目，安能行於世？」換言之，春秋如無左傳的發明，只不過如王安石所譏的斷爛朝報而已，安能流傳於後世，爲人所尊重？鄭氏的語意，正與劉知幾同，無疑也是主左氏解經的。葉適說：「公穀末世口說流傳之學，空張虛義；自有左氏，始有本末，而簡書具存，大義有歸矣。」謂「大義有歸」，當然是指傳經而言。魏了翁在春秋左傳要義中說：「杜元凱專取丘明之傳以釋孔氏之經，所謂子應乎母，以膠投漆，雖欲勿合，其可離乎？」四庫提要說：「左氏之義明，而後二百四十二年內善惡之迹，一一有徵，後儒妄作聰明，以私臆談褒貶者，猶得據傳文以知其謬，則漢晉以來藉左氏以知經義，宋元以後藉左氏以杜臆說矣。」這都是主左氏爲傳經的言論。但在相反的一方面，主左氏自是一家之言，不爲經而作的，則有後漢盧植，晉王接；主左傳爲史學而非經學的，則有晉賀循，後魏高祐及朱熹。劉安世謂：「若左傳，則春秋所有者或不解，春秋所無者或自爲傳。」則是以左傳與經不相應以證左傳之不解經。到了清朝，公羊學家劉逢祿特著左氏春秋考證一篇以明左氏幷不傳經。平情而論，這些反對的意見，都不夠健全，如說左氏自是一家之言，不爲經而發，果爾，則左傳中的許多釋例，如隱元年「不書卽位，攝也」；莊十一年「公敗宋師于鄑」，傳謂：「凡師，敵未陳曰敗某師，皆陳曰戰，大崩曰敗績，得儁曰克，覆而敗之曰取某師，京師敗曰王師敗績于某」；莊二十七年「杞伯姬來」，傳謂：「凡諸侯之女，歸寧曰來，出曰來歸，夫人歸寧曰如某，出曰歸于某」；莊二十八年「築郿」，傳謂：「非都也，凡邑有宗廟先君之主曰都，無曰邑，邑曰築，都曰城。」莊二十九年「鄭人侵許」，傳謂：「凡師，有鐘鼓曰伐，無曰侵，輕曰襲」；試問這些釋例，非爲經而發何？左傳中這類傳解不勝枚舉，，如果這還不能算是解經，則公羊穀梁也就不是爲解經而發了。至於說左傳爲史學，並不足以否定左氏之解經，因爲春秋本身就是史，孟子曰：「其文則史」，孔子曰：「其義則丘竊取之矣。」春秋之所以由史而經者，就在孔子竊取之義，左氏之所以由史而成爲傳者，就在說明孔子竊取之義。傳由經生，經爲史，傳焉得不爲史？關於春秋所有者傳或無之，春秋所無者傳或有之，這一事實是反對派的有力藉口。但經傳之偶有不相當的地方，應當深求其故，不可因偶有不相當處便斷定二者毫無關係，子曰：「吾猶及史之闕文也，有馬者借人乘之，今亡矣夫！」這是夫子對後學不能虛心闕疑，妄逞臆說，穿鑿傳會的感歎之辭。左氏之有經有而傳無者，安知不是闕疑，或者是認爲無傳解的必要？只看公穀兩家穿鑿傳會之甚，就可知闕疑的態度在某種情形之下是有其需要的。其偶或傳有而經無者，只看俞樾對襄二十五年「齊人城郟……………秦晉爲成」一條的解釋，就可知其原因了。俞樾說：「杜謂此傳當繼前年之末，非也。此傳實當在二十六年春之上，蓋左氏作傳，本不以年分篇，故文十年傳云；厥貉之會，麇子逃歸，十一年傳卽云：楚子伐麇。宣十一年傳云：厲之役，鄭伯逃歸，十二年傳卽云楚子圍鄭。如此之類，並當合下文爲一，不當綴諸前年之末。莊十九年傳曰：十九年春楚子禦之，僖二十四年傳曰：二十四年春王正月秦伯納之，但言禦之，納之，不言所禦何師，所納何人，蓋左氏原文自初楚武王克權，至巴人因之以伐楚，此數十字皆在十九年春之上；自晉公子重耳之及於難也，至重耳敢不拜，此數百字皆在二十四年之上，後之編次者因每年必欲以年冠首，年上不容更著一字，於是割置前年之末，而文義之不安者多矣。惠公元妃孟子至是以隱公立而奉之，此五十八字本在元年春王周正月之上，若非後人合於經，卽無經文橫隔其間，豈不連屬爲一，卽此可見左氏之舊，此傳與彼不殊，今以經文隔之，遂介孤懸卷首，無所繫屬，杜氏因以爲傳寫跳此，而左氏之舊不可復矣。」這是說有傳無經的癥結，乃由於割傳附年所致，如能將前後事迹合看，傳與經就不會有不相應之處了。杜預在集解序中說：「故傳或先經以始事，或後經以終義，或依經以辨理，或錯經以合異，隨義而發。」便是預爲後人疑經傳不相應而作的解答。明朱朝瑛讀春秋略記說：「春秋之文，萬有六千五百餘，史記自序曰：春秋文成數萬，子長生於秦火之後，豈得獨見全經，要其言必有所指，信斯言也，則春秋之殘缺者幾半矣。顏師古曰：一萬之外，卽可以萬言之。然不得遂云數萬也。左氏所記不見於經者，安知非春秋之遺文乎？」這又是另一解說的依據。至於劉逢祿左氏春秋考證，分爲上下二卷，上卷所述的多半是像隱公居攝，尹氏君氏一類傳義的較量，仍是漢儒以來所爭的一些老問題，下卷便對左傳作正面的攻擊，他說史記十二諸侯年表中幷無傳字，足證左氏原不傳經，漢書劉歆傳稱歆「引傳文以解經，由是章句義理備焉。」可見左傳中的書法及比年依經都是劉歆所爲。這完全是以今文學家的身份發揮的議論，於是章炳麟便以古文學家的立場著春秋左傳讀序錄以駁之，章氏對於上卷傳義的較量未作正面的反駁，對於劉氏在下卷中所說的史記十二諸侯年表中無傳字一問題，答覆道：「名者實之賓，左氏自釋春秋，不在名傳與否也，正如論語命名，亦非孔子及七十子所定，乃扶卿所名，無害其爲孔子語也。」章氏又辨傳體說：「所謂傳體者如何？惟穀梁傳，禮喪服傳，夏小正傳與公羊同體耳。毛公作詩傳，則訓故多而說義少，體稍殊矣，伏生作尙書大傳，則敍事八而說義二，體更殊矣。左氏之爲傳正與伏生同體，然諸家說義雖少，而宏遠精括，實所由明，豈必專尙裁辨，乃得稱傳乎？……………凡言傳者，有傳記、傳注，………………同此傳名，得兼傳記傳注二用，亦猶裴松之注三國志，撰集事實，以見同異，間有論事情之得失，訂舊史之踳非，無過百分之一，而解注文義，千無二三，今因左氏多舉事實，謂之非傳，然則裴松之於三國志不合稱注耶？且左氏釋經之文，科條數百，固非專務事實者，而云非傳之體，則尚書大傳又將何說？」對於考證謂劉歆造作書例及比年依經一問題，章氏駁道：「左氏本史官，藝文志謂據行事，仍人道，假日月定歷數，藉朝聘正禮樂者，親聞聖指，自能瞭如，歆引傳解經，亦猶費氏說易引十翼解經，若其自造，何引之有？且杜預釋例所載子駿說經之大義尚數十條，此固出自胸臆，亦或旁采公羊，而與傳例不合，若傳例爲子駿自造，何不幷此數十條入之傳文，顧留此以遺後人指摘乎？」章氏這幾點論據，實足以破劉逢祿之說。

四、左傳本身的眞僞

左傳本身的眞僞問題，起於近代，乃由以上諸問題的爭執所釀成。凡是一種爭執，不問其爲人事抑爲學術，往往是愈後愈激烈，愈激烈便意氣愈盛，意氣愈盛則理性便愈滅。東漢李育羊弼何休與陳元賈逵鄭玄等雖互相非難，但何休作公羊墨守，左氏膏肓，穀梁廢疾，均只就傳義的長短較量，當鄭玄作發墨守，箴膏肓，起廢疾以反擊何氏時，何氏見之歎道：「康成入吾室，操吾戈以伐我乎！」不失君子服善之風。但近人攻擊左氏，在正面無法制勝，便乾脆說左氏是劉歆僞造的，左丘明根本未撰左傳，他們認漢代今文學家不能提出這一點，是當時不能制勝的癥結所在。如康有爲說：「何休作公羊墨守，左氏膏肓，穀梁廢疾，惜不得歆作僞之由，未達一間，卒無以塞陳元賈逵之口耳。」便是這派意見的代表，事實上東漢那些今文學家是否眞如康有爲惋惜的這麼笨，不知擒賊擒王之理，或者是缺乏攻擊的勇氣呢？揆之史實，均不其然，劉歆傳說光祿大夫龔勝因歆移書讓太常博士，上疏深自罪責，願乞骸骨罷；及大司空師丹奏歆改亂舊章，非毁先帝所立。歆由是懼誅，求出外補吏。從這記述看，今文學家氣燄是多麼盛！攻訐是多麼烈！他們旣不惜置劉歆於死地，何憚提出歆僞造的證據，以實其罪？再看今日一般攻擊左傳傳義的人，有幾個所持的理論能超出漢代今文學家範圍的？可知西漢今文學家無論在勇氣及智慧方面，都不比現代人爲差，而他們之所以不加劉歆以僞造之罪者，一方面是那時人心還保有道德觀念，不肯以莫須有之罪誣人；一方面是當時政府及民間傳授的今古文書籍頗多，而這些經學博士，老師宿儒，對於政府及民間藏書，又都有涉獵的自由，而且據漢志所載，奉詔求天下遺書的是陳農，校兵書的是任宏，技術數的是尹咸，校方技的是李柱國，這些人同在內府，豈無相互參考之處，劉歆就是有僞造的冀圖與才能，他又怎能掩盡這些人的耳目？而這些人又怎肯任其僞造塗改，而不加揭發或外洩呢？而那些與他誓不兩立的博士們，如有蛛絲馬迹可尋，又豈有不大張撻伐，提出彈劾，却避重就輕，舉些不痛不癢的經義與之糾纏？我們不敢說劉歆不想僞造，今文學家不想加劉歆以僞造之罪名，無奈在西漢末年古籍出現已多，民間傳授已盛，祕府收藏亦豐，在此情勢下，誰敢僞造，誰敢誣人僞造，都不難立刻爲事實所證明，如張霸之百兩篇古文尙書，一經獻上，便被校定爲僞造，就是一個很明顯的證明。現在一般反對左傳者，不惟說劉歆僞造了左傳，並且認一切於左傳有利的古籍都是劉歆竄改，這不僅顯得劉歆僞造的本領，巧奪天工，簡直把漢代的今文學者看成了無知的靜物。由於理性喪失到這地步，所以問題的爭論也就無從再發展了。下面便是認左傳出僞造的言論，劉逢祿雖是何休以後攻擊左傳最力的人物，他的左氏春秋考證對左傳極盡吹毛求疵之能事，但他却未直說左氏傳爲劉歆僞造之書，他於河間獻左氏及周官條說：「蓋武帝時祕府固有周官左氏，特武帝所不信，而太史公所見左氏又非今本耳。」他又於漢志古經十二篇條說：「蓋劉歆以祕府古文書之，而小變博士所習，或析閔公自爲一篇，或附續經爲一篇，俱不可知，總之，非古本也。」他對於左氏書例說：「凡書曰之文，皆歆所增益，凡引君子之云，多出後人附益。」他對於比年依經說：「然歆雖略改經文，顛倒左氏，二書猶不相合……自賈逵以後，分經附卷，又非歆之舊。」又說：「至左氏言占驗，乃其舊文，言術則歆取他書附之。」我們看他說左傳在河間獻書之前，祕府已有，足證張蒼於漢初獻左氏傳之說爲不謬，尤足證左氏在劉歆百年前已藏在祕府，非歆所僞造。其餘如說「小變所習」，「略改經文」，都是不敢肯定之辭。到康有爲說：「左氏卽國語」，認左氏所著只有國語，劉歆分割國語，造爲左傳。崔適更著史記探源，將史記中凡有利於左傳的言論，都認爲是劉歆竄入。錢玄同則謂：「左傳與今本國語二書，此詳則彼略，彼詳則此略，這不是將一書分爲二的顯證嗎？」其實左傳和國語的關係，前人早已說過，漢書班彪傳：「定哀之間，魯君子左邱明論集其文，作左氏傳三十篇，又撰異同，號曰，國語二十篇。」史通說：「案春秋時事入於左氏所書著，蓋三分得其一耳，丘明知其略也，故爲國語以廣之。」魏了翁春秋左傳要義引孔晁之言曰：左丘明集其典雅令辭，與經相發明者，以爲春秋傳，其高論善言，則爲國語，凡左傳國語有事同而辭異者，以其詳於左傳而略於國語，詳於國語而略於左傳。」左傳與國語既出一人之手，自然此詳則彼略，彼詳則此略，以避過份重複，若以同一內容，同一文筆，而題不同之名，那還成著作體統嗎？錢氏所說的情形，適足以證明左氏國語之互爲補充，并不能證明劉歆割裂國語爲左傳，其事至顯。陳澧說：「左氏作國語，自周穆王以後，分國而述其事，其作此書，則依春秋編年，以魯爲主，以隱公爲始，明是春秋之傳。」這又是從體例上證明左傳國語原爲二書，非出劉歆割裂僞造。崔適史記探源終始五德條說：「劉歆欲明新之代漢，：：乃造爲終始五德之說，又增呂氏春秋十二紀，於春曰，其帝太皡，其神句芒；於夏曰：：其帝炎帝，其神祝融；於中央曰：其帝黃帝，其神后土；於秋曰：其帝少皡，其神蓐收；於冬曰：其帝顓頊，其神玄冥，凡十句，月令因之。適按淮南時則訓錄自十二世紀，無此十句，（天文訓有之，當是後人竄入，不然，何以此篇與之異？）可證呂氏亦無之，今有者，歆所竄入也。」我們看崔氏在此共舉了四篇書名—呂氏十二紀，禮記月令，淮南時則訓，淮南天文訓。在十二紀、月令、天文訓三篇中都有四時神名，獨時則訓無有，他不疑時則訓抄寫遺漏，却認呂氏之有，乃歆竄入，月令之有，乃誤因十二紀，天文訓之有，當是後人竄入，以一異推翻三同，眞不知道是什麼論證法？崔適的春秋復始序證又說：「賈逵曰：五經皆無以證圖讖明劉氏爲堯後者，而左氏獨有明文，按此亦賈逵借劉歆說以媚漢，本歆所以媚莽者。莽傳曰：「予之皇始祖虞帝受嬗於唐，漢世初祖唐帝世有傳國之象。莽自以爲舜後，故稱漢爲堯後，以成其嬗代之謀，其說亦必自歆啓之。」按左傳中敍姓氏來歷者，不一而足：如隱八年稱：「無駭卒，羽父請謚與族，：：公命以字爲尹氏。」昭八年傳稱「陳顓頊之後也。」哀九年傳稱：「炎帝爲火師，姜姓其後也。」至於「士會之後處秦者爲劉氏」，正與伍員「使於齊，屬其子於鮑氏，爲王孫氏」相同。鄭樵通志總序說：「生民之本在於姓氏，……自漢至唐，歷世有其書，而皆不能明姓氏，原此一家之學，倡於左氏，因生賜姓，胙土命氏，又以字，以謚，以官，以邑命氏，邑亦土也，左氏所言，惟茲五者。」是族姓譜牒之學，實發源於左氏，故其言多且詳，至於賈逵受命條具左氏長義，因提出左氏以爲少昊代黃帝，能證明漢爲堯後，堯爲火德。於是大得章帝嘉獎，左氏之學亦因以大張。孔穎達正義遂於「處秦者爲劉氏」句下注說：「漢室初興，左氏不顯於世，先儒無以自申，插注此辭，將以媚於世。」這一段話，可能就是崔氏意見之所本，實則左傳中敍劉姓來歷，正與敍姜姓、展姓、陳姓相同，如以劉姓一條係爲媚漢而增，則姜姓陳姓展姓又爲媚誰而增呢？劉歆既立漢爲堯後，而莽復自稱爲虞舜之後，劉歆何不同時插注王爲舜後的史迹，以成莽意，而左傳僅有舜後姓姚姓陳姓嬀的記述，而不及王姓呢？韓非子說難篇載：「宋有富人，天雨牆壞，其子曰：不築，必將有盜，其鄰人之父亦云，暮而果大亡其財，其家甚智其子，而疑鄰人之父。」凡事，抱着成見去推斷，便會失掉公平，崔適之見，正與宋之富人同。康有爲因要否定左氏曾親聞聖恉之說，便謂論語中「左丘明恥之，丘亦恥之」二語爲劉歆所竄入，崔適也跟着說：「論語，子曰：左丘明恥之，集解錄孔安國注，孔安國乃歆所托爲傳古文學者，此章亦出古論語，是亦歆所竄入。」查論語集解所引孔安國注各章都有，依崔氏之言，則整個論語，都應該是僞造，何以崔氏只言此二語是劉歆竄入呢？至於崔氏所列史記十二諸侯年表曾經劉歆竄亂的七證，都是些支離之辭，不值深辯。就研究學問的態度說，對於古書的眞僞，有可疑者，自當提出討論，但古語說：「刑疑惟輕」。在所疑之點未大白時，便不當人人以罪，同理，對所疑之書，未得眞憑確據前就不當意氣用事的，貿然斷定其爲僞作。不止是對左傳當如此，對其它的古籍我以爲也當如此。

五、出現時期

左傳的出現，最早爲張蒼獻本，此說見於許愼說文解字敍，段玉裁注謂：「孝惠三年，乃除挾書之律，張蒼當於三年後獻之，然則漢之獻書，張蒼最先，漢之得書，首春秋左傳。」其次是魯恭王所得孔壁本，此說見於劉歆讓太常博士書：「及魯恭王壞孔子宅，欲以爲宮，而得古文於壞壁之中，……」在上二說之外，漢書河間獻王傳，說他所得皆先秦古文舊書，在書目中雖未明言其得有左傳，但說他立有毛氏詩、春秋左氏博士，足見河間獻王亦得有左傳，故後來又有河間獻周官禮及春秋左氏之說。漢書藝文志載春秋古經十二篇，經十一卷，班氏於十一卷下注曰「公羊穀梁二氏」。四庫提要謂：「旣曰古經十二篇矣，不應復曰經十一卷，觀公穀二傳皆十一卷，與經十一卷相配，知十一卷皆二傳之經，故有是注。徐彥公羊傳疏曰：「左氏先著竹帛，故漢儒謂之古學，則所謂古經十二篇，卽左傳之經，故謂之古刻，漢書者，誤連二條爲一條耳。」所以漢志中之篇就是左傳，卷就是公穀二傳，其稱古經者因左傳多古文古言，其稱十二篇者，因左傳從隱至哀十二公各爲一篇。而公穀兩家則以閔公之事附於莊公中，實際同於十一公，故稱爲十一卷。

六、傳習之盛

左傳在漢以前的傳授，以劉向別錄記載爲詳，它說：「左丘明授曾申，申授吳起，起授其子期，期授楚人鐸椒，鐸椒作抄撮八卷授虞卿，虞卿作抄撮九卷授荀卿，荀卿授張蒼。」在西漢的傳授，漢書儒林傳記載亦詳，它說：「漢興，張蒼賈誼張敞大中大夫劉公子皆修春秋左氏傳，誼爲左氏傳訓故授貫卿，卿子長卿授張禹，禹言於蕭望之，望之薦禹於宣帝，徵禹待詔，未及問，會疾死，禹授尹更始，更始授子咸及翟方進胡常，常授賈護，護授陳欽，陳欽以授王莽，而劉歆從尹咸及翟方進受，由是言左氏者本之賈護劉歆。」劉歆傳云：「初，左氏傳多古字古言，學者傳訓故而已，及歆治左氏，引傳文以解經，轉相發明，由是章句義理備焉。」可見劉歆以前治左氏者都偏於訓詁，換言之，都只求明白左傳的文義，並不注重經義，這或許就是左傳不得立於國學，以及諸博士謂左氏不傳經的緣故。到劉歆治左傳，才把經傳貫穿起來，歆父向初治公羊，後受詔習穀梁之學十餘年，爲穀梁名家，歆數以左氏義難向，向不能非間。桓譚新論說：「劉子政子駿伯玉三人尤珍重左氏，教子孫，下至婦女，無不讀誦，可見其世習春秋的熱忱。歆因明習春秋之學，故敢向太常博士挑釁。自從劉歆以經學治左氏，左氏與公穀的鬥爭遂烈，而左氏在經學的地位也日高。東漢傳左氏的學者首推賈徽，徽受業於劉歆，其子逵能繼父業，作左傳解故，并著左氏長義四十一條三十事，言公羊理短，左氏理長，左氏學之能大張於東漢，實賴其力。與賈氏父子同時的鄭興鄭衆父子，也爲左學的功臣，鄭衆既作春秋刪，復作長義十九條十七事，專攻公羊之短明左氏之長。此外，許淑張恭祖馬融，均深左氏之學，而東漢末年治左學者則以潁容鄭玄服虔爲巨擘，服著春秋左氏傳解，爲漢代左氏學之結晶，故左氏學在東漢名家輩出，實遠非公穀所能望其項背。魏王肅亦精通左氏，著有左傳解。但東漢左氏學者，常有引公穀義例入左氏者，到了晉杜預乃加剔釐，著春秋左氏傳集解，把諸家引公穀入左氏的解說完全删去，他以「簡二傳而去異端」爲口號，至此，左氏之學乃歸純淨。可是因此引起了服虔一派左氏學者的不滿，北朝衛冀隆精於服虔之左學，上書難杜氏六十三事，賈思同又駁冀隆乖錯者十餘條，姚文安又難服虔左傳解七十七條，名駁妄，李崇祖又申明服氏，名曰釋謬。直到唐代，孔穎達等五經正義採用杜氏集解，於是服虔一派遂歸淘汰，杜預集解被定爲一尊了。啖助崛起於天寶末年，爲春秋大師，以己意說經，不主三傳，一時風氣，遂如韓愈詩所云「春秋三傳束高閣，獨抱遺經究終始」了。劉知幾史通申左篇雖評左氏之義有三長，二傳之義有五短，然只是一種評論，不能作爲左學看。宋魏了翁春秋左傳要義云：「今校先儒優劣，杜爲甲矣，故晉宋傳授以至於今。其爲義疏者則有沈文何、蘇寬、劉炫，然沈氏於義例粗可，於經傳極疏，蘇氏則全不體本文，唯旁攻賈服。」唐代左學與二傳同樣不振，宋代研究左氏的著作却很多。蘇轍撰春秋集解，以左氏的事義爲主，張大亨作春秋通訓，亦尊左氏，陳傅良作左氏章旨，呂祖謙作左傳類編，左氏博議，春秋左傳說，魏了翁作春秋左傳要義，程公說作春秋分紀，章冲作春秋左傳事類始末，林堯叟作春秋左傳注解。元末研究左學的有趙汸之春秋左傳補注。明代左學的成績則有魏禧的左傳經世，馮時可的左氏討，左氏論，左氏釋；王道焜趙如源的左傳杜林合注，傅遜的左傳注解辨誤，陸粲的左傳附注，陳許庭的春秋左傳典略，凌稚隆的春秋左傳評注測義，王震的春秋左翼。淸代春秋學者仍以治左傳爲盛，顧炎武有左傳杜解補證，王夫之有續左氏博議，馬驌有左傳事緯，高士奇有左傳紀事本末，顧棟高有春秋大事表，惠棟有左傳補注，沈彤有春秋左氏傳小疏，洪亮吉有春秋左傳詁，此外，如毛奇齡、馮宗璉、趙佑、焦循、江永、雷學琪、方苞、汪中、梁履繩、崔述、朱元英、段玉裁、王念孫、王引之、姜炳章、阮元、沈欽韓、錢錡、姚鼐、張自超、高澍然、俞樾等都是精於左氏的學者，我們只看各代治左氏之學者在學術界的地位，就足以證明左氏在春秋學中的地位。

七、所具價值

四庫提要說：「蓋左氏之書詳於典制，三代之文章禮學，猶可以考見其大凡，其遠勝公穀實在於此。」近人何炳松著古代國際法一書，便完全取材於左傳。至其文筆之妙，早已為治散文者的矩矱。范寧譏左傳其失也巫，韓愈評左氏浮誇，這些當然是因左傳中所載天道鬼神災祥卜筮占夢等徵驗之多而發，但左傳中神怪不可思議的故事雖多，其結果無一不歸本於人事，未嘗以迷信終其說，汪中的左氏春秋釋疑於此辯證甚詳。如徒因其記載些神異故事，便譏其誕妄，那就是不明神道設教之義了。左氏不僅喜藉天道鬼神之事以寓勸懲，即於人事諸預言，也多循此途轍，劉熙載藝概說：「左傳敍戰之將勝者，必先有戒懼之意，如韓原秦穆之言，城濮晉文之言，邲楚莊之言，皆是也；不勝者反此，觀指覩歸，故文貴於所以然處著筆。」觀此，則左傳之功用，不止如桓譚新論中所說的「左氏經之與傳，猶衣之表裏，相待而成，有經而無傳，使聖人閉門思之，十年不能知也。」同時也極盡羽翼聖教之能事。

第九章　公羊傳

一、作者

公羊傳的作者，班固漢志自注只說「公羊子齊人」，未擧其名，顏師古注「名高」，所以一般都信作者爲公羊高，但據徐彥疏引戴宏的序說：「子夏傳與公羊高，高傳與其子平，平傳與其子地，地傳與其子敢，敢傳與其子壽，漢景帝時壽乃與齊人胡毋子都著於竹帛。」這是說從子夏受春秋之學的是公羊高，寫作成書的是高的玄孫公羊壽。觀於書中所載：「隱十一年冬十有一月壬辰公薨，何以不書葬？子沈子曰：君弒，臣不討賊，非臣也；不復仇，非子也。」又「宣公五年冬，齊高固及子叔姬來，子公羊子曰：其諸爲其雙雙而俱至者歟！」公羊高直接子夏之傳，當時既無子沈子其人，而高之先人又未有習春秋者，傳中之子公羊子即使不爲公羊高，亦當爲其傳經之子孫，如係高，則未有自引自說，幷自稱爲子之理，如係其子孫，則更無以尊者稱晚輩爲子之理，故作傳者定係公羊壽，子沈子當係漢初習公羊之學者，子公羊子當即指公羊高。本書只有今文，且解經多引讖緯之說，均足以證明其爲漢代的著作，非戰國的作品。

二、傳授

在公羊學傳授的歷史中，占極重要地位的，初期有二人：一爲胡毋子都，一爲董仲舒。胡毋生爲公羊壽的弟子，公羊傳之成，全靠了他的幫助，否則口耳傳授，終必遭致廢絕。董仲舒爲胡毋生的弟子，他曾在武帝朝駁倒穀梁家瑕丘江公，使公羊獨爲政府所尊，首立於博士。公羊壽的後人於公羊之學無傳人，而董仲舒的弟子通其學者，則有褚大，嬴公、殷仲溫、呂步舒等，尤以嬴公守學，不失師法。嬴公授孟卿、眭孟、眭孟授嚴彭祖與顏安樂，孟死，彭祖與安樂各顓門教授，自是公羊又分嚴顏二派，此時左氏春秋之學漸盛，而穀梁亦早已立於學官，三家解經同異的爭辯日烈，嚴顏二氏之學已呈不支之勢，左氏學者賈逵乘間抵隙，作長義四十七條，謂公羊理短，左氏理長，公羊學者戴宏遂作解疑論欲以難左氏，也把握不着要點，於是有何休崛起，依胡毋生條例作春秋公羊解詁，閉門深思，十七年始成，又著公羊墨守，穀梁廢疾，左氏膏肓，以掊擊左氏穀梁二家，公羊之學於東漢末年能不墜者，實得其力。公羊傳在何休解詁之後，有徐彥注疏，徐氏的時代里居，世不甚詳，宋董逌從其疏中所引資料測定其爲唐末人，王鳴盛以爲卽北史之徐遵明，未知孰是。徐疏之後，公羊幾成絕學，到清朝才有孔廣森著公羊通義，陳立著公羊義疏，劉逢祿著公羊何氏釋例，何氏解詁箋等，到清代末年，康有爲更用之以爲變法維新之論據，公羊之學又呈一時之盛。

三、解經方式

公羊解經，採用兩種方式：一種是從字義上解釋，一種是從事理上解說。從字義上解釋的例子，如「公及邾儀父盟于眜」，傳：「及者何？與也。會、及、暨，皆與也。曷爲或言會，或言及，或言暨？會、猶最也；及、猶汲汲也；暨、猶暨暨也。及、我欲之；暨、不得已也。」又如「天王使宰咺來歸惠公仲子之賵。」傳：「車馬曰賵，財貨曰賻，衣被曰襚。」對於行動之機和贈遺之物，解釋得均極精確明晰，深合於春秋以一字為褒貶之義。這方式大概是從論語「政者正也」，「仁者愛人」，「知者知人」，及孟子「洚水者洪水也」，「畜君者好君也」諸條學來，至於從事理上解經，親聞於夫子的弟子在當時就已人人異說，要想在數百年之後，毫無走移，在事實上絕不可能，劉歆斥太常博士們「信口說而背傳記，是末師而非往古」，便是指此法的不可據。漢代三傳之所以爭持不下，以及宋儒推翻漢學，而自以己意說經，都是由於方式產生。例如桓公二年「公會齊侯、陳侯、鄭伯于稷，以成宋亂。」傳：「內大惡諱，此其目言之何？遠也，所見異辭，所聞異辭，所傳聞異辭，隱亦遠矣，曷為隱諱？隱賢而桓賤也。」這種以賢與賤為諱與不諱的標準，是否眞是夫子本意，就不能令人無疑了。

四、穿鑿及諂成之弊

由於公羊家認定春秋經文是字斟句酌，處處都有深意的，所以他們解經也逐字逐句去推敲，其實春秋經文，孔子不過擇其關節重要者加以筆削，其無重大關係者均仍用魯史舊文，并非逐字逐句都賦以微言大義，公羊家遇事曲解，遂生出許多穿鑿傅會的流弊來。如定公六年「季孫斯、仲孫忌帥師圍運。」傳：「此仲孫何忌也，曷為謂之仲孫忌？譏二名，二名非禮也。」按仲孫何忌之名，初見於昭公三十二年，次見於定公三年，後又陸續見於定公八年，十年、十二年，哀公元年、二年、三年、六年和十四年，獨此處少一何字，眞爲闕文無疑，如眞以二名非禮當削，不當前後經文都不削，獨削此一處，且古人之以二字爲名者甚多，孔子弟子中之澹臺滅明、宓不齊，司馬黎耕都是二名，爲什麼孔子不予更正？此種牽強傅會的傳解，還可委之於求全之失，情有可原，最壞的是自董仲舒以春秋言災異後，公羊學者多迷信於神話，何休解詁，便好引讖緯之說，注疏者解西狩獲麟說，麟者木金，薪采者庶人燃火之意，因爲赤帝要代周有天下，所以麟爲采薪者所執，西狩獲之者，言劉季從東方來王於西方，東方爲卯，西方爲金，獲者兵力之象，合卯金刀爲漢代的國姓——劉字，孔子所以涕沾袍者，乃爲秦漢戰爭中犧牲之人民豫泣。又解春秋撥亂反正說，獲麟之後，天下血書魯端門曰：「趨作法，孔聖沒，周姬亡，彗東出，秦政起，胡破術，書記散，「孔不絕」。子夏明日往視之，血書飛爲赤烏，化爲白書，署曰孔演圖，中有作圖制法之狀，孔子仰推天命，俯察時變，却觀未來，豫解無窮，知漢當繼大亂之後，故作撥亂反正之法以授之。這不止是違背了子不語怪力亂神的教義，簡直把孔子之作春秋變成了漢代辭賦家諂成的目的。厚誣聖人，眞莫此爲甚！

第十章　穀梁傳

一、作者

楊士勛疏說：「穀梁子名俶，字元始，一名赤，受經於子夏，爲經作傳，故曰穀梁。」但徐彥在公羊傳疏中說：「穀梁亦是著竹帛者題其親師，故曰穀梁傳。」根據前說，是穀梁傳爲穀梁亦所撰，根據後說，穀梁傳乃其後學所撰，題穀梁傳者，表明其師承所自。二者孰是？只好從傳文上去研究了。傳文隱公五年初獻六羽，引「穀梁子曰：舞夏天子八佾，諸公六佾，諸侯四佾，始僭樂矣。」又引「尸子曰：舞夏自天子至諸侯，皆用八佾，始厲樂矣。」這裏引穀梁子和尸子兩人之說以相參校，正和公羊傳中引子沈子與公羊子之言相同，則穀梁亦當然不是作傳的人。陳澧東孰讀書記認穀梁之成書，實在公羊之後，他列舉事實說：『莊二年「公子慶父帥師伐於餘丘。」公羊曰：「邾婁之邑也，曷爲不繫之邾婁？國之也，曷爲國之？君存焉爾。」穀梁曰：「公子貴矣，師重矣，而敵人之邑，公子病矣。其一曰：君在而重之也。」劉原父權衡云：「此似晚見公羊之說，而附益之也。」澧案更有可證者：文十二年「子叔姬卒。」公羊云：此未適人，何以卒？許嫁矣。」穀梁云：「其曰子叔姬，貴也，公之母姊妹也；其一傳曰：許嫁以卒之也。」此所謂其一傳，明是公羊傳矣。宣十五年「初稅畝，冬蝝生。」穀梁云「蝝非災也，其曰蝝，非稅畝之災也。」此穀梁駁公羊之說也，公羊以爲宣公稅畝，應是而有天災，穀梁以爲不然，故曰非災也，駁其以爲天災也。又云：「其曰蝝，非稅畝之災也。」駁其以爲應稅畝而有此災，其在公羊之後，更無疑矣。』晁說之也說：「穀梁晚出於漢，因得監省左氏公羊之違畔而正之。」從這些證據看，穀梁傳之非穀梁亦所撰，已毫無疑議。那麼，穀梁傳的作者爲誰呢？崔適以爲係劉歆所造，他說：「歆造左氏傳，以篡春秋之統，又造穀梁傳爲左氏驅除，故兼論三傳，則申左，幷論公穀則右左。」如說左氏學者右穀則有事實可證：如漢書儒林傳稱公羊博士嚴彭祖等與穀梁學家尹更始等奉詔大議殿中時，便因太子太傅蕭望之等多從穀梁，於是公羊學家失敗。蕭望之便是薦左氏學者張禹於宣帝的人，亦算左氏學者。後來何休著穀穀廢疾，左氏膏肓，以攻擊左氏和穀梁，鄭玄又作箴膏肓，起廢疾，兼爲穀梁辯護。何以左氏學者會同情穀梁？原因是公羊之學早立於國學，獨占了傳經的地位，穀梁與左氏爲打倒共同的敵人，便無形中結成了一條戰線。這種結合，完全爲情感所驅使，并不關於主張的相同與否。至於劉歆，倒未曾有過右穀的事迹，本傳稱其父向明習穀梁，歆嘗以「左丘明好惡與聖人同，親見夫子，而公羊穀梁在七十子後，傳聞之與親見之，其詳略不同，數以難向，向不能非間也。」則是他固嘗攻擊穀梁。再就穀梁傳文看，它釋隱二年夏五月「無侅帥師入極」說：「不稱氏者，滅同姓也。」隱八年左傳稱「無駭卒，羽父請謚與族，………公命以字爲展氏。」很顯然的，無侅原本無氏，并不是因其滅同姓，故不稱氏。劉歆爲左氏專家，如穀梁出其手造，何致與左氏乖違如此！統觀穀梁傳義同於公羊者遠在同於左氏之上，如劉歆造之以爲驅除公羊之用，决不會倒行逆施若是。故崔氏之說，實屬誣枉。我的猜測，穀梁傳的作者，可能就是瑕丘江公，史稱江公訥於口，故不勝董仲舒之辯，公穀之學，初皆爲口耳授受，公羊既已著於竹帛，江公失敗被黜，憤而將穀梁著於竹帛，以求勝於文字間——證以上文所引陳澧東塾讀書記中說的穀梁補益和糾駁公羊傳義的事實——乃極自然的歸趨。史記儒林傳稱：「瑕丘江生爲穀梁春秋。」這一爲字是否含有撰著之意，雖不敢臆斷，然自信這一猜測，離事實决不會太遠。

二、傳習

穀梁之學在先秦的傳授，相傳子夏授穀梁赤，赤授孫卿，孫卿授魯人申公。在漢代的傳授是由申公授瑕丘江公，江公於武帝時與董仲舒齊名，武帝命二人於御前辯論公穀學的長短，因江公口訥，不如仲舒，而丞相公孫弘又是公羊學者，於是國學獨尊公羊傳，而江公被罷，穀梁之學遂微，從之學者僅有魯人榮廣及皓星公二人，廣才氣既高，資性又敏，屢次難倒公羊大師眭孟等，故從之學者漸盛，其中蔡千秋、周慶、丁姓等成就尤大，後來宣帝問丞相韋賢、長信少府夏侯勝及侍中史高關於公穀之學的情形，三人都說穀梁爲魯學，公羊爲齊學，應興穀梁，時穀梁之學無及蔡千秋者，宣帝便以千秋爲郎中戶將，選十名郎官從之受業，尹更始即是其中之一，會千秋病死，又詔徵江公之孫爲博士，令劉向亦從之學，但江公孫不久又死了，乃徵周慶丁姓待詔保宮，使卒授十人，從元康中開講，到甘露元年，經過十多年的講習，十人都通了。於是令五經名儒蕭望之等爲評判，召公羊穀梁兩派學者大議殿中，參加辯論的公羊學者爲博士嚴彭祖，侍郎申輓，伊推，宋顯，穀梁學者爲議郎尹更始，待詔劉向，周慶，丁姓等，因蕭望之等認穀梁理長，於是穀梁之學大盛，周慶丁姓都做了博士，丁姓的學生申章昌又做了博士，故丁姓一系的徒衆特盛。尹更始之學則傳其子尹咸及翟方進、房鳳，江公孫之學則傳授胡常，所以西漢末年的穀梁之學有尹咸、胡常、申章昌、房鳳等數家。到東漢左氏之學興起，公羊尙有李育羊弼何休等與之對抗，穀梁學者僅在東漢初期有幾個西漢遺老，其後竟無聞人，當何休作穀梁廢疾時，還是左氏學者鄭玄爲之作起廢疾辯護，故東漢穀梁之學殊爲寥落，但魏晉之間注穀梁者則有唐固、麋信、孔演、江熙、程闡、徐仙民、徐乾、劉瑤、胡納之等，其最見重於世者則推范寧之集解，范寧之後，唐有楊士勛的疏，楊氏之後，遂又寂寞無聞了，直到清代才有許桂林著穀梁釋例，柳興宗著穀梁大義述，鍾文烝著穀梁補注。與公羊之學幷呈復興之象。

三、非古文學

穀梁傳，據上面所述晚出的情形，實爲今文，而且後來也迄未發現古文本，所以穀梁之爲經今文學應當毫無問題，但因桓譚新論有「左氏傳遭戰國寢藏，後百餘年，魯人穀梁赤作春秋殘篇，多有遺文。」的一段議論，遂有疑穀梁別有古文者，宣帝時穀梁家與公羊家的辯論又靠了左氏學的蕭望之而得勝，在東漢末年又有左氏學的鄭玄爲乜反擊公羊家何休的穀梁廢疾之譏，同時穀梁學者尹更始蔡千秋都曾受左傳之學，更始幷取其變理合者以爲章句，傳子咸及翟方進房鳳。而劉歆建議哀帝立左氏春秋時，帝問諸儒，無有應者，亦獨穀梁學的房鳳王龔支持劉歆。從這些事實看，穀梁與左氏似有聲應氣求之雅，左氏爲古文，穀梁自不無古文之嫌，故清儒崔適遂指穀梁傳出劉歆之手。關於穀梁之非劉歆所造，上面業已討論過，崔氏之言，全是意氣語，不足置辯。我們要斷定穀梁是否古文之學，顧名思義，就當首先問穀梁有無古文本，桓譚所說的「春秋殘篇，多有遺文」，究竟係指穀梁傳而言，還是指春秋經言，語意幷不確定，關於春秋經文之有殘缺，在左傳章中業已引述過，卽使桓譚所說的是穀梁作品，那也不過是殘零的筆記，決不是今日的穀梁傳，如以穀梁學在戰國時有殘零的筆記，便認之為古文之學，那麼公羊傳中所引子公羊子及子沈子之言，當然也是先秦所傳，（是否有筆記，固不敢臆斷，）又何嘗不可加以古文學之名？果如此推斷，則漢代經學何一而非古文學？恐無是理。根據前兩節的論述，穀梁既無古本出現，而其著作又確在公羊之後，則其為今文經學，自無可疑。

四、於三傳為劣

關於穀梁與公羊左氏二家之學的優劣，評論頗不一致，鄭玄六藝論說：「左氏善於禮，公羊善於讖，穀梁善於經。」范寧說：「左氏艷而富，其失也巫，穀梁清而婉，其失也短，公羊辯而惑，其失也俗。」皮錫瑞春秋通論說：「惟公羊兼傳大義微言，穀梁不傳微言，但傳大義，左傳并不傳義，特以紀事詳贍，有可以證春秋之義者。」章炳麟說：「左氏傳底事實和公羊多不相同，穀梁中事實較公羊確實一些，也和左氏有出入。」這些評論都偏於各傳的得失而言，并未作綜合的判斷，這也許是諸人持論矜慎的緣故。據我個人的看法，春秋是孔子專斷的作品，弟子中親受其傳的，相傳只有子夏一人，論語中載孔子與弟子談論問題，不違如愚者僅有顏回一人，餘人無不於孔子的教義多方質難，故在孔子卒後，子夏之不能控制春秋的解釋，使完全統一，這是在常情可以推測得到的。史記稱左丘明之作傳，便是懼弟子人人異端。由於七十子後學人逞臆說，故春秋三傳解經之不能一致，乃極自然的事。如桓六年「子同生」一條，公羊傳以為久無嫡子，喜國有正，故書之；左傳以為係備太子之禮；穀梁則以疑係私生子，非桓公血胤，故特書之。究竟這三字的經文是魯史舊文，還是孔子筆削之辭，其取義何在？除了起孔子而問之外，誰能斷定其是非？所以比較可信的鑒裁方法，是從三傳傳文本身去較其優劣。就傳文來說，左傳不重正面解經，只把關係經義的史實縷述出來，讓讀者自己去判斷，這樣不僅可以避免歪曲經義，而且保存了不少寶貴的史料。公羊傳從正面解經，在單字方面重訓詁，在成句方面重文法，雖說是有其特長，然瑕不掩瑜。穀梁傳則大部份是剽竊公羊的，僅在辭句上略爲變更，間或雜采它說以標異義，爲掩飾之計。如傳「隕石于宋五」說：「先隕而後石，何也？隕而後石也；于宋四境之內曰宋；後數，散辭也，耳治也。」這一來反把經文弄糊塗了，所以范寧的集解便直接引用公羊傳來解說道：「隕石，記聞也，聞其磌然，視之則石，察之則五。」又如「鄭伯克段于鄢」一條，公羊左氏都只循經文解釋，不下臆斷，穀梁却在解經之後加一條尾巴說：「然則爲鄭伯者宜奈何？緩追逸賊，親親之道也。」按經文譏鄭伯的重點在失教，不在急追緩追，若以緩追爲親親之道，則鄭伯克段四字就無意義了，這是穀梁傳經義不及公羊之證。而在史實方面，如隱七年「戎伐凡伯于楚丘以歸」，左傳敘述這事的起因，乃爲戎朝周時，凡伯未以賓禮相接待，故凡伯於聘魯回朝時，戎人在楚丘這地方將他截留以去。而穀梁不知當時有兩楚丘，一爲衛邑，一爲戎地，竟誤以衛之楚丘認定伐凡伯者爲衛，并解說「戎衛者，爲其伐天子之使，故貶而戎之也。」按孔子素嚴華夷之分，卽使衛當貶，也不會以戎目之，致使後人誤會史實。陳澧東塾讀書記說：「穀梁述事太少，近時有鍾氏文烝補注，於隱公十一年傳下，舉全傳述事者祇二十七條，謂穀梁子好從簡略。澧案：僖二年傳述晉獻公伐虢事，十年傳述申生事，并詳其語，則非盡好簡略者，實因所知之事少，故從簡略，專尋究經文經義耳。」上引鄭玄說的「穀梁善於經」，正可從陳澧這段案語中得其底裏。在這裏我們更可以補足陳氏的案語說：因穀梁所知之事少，故解經多穿鑿謬誤。所以穀梁傳無論是就解經說還是就典章故事說，於三傳中都是最劣的。

第十一章　論語

一、名稱釋

論語一名，不知起於何時？據王充論衡正說篇稱：「夫論語者，弟子共記孔子之言行，……漢興失亡，至武帝發取孔子壁中古文，得二十一篇，……宣帝下太常博士，時尚稱書難曉，名之曰傳，後更隸寫以傳誦。初，孔子孫孔安國以教魯人扶卿，官至荊州刺史，始曰論語。」準此，則論語之名為扶卿所命，為時當在宣帝年間或其後了。據漢志補注引齊召南之說，孝文時已有論語博士。且禮坊記亦有「論語曰」之語，是王充之說，未足信據。漢書藝文志說：「論語者，孔子應答弟子時人，及弟子相與言，而接聞於夫子之語也。當時弟子各有所記，夫子既卒，門人相與輯而論纂，故謂之論語。」依此說來，論語一名，可能是在纂輯時所命，因書成衆手，故以為名。關於論語兩字的意義，邢昺疏說：『論者，綸也，輪也，理也，次也，撰也，以此書可以經綸世務，故曰綸也；圓轉無窮，故曰輪也；蘊含萬理，故曰理也；篇章有序，故曰次也；羣賢集定，故曰撰也。鄭玄注周禮云：「答述曰語。」以此書所載，皆仲尼應答弟子及時人之辭，故曰語，而在論下者，必經論撰，然後載之，以示非妄謬也。』這一解說，雖似面面俱到，但有傷穿鑿，如語字專指答述言，就不能概括全部論語了，「子在齊聞韶」，是記述之語，「子曰：由，誨汝知之乎？」是問話，論語中那裏都是答述的話？我以為論就是議論，語就是言語，論語就是孔子與弟子及時人議論的言語，并無甚深意。

二、編者考

關於本書的編輯人，據上引漢志所說，是七十二弟子共同纂輯，趙岐也說是「七十子之疇，會集夫子所言，以為論語。」都未指出人名，鄭玄則以為係仲弓子游子夏等撰定。但反對者以為孔子弟子惟曾子年最小，而且老壽，論語載有曾子臨終「啓予足，啓予手」之言，足見編者必死在曾子之後，仲弓子游子夏恐不及見曾子之死。因此皇侃論語通說：「論語者，是孔子沒後，七十弟子之門人共所撰錄也。」柳宗元以為成於曾子門人之手。朱熹引程子之言曰：「論語之書，成於有子曾子之門人，故其書獨二子以子稱。」按書中弟子被稱為某子者，并不止於曾子有子，冉求也曾數稱冉子。曾子也曾以名呼，如「參也魯」，便是其證，要知書中呼名稱子，全隨對象身份而異，如蘧伯玉使人於孔子，孔子問使者曰「夫子何為？」照通例惟弟子稱師乃用夫子，今孔子稱蘧伯玉為夫子，豈蘧伯玉為孔子師乎？蓋輩份低於曾子者，談論時稱之為子，輩份長於曾子者談論時便呼之為參，編輯者照筆記抄錄，自不得全視書中稱謂以定編者身份。又有以上論有「牢曰」，下論有「憲問恥」，疑本書為琴牢原憲二人所編者，理由是惟自記者乃以名稱，但雍也篇有「原思爲之宰」，思爲憲字，何以又自稱字呢？而且二人也不及見曾子之死。此一條亦不足據。所以我以爲皇侃說的「爲七十子之門人共所撰錄」一語，最得其實。

三、各本的差異及傳習

論語的本子，據何晏集解的序說，有三種：一爲魯論，爲魯國人傳習之本，分二十篇，在漢代傳習的有太子太傅夏侯勝，前將軍蕭望之，丞相韋賢及其子玄成；二爲齊論，是齊國人傳習的本子，比魯論多出問王、知道二篇，共分二十二篇，除了多出的二篇外，其餘各篇的章句也較魯論爲多，當時傳習的人有琅邪王卿，膠東庸生，昌邑中尉王吉；三爲古論，是魯共王毀孔子宅所得，也未有齊論的問王知道二篇，因爲分堯曰篇的下章「子張問何如斯可以從政矣」爲從政篇，遂多出魯論一篇，爲二十一篇。各篇次第既與魯論異，文字也有很多不同的，孔安國爲作訓解，以授扶卿，後漢馬融爲作訓。以上各家的傳習，各守門戶，不相溝通，到成帝相安昌侯張禹先從夏侯學魯論，後又從庸生王吉學齊論，「合而考之，删其繁惑，除去問王知道二篇，從魯論二十篇爲定。」（隋志語）兼采兩家長義爲人講說，時人大重之，稱爲張侯論。後來包氏就張侯論作爲章句訓解，漢末鄭玄用魯論篇章，參考齊古兩論作爲注解，將三論合一。到魏朝司空陳羣、太常王常、博士周生烈又各作論語義說，吏部尚書何晏把孔安國、包咸、周氏、馬融、鄭玄、陳羣、王肅、周生烈諸人的傳注之與己意合者加以採輯，其不合者，別作注解，名爲論語集解，奏上朝廷，於是集解行，諸家專注本便廢了。惟以上各種注解，都偏於訓詁，到梁皇侃作論語義疏，才於訓詁之外，兼涉義理。到宋邢昺奉詔改定舊疏，削翦皇氏之枝蔓，而益以義理，於是邢疏行，皇疏遂微。到程朱之學興，專以義理解經，成爲純宋學，於是朱熹的集注本又取邢疏地位而代之。到清朝劉寶楠，又採集漢儒舊說及清代各家意見作論語正義，以矯宋學之失，大有後來居上之勢。

四、所具價值

論語一書，爲孔子生活思想的實錄，除了孔子的生卒年月未見記載外，它如孔子的女兒嫁給誰，孔子的姪女兒嫁給誰，孔子的兒子之早死和孔子平日教兒子的態度，甚至連孔子吃飯睡覺走路說話的姿態都一一記述，在這書中除了言教之外，更給了後人許多身教。所以我們本着趙歧說的「論語者，五經之錧鎋，六藝之喉衿也」的觀念去讀它，固可以；把它當孔子的傳記讀也無不可以。近人有致歎於孔子爲我國大聖，竟不像耶穌有四福音的詳細傳記爲一遺憾，其實四福音的那種怪力亂神式的傳記，豈是孔子所需要的？論語就是一部最忠實的孔子傳記，它不惟未將孔子神怪化，而且把那些足以啓人對孔子人格發生懷疑的事迹——如子見南子，二叛召孔子——都毫不掩飾的記存，只讓人從平凡中去認識孔子，去觀過知仁，在中外古今的傳記作品中有那種傳記能及得上它的公正無私？至於崔述論語解說謂論語後五篇惟子張篇專記門弟子之言，無可疑者，季氏陽貨微子堯曰四篇中可疑者甚多，而前十五篇之末，亦間有一二章不類者，康有爲則說「左丘明恥之，丘亦恥之」爲劉歆竄入，顧頡剛則說「鳳鳥不至」一語和左傳「我高祖少皞之立也，鳳鳥適至」相符，亦係劉歆竄入，其實這都是疑心所生的暗鬼，要知論語一書是經過很長時間，由各類不同人的筆記彙編，純駁雜出，理有必然，若以兩千年多年後的孤陋私見去妄測其眞僞，則可疑者又何止如上所述呢？關於它的價值，宋人說用半部論語，可以治天下，這絕不是誇大之辭，如果我們能把握它的宗旨與義，一隅三反，眞可以一言而興邦。現在歐美人選世界必讀名著，也把本書列入，更足以見其不朽之價值，早已超出種族及國界了。

第十二章　孝經

一、非孔子手著

孝經一書，孔安國序以爲係曾子所作。漢書藝文志說：孝經者，孔子爲曾子陳孝道也。」其意似以爲孔子所講，曾子所記。王應麟也說：「今首章云：仲尼居，曾子侍。」則非孔子所著明矣。詳其文義，當是仲尼弟子所爲書。」但因何休曾引用孝經緯鉤命決「吾志在春秋，行在孝經」之言，而鄭玄六藝論復云：「孔子以六藝題目不同，指意殊別，恐道離散，後世莫知根源，故作孝經以總合之。」遂有部份學者認它是孔子配合春秋的作品，並不是爲曾子一人開陳之辭，更反對其出曾子之手。宋邢昺便是此派的代表，他認爲本書之用曾子開端者，正如屈原之卜居漁父，馬卿之烏有亡是一樣，乃假設體製，如果確爲夫子與曾子問答之言，則書中便應該每章都用一問一答形式，何以有許多言論，並未經曾子問，而係夫子自言？而且全書辭義血脈，文連指環，層次井然，非一問一答之勢，況夫子教學，有教無類，不應獨呼問曾子，而無視其他弟子，其他弟子之在側者，也決不致默無一語，獨讓曾子一人發問；至其開端卽呼夫子之字——仲尼，尤不像學生筆錄。因此，他在注疏序開頭便說：「夫孝經者，孔子之所述作也。」其實他這些理由都不夠健全，要知師生間的教學，不比普通商業政治性的問話，必守一問一答的程式，孔子處在教學的立場，觸類旁通，是應有的態度，試看論語中孔子呼由呼鯉教訓的記載，何嘗是被動的？至於說它層次井然，因爲曾子既把它記述成書行世，當然會下一番整理排比修飾的工夫，決不會是臨時筆記的原稿，而且曾子既爲孔子的高足，在文字的邏輯上也應當有素養，決不會語無論次，沒頭沒腦一團糟。故孝經的文連旨環，應當視爲當然之事，若以此爲奇蹟，就太淺視聖門了。至於說弟子不當呼師字，更是不懂古人稱謂的習慣，羅大經鶴林玉露稱：「魏鶴山云：古人稱字最不輕，儀禮子孫於祖禰皆稱字，孔門諸子多稱夫子爲仲尼，子思孫也，孟子又子思弟子也，亦皆稱仲尼，…………近世猶有後學呼退之，兒童誦君實之類。觀鶴山此說，古人蓋以稱字爲至重，今人惟平交乃稱字，稍貴者便不敢以字稱之，與古異矣。」故邢氏此說無乃蔽於今而不知古。再說到孔子爲何獨向曾子陳說。這理由很簡單，因爲曾子是孝子，家語載：「曾子耘瓜，誤斬其根，曾晳怒，建大杖以擊其背，曾子仆地而不知人者久之，有頃乃蘇，欣然而起，進於曾晳曰：嚮也，參得罪于大人，大人用力教參，得無疾乎？退而就房，援琴而歌，欲令曾晳而聞之，知其體康也。孔子聞之而怒，告門弟子曰：參來勿內，曾參自以爲無罪，使人請於孔子，子曰：汝不聞乎？昔瞽叟有子曰舜，舜之事瞽叟，欲使之，未嘗不在於側，索而殺之，未嘗可得，小棰則待過，大杖則逃走，故瞽叟不犯不父之罪，而舜不失烝烝之孝，今參事父，委身以待暴怒，殪而不避，旣身死，而陷父於不義，其不孝孰大焉，汝非天子之民也？殺天子之民，其罪奚若？曾參聞之曰：參罪大矣。遂造孔子而謝過。」足見曾子的孝有些近乎愚孝，還不知所以全孝之道。則曾子之以孝問孔子，孔子之以孝教曾子，兩方面都有其必要。孔子教學生，是不憤不啓，不悱不發的，別的學生，不注意這一方面，故孔子少與之言，曾子注視這一方面，故孔子特爲開陳。桓譚新論云：「古孝經千八百七十二字。」這麼短的一番議論，在一個普通燕見的時間就可以說了，那時無其他學生在座，又何足爲奇？聖人之言爲世則，行爲世範，全在日常生活接觸中，并不必定要高居講堂，廣延生徒，侍坐非一，厲色正辭，才算是教學。至於說聖人之有述作，豈爲一人而已？聖人之教，雖不必爲一人而設，但不能不藉一人而傳，這就是鉤命決所以說：「春秋屬商，孝經屬參」的原因。漢志所說，無論就文字或是就情理言，都無不通。論語一書也非孔子手著，數千年來，它的影響及價値遠在六經之上，說孝經爲曾子記述之書，又有什麼貶損它的地位之處？必以孝經爲孔子手著，才算聖經，實在是淺薄的偶像心理。但在這裏要加聲明的，以上所論，只是否定孝經爲孔子手著之說，并不就是肯定孝經爲曾子的著作。

二、原非經書

孝經一名，乃取書中「夫孝，天之經也。」一語縮成，這一經字并不與六經之經同義，故在漢代，并不把它當經書看，孔安國古文尙書序說：「於壁中得先人所藏古文虞夏商周之書及傳論語孝經。」明以孝經與論語繫於傳下，成帝賜翟方進策書說：「傳曰：高而不危，所以長守貴也。」明稱孝經爲傳，都是極好的證明。到唐文宗開成年間刻石於國子學，將孝經論語爾雅附於易書詩三禮三傳之後稱爲十二經，於是孝經始入經部。

三、今古文及注本問題

孝經有今古文兩種本子，今文本爲河間顏芝所藏，由芝子貞獻於河間獻王，凡十八章，一千八百七十二字，劉向曾用之以校古文本。初注本題爲鄭氏，不著名字，晉太元中荀昶撰孝經集注，以鄭注爲宗，認鄭氏即康成，晉後學者頗有異論，陸澄以其非玄所注，請不藏於祕省，王儉不依其請，遂得保存，後來元魏高齊得之，以立於學官，且著爲律令。古文本與古文尙書同出於孔壁，共二十二章，多閨門一章，又分庶人爲二章，分曾子敢問爲三章。孔安國曾爲作傳，遭巫蠱未行於世。許冲上說文表云：「古文孝經者，昭帝時魯國三老所獻，建武時給事中議郎衞宏所校。」王應麟注說：「蓋始出於武帝時，至昭帝時乃獻之。」劉向典校經籍，用今文本校對，除其繁惑，定爲十八章。鄭衆馬融幷爲之注。所謂今古文本，就是鄭注孔傳之分。梁代鄭注孔傳本同立於國學，梁亂，孔傳本亡失，南陳及北周北齊，惟傳鄭注本，到隋開皇十四年祕書學生王逸於京師得孔傳本，送與祕書監王劭，劭以示河間劉炫，仍令校定，劉炫因序其得喪，述其義疏，用以授徒，事聞於朝，遂令與鄭注本並立。但輿論譁然，都以爲出自劉炫僞造。到唐玄宗開元七年，乃詔羣儒學官集議今古文二本短長，劉知幾主孔傳古文本，以爲鄭志目錄無注孝經之說，立十二驗以否定鄭注，并建議：「孔鄭二家，雲泥致隔，今綸旨煥發，校其短長，必謂行孔廢鄭，於義爲允。」司馬貞主鄭注今文本，駁劉氏說：「其古文二十二章，元出孔壁，先是安國作傳，緣遭巫蠱，未之行也。昶集注之時，尙未見孔傳，中朝遂亡其本，近儒欲崇古學，妄作傳學，假稱孔氏，輒穿鑿改更，又僞作閨門一章，劉炫詭隨，妄稱其善，且閨門之義，近俗之語，必非宣尼正說，案其文，……文句凡鄙，不合經典，又分庶人章從故自天子以下列爲一章，仍加子曰二字，然故者建下之辭，既是章首，不合言故，是古人旣沒，後人妄開此數章，以應二十二章之數，非但經久不眞，抑亦傳文淺僞……今議者欲取近儒詭說，而廢鄭注，理實未可。」於是玄宗下詔，鄭注仍舊行用，孔傳亦存。至開元十年，玄宗自於先儒注中採摭精華，芟去煩亂，撮其義理允當者，用爲注解，定從十八章，天寶二年書成，頒行天下，四年又以八分御札勒石，世稱之爲石臺孝經，從此今文經成了孝經定本。宋咸平中詔邢昺杜鎬等依石臺本爲講義，於是御注成了孝經注疏的定本。歸有光孝經敍錄說：「司馬溫公指解猶尊用古文，其意詆今文爲他國疏遠之僞書，蓋見新羅日本之別序，而近忘京兆之石臺也。」南宋時，朱熹因汪應辰疑孝經之言，就古文孝經刊誤，删去二百二十二字，分爲經一章，傳十四章。元吳澄斥古文之僞，因朱熹刊誤，加以更定，把今文本分爲經一章，傳十二章。這些，可說是石臺本後蕩漾的餘波。阮元孝經注疏校勘記序說：「孔注今不傳，近出於日本國者，誕妄不可據，要之，孔注卽存，不過如尙書之僞傳，決非眞也。鄭注之僞，唐劉知幾辨之甚詳，而其書久不存，近日本國又撰一本流入中國，此僞中之僞，尤不可據者，孝經列入學官者，係唐玄宗御注，唐以前諸儒之說，因藉捃摭以僅存，而當時元行冲義疏，經宋邢昺删改，亦尙未甚失眞，學者舍是固無繇窺孝經之門徑也。」這段議論，平允落實，不存門戶之見，可爲孝經注本之定讞。

四、眞僞問題

在上述諸問題之外，更重要的是孝經本身的眞僞問題，明呂維琪孝經或問說：「孝經何爲而作也？曰：『爲闡發明王以孝治天下之大經大法而作也。』」漢朝正是以孝治天下相標榜的，所以西漢諸帝的廟諡都加一孝字，一般認孝經爲孔子所講，不過根據經文推斷，「孝經屬參」一語，出自緯書，仍是胎原於經文的，諸經在漢初年今文本就出現了，而孝經的今文本直到河間獻王時才由嚴貞獻出。與古文經同時出世，所以姚際恆古今僞書考及楊椿讀孝經，都認孝經一書是漢人僞造了來迎合當朝意旨的，俞樾也說：古書但有篇名，如書之堯典、舜典，詩之關雎、葛覃，皆篇名也，禮記樂記一篇分十一篇，亦是篇名，惟孝經有開宗明義章，天子章，諸侯章等名，則是每章各有章名，他經所無，故學者疑孝經爲僞書，不爲無見。但呂思勉在經學解題中却說：「孝經一書，無甚精義，姚際恆以爲僞書，然其書在漢時實有傳授，且呂覽即已引之，則姚說未當。」呂氏以本書無甚精義證其非僞作，是不通的，至於說呂覽引有孝經，則係鐵的事實，樂成篇引：「孝經曰：高而不危，所以長守貴也；滿而不溢，所以長守富也。」呂覽確爲先秦舊書，則孝經之成，自當在呂覽之先，所以卽使是僞書，也非漢人所造。這樣看來，要確定孝經一書的眞僞，殊非容易。那麼，我們應當對之作何態度呢？我以爲歸有光的一段話很值得參考，他說：「昔孔子嘗不對或人之問禘矣，其言明王以孝治天下，至于刑四海，事天地，言大而理約，豈非極萬殊一本之義，意其所以告曾子者如此哉！雖然，其書非孔氏之舊也，宋元大儒，固卓然獨見於千載之下，以破諸儒之惑矣。然其所以去者是矣，而所存者，又未必純乎孔氏之舊也，則莫若俱存之，自秦火之後，諸儒區區掇拾，而文藝之全者尠矣，非孔子復生，莫之能復也，今世所存，如孝經家語大小戴之記，要以爲有聖人之微言，故莫若俱存之，而待學者之自擇也。」我們所以重視經書的，就是經的辭旨有益於世道人心，并不是爲了經的空名去推重它，換言之，如果經義有未善的，就是眞出聖人的親筆，我們也當予以揚棄，孟子說：「吾於武威，取二三策而已」，就是此意；相反的，不是出自聖人之手的著作，如有一善可採，我們也當拳拳服膺，詩所謂「詢于蒭蕘」，就是此意。明白了這個道理，我們就不致爲古籍的一些枝節問題所困擾，孝經只不過是問題古籍之一而已。歸氏「待學者自擇」一語，眞可說是善於解紛的了。

第十三章　爾雅

一、名稱解釋

爾雅一名，據釋文云：「爾，近也；雅正也。言可近而取正也。」但我以爲雅字是代表六經的，論語述而篇「子所雅言，詩書執禮皆雅言也。」鄭注：「讀先王典法，必正言其音，然後義全，故不可有所諱。」所謂先王典法，當然是指六經言，但這裏只標明了詩書禮，未有易樂春秋，所以後之解說者有以執字卽古藝字的，六經原名六藝，詩書執禮卽詩書藝禮，意卽詩書禮等藝，藝字中包含了易樂春秋，這一解釋，也許略嫌牽強，但孔子旣於詩書禮用雅言，决不會於易樂春秋不用雅言，是就常識可判斷的。爾字我以爲是附着之義，爾雅卽是附着六經之義，楊雄方言以爲爾雅係孔子門徒解釋六藝之作，王充論衡以爲係五經之訓詁，都可以說是同此見解的，四庫提要謂；「今觀其文，大抵採諸書訓詁名物之同異，以廣見聞，實自爲一書，不附經義。」這是提要者只看到了書中所舉六經外名物之多，而不知這些經外的名物均出後人附益，因本書旣經後人增補，(說詳後)則雜引諸書，越出原來範圍，自是常事。提要循流而不溯源，所以生出誤會。試看漢書藝文志所說的尙書讀應爾雅，晉郭璞爾雅序所說的「夫爾雅者所以通詁訓之指歸，敍詩人之興詠。」唐陸德明在經典釋文中說的「實九經之通路，百氏之指南。」宋邢昺疏敍說的「誠傳注之濫觴，爲經籍之樞要者也。」就知道歷漢魏晉唐的經學研究者都是認它爲經的附着物的。

二、創作及增補

爾雅的作者，自大戴禮三朝記「哀公曰：寡人欲學小辯，以觀於政，其可乎？孔子曰：爾雅以觀於古，足以辯言矣。」確定了係孔子以前人所著，魏張揖進廣雅表：「昔在周公，………六年，制禮以導天下，著爾雅一篇，以釋其義。」便明言是周公所作。可是後來發現其中有些名物和詩句，都是周公之後才有的，於是陸德明以爲釋詁一篇爲周公所作，其它或言仲尼所增，或言子夏所益，或言叔孫通所補，或言沛郡梁文所考，衆說紛紜，迄難指定。四庫提要說：「大抵小學家綴緝舊文，遞相增益，周公孔子，皆依托之詞。」康有為因疑出劉歆偽造，但劉歆偽造經書的目的，一般推測以為係附和王莽篡位的野心，爾雅只是一種工具書，毫無政治思想的成份，劉歆造它何用？陸德明認釋詁為周公所作，四庫提要以為釋詁篇中之「嫁、往也」乃取列子之文，「天地皇王后辟公侯」及「洪廓宏溥介純夏幠」，乃取尸子之文，否定釋詁篇為周公之作，其實這種單字的注解，又怎見得不是列子尸子引用爾雅之文，正如戴震所說的：「毛詩誤用爾雅者甚多，先儒言爾雅往往取諸毛詩者非也」的情形一樣呢？若像釋訓篇中的「如切如磋，如琢如磨，瑟兮僩兮，赫兮烜兮，有斐君子，終不可諼兮」的成句，我們就不能不承認是爾雅引詩經了。所以我的看法是，周公作釋詁造其端，七十弟子又為解釋六經增加了釋言釋訓等篇，漢代經師又遞相增益，其發展次第正如曹粹中放齋詩說：「爾雅，毛公以前，其文猶略，至鄭康成時則加詳。」

三、注疏情形

爾雅因是一種工具書，無甚思想與教育作用，所以談不上師承家數，在秦漢之際，并不受重視，到漢武帝時，獲得了一隻豹文鼠，無人能識，孝廉郎終軍引爾雅「豹文鼮鼠」以對，帝嘉其博雅，賜絹百疋，自是學者才注意到爾雅，為之作注的，先後有劉歆、樊光、李巡、孫炎、沈旋、施乾、謝嶠、顧野王、郭璞諸人，據邢昺說：「劉歆、樊光、李巡、孫炎，雖各名家，猶未詳備，惟東晉郭景純用心幾二十年，注解方畢，甚得六經之旨，頗詳百物之形，學者祖焉，最為稱首。」又自序其疏說：「考察其事，必以經籍爲宗，理義所銓，則以景純爲主。」四庫提要說；「璞時去漢未遠，如遂幠大東，稱詩；釗我周王，稱逸書；所見尙多古本，故所注多可據，後人雖迭爲補正，然宏綱大旨，終不出其範圍。」又說；「昺疏亦多能引證，如尸子廣澤篇，仁意篇，皆非今人所及睹，其犍爲文學樊光、李巡之注，見於陸氏釋文者雖多遺漏，然疏家之體，惟明本注，注所未及，不復旁搜，此亦唐以來之通弊，不能獨責於昺。」這是說早期的注疏，以郭璞及邢昺爲佳。續有所發明的，則當推清邵晉涵的爾雅正義及郝懿行的爾雅義疏，阮元校勘記序說；「近者翰林學士邵晉涵改弦更張，別爲一疏，與邢幷行，時出其上。」

四、篇卷及文義

爾雅的篇卷數目，據漢志所載爲三卷二十篇，唐石經本則爲三卷十九篇，宋以後本將卷數改爲十或十一，但篇數則均爲十九，較漢志少了一篇，葉德輝說，漢志乃合序篇而言，照此說來，爾雅的序篇在唐代就已殘缺了。關於爾雅的文義解釋，如朕字言字只釋爲我也，而不及朕兆及言語之義，諸如此類，與普通字書完全不同，據四庫提要說：「若夫爾雅經文之字，有不與經典合者，轉寫多歧之故也，有不與說文解字合者，說文於形得義，皆本字本義，爾雅釋經，則假借特多，其用本字本義少也。此必治經者，深思而得其義。」這段話解釋了我們對爾雅文義的疑惑，也更證實了爾雅一名是附着於經的意思。但這裏有欲附帶一說的，經字的意義，如編首所釋，乃是人生常行之典，處世之大法，爾雅的內容只不過解釋經的文義，完全是工具書，實不配稱經。

唐人把它列入經部，想是認它為周公孔子所作，取博物志「聖人制作曰經」之義。婢作夫人，究嫌位不當分。龔自珍六經正名說：「爾雅者，釋詩書之書，所釋又詩書之膚末，乃使之與詩書抗，是尸祝輿臺之鬼，配食昊天上帝也。」眞可謂慨乎其言之了。

第十四章　孟子

一、孟子身世

孟子一書，是以孟子為中心的著作，正如論語之以孔子為中心一樣。孟子說：「讀其書，不知其人，可乎？」所以我們討論孟子，也當從他的身世入手。可是書中涉及孟子身世的地方，除了後喪踰前喪表明了先喪父後喪母，及母死歸葬於魯之外，也不及孔子之詳細。就是史記列傳所載，也不及孔子世家的完備。這可能是因孟子弟子不及孔子弟子之能尊師重道的緣故。據較為可信的記載，孟子姓孟名軻，字子輿，為魯國公族孟孫氏之後人，後徙居於鄒，所以母死仍歸葬於魯。他的生卒時期，大約以蔣陳錫之鄒縣志孟子年表所稱生於周烈王四年己酉四月初二日，卒於赧王二十六年十一月十四日，享年八十餘歲為接近事實。他於三歲喪父，由母教成人，他的業師，據劉向趙岐等所說為子思，但據年代推算，伯魚之死在敬王三十八年，子思即使為背父而生，也不會晚於三十九年，自敬王三十九年至烈王四年（即孟子生年）已一百〇九年，即使孟子十歲受業於子思，則子思亦必已一百十歲了，但子思的年壽，據推至多不過八十歲，故孟子受業於子思，實不可能之事，當以史記所說受業於子思之門人，較爲可信。孟子在四十歲以前潛心於學問，四十歲以後，始出游列國，先至梁，繼去齊爲客卿，離齊後，游於宋薛，中間曾爲樂正子一至魯，後往滕，以道終不行，歸鄒，八十餘卒。

二、篇數

孟子一書的篇數，史記說是七篇，劉歆九種孟子凡十一篇，漢書藝文志因也說是十一篇。趙岐說：「孟子：：著書七篇，又有外書四篇─性書、辯文、說孝經、爲正，其文不能弘深，不與內篇相似，似非孟子本眞，後世依放而托之者也。」據此，則孟子原有內外篇之分，內篇爲現行本孟子七篇，外篇四篇在趙岐時尚存，大概因爲趙岐以其非孟子本眞，不爲作注，將其剔去，所以後世無傳，觀於史記、說苑、法言、鹽鐵論及兩漢諸書所引孟子語爲今本所無者之多，則孟子之不止於現有七篇，當屬事實。

三、編者

孟子的作者，據史記說：「孟軻受業子思門人，道旣通，以干者不合，退與萬章之徒，序詩書，述仲尼之意，作孟子七篇。」這是說本書乃與門徒弟子合撰。趙岐題辭說：「於是退而論集所與高第弟子公孫楚萬章之徒難疑答問，又自撰其法度之言。」這是說一部份是與門弟子合撰，一部份是獨撰。朱熹說：「觀七篇筆勢，如鎔鑄而成，非綴緝可就。」閻若璩說：「論語成於門人，之手，故記聖人容貌甚悉，七篇成於己手，故但記言語或出處耳。」這是認孟子爲自著的說法。韓愈林愼思則以爲係孟子身後門弟子所記述，與論語情形相同，理由是如果係孟子自著，不會自稱孟子，而且對於同時的君主不會用謚號相稱。另有折中的意見，以書爲孟子自著，身後由弟子編訂行世，書中所稱孟子及諸王謚號，均爲門弟子所更改，書中獨於湣王未用謚號，可能係在湣王時編訂。綜合各種情形推測，這一折中意見，比較可信。

四、學問上的表現

本書中表現的除了孟子政治思想之外，就是他的全部學問修養，其中以詩學最爲精邃，如釋「刑于寡妻，至于兄弟」句，說是「言舉斯心加諸彼而矣」，答咸丘蒙問「普天之下，莫非王土，率土之濱，莫非王臣」之詩說：「此莫非王事，我獨賢勞也。」都要言不煩，直抉詩旨，遠非後來的毛傳鄭箋所能企及。其次是對於尚書史事的熟悉，如答萬章所問堯舜禹禪讓的事迹，以及述葛伯仇餉的情形，詳盡明白，亦爲後來傳注家所不及，除了這類對詩書的直接解釋外，在其它議論中，也常引用詩書以證己見，因爲他對於詩書意旨了解的深，所以他對於詩書中有些誇張句子，教人不要盡信，他說：「吾於武成，取二三策而已矣；：：以至仁伐至不仁，而何其血之流杵也？」又說：「雲漢之詩曰：周餘黎民，靡有孑遺，信斯言也，是周無遺民也。」他更明確的指示讀詩的方法說：「不以文害辭，不以辭害志，以意逆志，是爲得之。」在詩書之外，春秋也常被提到，惟於禮，他似乎不甚精，所以北宮錡問周室班爵祿的情形，他說：「其詳不可得而聞也。」滕世子派然有向他問喪禮時，他也說是「諸侯之禮未之學也。」對於樂學，似乎比禮更差，書中只有三處提到樂理，一是「師曠之聰，不以六律不能正五音。」一是「金聲而玉振之也。」一是「樂之實，樂斯二者。」前兩說都是比喻，惟後一說涉及功用，也簡略之至。至於易經之學，全書未一提及。此外，他對於訓詁學却很精，如釋「洚水者，洪水也」，「畜君者，好君也」，「庠者養也，校者教也，序者射也」，「從流下而忘反謂之流，從流上而忘反謂之連，從獸無厭謂之荒，樂酒無厭謂之亡」，都非常之簡明扼要，公羊穀梁二家釋經之體，以及漢儒訓詁之學可能就是藍本於此。至於宋朝的義理之學，也是得力於「以意逆志」一語的啓示。在文學方面，本書也有極大的貢獻，如齊人有一妻一妾一段設喻，便是我國最早的短篇小說體；書中論辯條理，也是後代策論文之所祖，宋朝三蘇都是從它入手；它如「無若宋人然」，「宋人有閔其苗之不長者」，以及「是爲馮婦也」的一類冒起式章法，實開散文起承形式之先河。

五、善學孔子

孟子生在戰國那邪說橫行的時代，爲了衛道，自不得不與人鬭辯，其言辭鋒利，一往無前，儒家之得屹立不爲狂瀾所淹沒者賴有此耳，然卽因此引起了當代及後代不少的反對，荀子性惡篇一味攻擊孟子，在子學編中另有專論，此處不講，如宋儒李覯便以爲孔子勸諸侯尊王，孟子勸諸侯爲王，背叛了孔教，極端厭惡孟子，他曾有一次試制科六論，有一條不知出處，他說我未有不讀的書，此必孟子注疏，擲筆出場，旁人代爲檢視，那一條果出孟子注疏，他寧可終身不第，也不讀孟子。明太祖讀孟子到「君之視臣如草芥，則臣視君如寇讎。」大爲震怒，命去孟子配享，詔有敢諫者，以不敬論，且命金吾射之，刑部尙書錢唐與櫬入諫，袒胸受箭說：「臣得爲孟軻死，死有餘榮。」帝爲感動，令大醫療其箭傷，遂不廢孟子配享。實則草芥寇讎之語，乃本於泰誓：「撫我則后，虐我則讎」，并非孟子創說。明太祖這一震怒，不過如黃宗羲所說：「欲以如父如天之空名，禁人之窺伺者，皆不便於其言。」無討論的價值，但李覯的意見，至今仍爲一般讀孟子者所懷疑，這是我們所當檢討的。孟子曾說：「乃所願，則學孔子也。」孔子作春秋，目的全在尊王，並且說：「如有用我者，吾其爲東周乎。」孟子生當顯王赧王之際，周室雖微，天子仍在，他竟力勸齊王行王政，以齊王，似非學孔子之道，但這種看法，是淺薄的，家語載魯男子獨處一室，鄰有女子天雨牆壞，叩門求宿，魯男子以男女不便拒之，鄰女說，你難道不聽見說柳下惠坐懷不亂的故事嗎？魯男子說，那只有柳下惠可以，我不可以。我要用我的不可以去學柳下惠的可以。孔子聽見此事，便歎賞他說：「善哉！欲學柳下惠者，未有似於此者，期於至善，而不襲其爲，可爲智乎！」孟子之學孔子，正如魯男子學柳下惠，所謂期於至善，而不襲其爲。孔子所以提倡尊王的，是在春秋那時候，五霸還在挾天子以令諸侯，天子的偶像作用還存在，同時天子也能自重，齊桓爲五霸之首，天子令受胙勿下拜，但桓公仍下拜始敢受胙，以晉楚之強，請隧問鼎之野心，都立刻遭到駁斥，所以孔子想利用這一點未死的人心，以維持國家的綱紀，端正社會的人心。話雖如此，但據史記管晏列傳太史公贊說：「管仲世所謂賢臣，然孔子小之，豈以爲周道衰微，桓公既賢，而不勉之至王，乃稱霸哉！」是太史公已看出孔子欲得一代周而王的微意了。孟子之時，七國稱雄，爭城則殺人盈城，爭地則殺人盈野，天子的地位連贅疣也不如，這種紛擾的局面延續越久，人民的痛苦便只有如水益深，如火益熱，孔子的政治理想是博施於民而能濟衆，故孟子叫出「民爲貴，社稷次之，君爲輕。」的口號，以求天下能定於一，人民的痛苦得於早日解除，孔子之不以湯武革命爲非，也就是因他們能拯救出暴政下的人民，戰國時周室雖無桀紂的直接殘暴，可是由於天子的無能，致陷人民於水深火熱之中，與其有這樣一個不自隕滅禍延百姓的天子，何如早日出現一個能博施濟衆的政府，以免人民受凌遲之刑？孔子常歎他的弟子們「可與立，未可與權」，孟子之勸諸侯行王政，正是可與立，又可與權的表現。孟子實在是最善學孔子的人，李覯之見，正是黃宗義所譏的小儒。

六、注疏情形

趙岐孟子題辭說：「逮至亡秦，焚滅經術，坑戮儒生，孟子徒黨盡矣。其書號爲諸子，故篇籍得不泯絕。」因爲本書未遭秦火，所以除了十一篇之說外，幷無所謂今古文之爭，因爲孟子的徒黨盡遭坑戮，所以本書師承遠不及它經之可考。西漢雖立有孟子博士，但亦不詳其傳授系統。趙岐說：「五百餘載，傳之者亦已衆多。」可是趙岐師承何人，就無從考證。孟子注本，以趙岐爲最早，四庫提要謂：「漢儒注經，多明訓詁名物，惟此注箋釋文句，乃似後世之口義，蓋……論語孟子詞旨顯明，惟闡其義理而止。所謂言各有常也。」阮元校勘記說：「趙岐之學，以較馬鄭許服諸儒，稍爲固陋，然屬書離辭，指事類情，於詁訓無所戾，七篇之微言大義，藉是可推，且章別爲指，令學者可分章尋求，於漢傳注，別開一例，功亦勤矣。」趙岐之後，唐張鎰丁公著又爲之音，宋孫奭復「推究本文，參考舊注，采諸儒之善，削異說之煩，證以字書，質諸經訓，疏其疑滯，備其闕遺，成音義二卷」，後來又有孟子正義十四卷，也題爲孫奭撰，其序文說：「臣奭前奉勅與同判國子監王旭，國子監直講馬龜符，國子學說書吳易直馮元等作音義二卷，已經進呈，今輒罄淺聞，隨趙氏所說，仰效先儒釋經，爲之正義。」似乎孫奭於作音之後，又作正義者。但朱子語錄則謂其全不似疏體，係邵武一士人所假托。四庫提要根據邢昺傳及涑水紀聞所載孫奭著作書目，亦以爲不出孫手，確然可信。阮元校勘記說它「於注義多所未解，而妄說之處，全抄孫奭音義，略加數語。」四庫全書則因其久列學官，仍舊收入，這不能不說是孟子的一大遺恨，直到清代焦循的孟子正義問世，才算對這遺恨有了彌補。唐人作疏的規矩，是疏不破注，但焦循疏本則不遵此例，於趙注有遺誤之處，亦不惜加以糾釋。同時在訓詁之外，於義理也不抹殺。故焦氏正義，實爲孟子莫大功臣。

第十五章　經今古文的盛衰

一、先秦經學與政府的對立

以上是就諸經個別加以檢討，茲再就各朝代經學盛衰的情形略加敘述。六經的淵源雖爲時甚早，但其學說的建立，則全由孔子。孔子建立六經的學說，目的在整飭國家的紀綱，端正社會的人心，換言之，就是在糾正當時政治上的錯誤，所以這些經書雖然孔子提倡的不遺餘力，把它們作爲施教工具，却得不到當時任何一個政府的支持，因此春秋戰國的經術，只是一種民間的私學，孟子說：「諸侯惡其害己也，而皆去其籍。」雖係指禮而言，實則六經無不同此遭遇。蓋在當時經術已與政府處於不兩立的地位。到秦始皇統一六國，一般不識時務的儒生，未能領悟到這種情形，仍遇事據古以非今，抨擊時政，於是觸怒了始皇，下令焚書坑儒，造成了有史以來的大災禍。

二、兩漢三國經今古文之爭

漢高祖統一天下後，由於叔孫通應付得法，儒術漸爲政府重視，孝惠下除挾書之令於先，孝文立經學博士於後，經術取得了政府的支持。惟時古文經未出，故所立經學博士，都是屬於經今文學的，到漢武建藏書之策，置寫書之官，積極徵求遺書，於是河間獻王所得古文善本書與孔壁古文書同時大量出現，造成了經今古文的歧異，孝武孝宣又先後集今古文的經師於殿前辯論兩家的優劣，激成了兩派的對立，到哀帝時因劉歆移書讓太常博士，更加深了今古文家的水火，後因王莽提倡古文，故西漢末年古文經已有與今文經分庭抗禮之勢。東漢古文家在政府中雖未壓倒今文家，然在野的研究著述之盛，實已超過今文學家。到鄭玄注經，冶今古文於一爐，於是今文經無形中被古文經所鎔化。魏王肅注經，悉用古文，上既得政府的支持，另一方面今文經所有，古文經皆有，古文經所有，今文經并不具備，學者爲求全心的驅使，也都趨向於古文經，下又得在野學者的擁護，故三國時，今文經直同廢絕。

三、經學南北派之分及隋唐之統一

古文經旣後出，立於學官遲，不像今文經有嚴格的家法，所以古文經的學者解釋經義，常人異其說，因之古文經又起了內閧，如王弼解費氏易就與鄭玄立異，王肅釋毛詩，亦駁鄭箋，杜預解左傳，便斥服虔，到了南北朝，隨着政治地域的分野，古文經又形成了南北兩派的爭執。隋書經籍志說：「南北所治章句，好尙互有不同，江左：周易則王輔嗣，尙書則孔安國，左傳則杜元凱；河洛：左傳則服子敬，尙書周易則鄭康成，詩則幷主於毛公，禮則同尊於鄭氏。」到隋朝統一南北，煬帝大與學校，遍徵南北學者講論經義，時鉅儒惟信都劉士元河間劉光伯，二人均兼通南北之學，所製經義，混一南北，大受政府尊重，於是南北之學又合而爲一了。到唐太宗命國子祭酒孔穎達等撰定五經正義，凡百七十卷，易從王注，書從孔傳，左傳從杜解，均爲古文經，由於唐朝以科舉取士，規定經義不得違背五經正義，古文經遂佔有了唐朝的經學地位。

四、經的宋學及漢學

宋朝初年的文物制度悉遵唐舊，經學也不例外。到孫復治春秋，不用三傳，歐陽修撰毛詩本義，懷疑詩序，幷著易或問，說繫辭非孔子所作，吳棫著書稗傳說書序非孔子作，因之經學的研究起了劇烈的波動，繼以鄭樵朱熹等的推波助瀾，於是以義理說經的宋學成立，經今古文之學都廢。元代談不上經學，明代自成祖提倡朱學，命胡宏採朱注編四書大全，五經大全，性理大全，作為國定教本，科考的經解，概須嚴守朱說，把經學的範圍縮得更小。清初政府所提倡的仍是朱學，但一班反滿的遺老學者，為與政府立異，却向復古的途上去用功，於是產生了漢學之名以與宋學對立，這派學者的初祖自然是顧炎武黃宗羲等，但他的中心人物却是乾隆間的惠棟戴震，惠棟治經，完全采錄漢代傳注，於漢以後的解說，一概刊而不取，所以有純漢學之目；戴震治經則以訓詁聲音為主，專尙考據，以求是為指歸。乾隆年四庫館所網羅的三百多位專門學者，都是漢學家，故有清一代經學，完全是漢學的天下。可是由於復古及考證的影響，清代今古文經之爭也隨之恢復了，最早反對古文尙書的為閻若璩，他著古文尙書疏證，以判定古文尙書係偽造，同時有毛奇齡作寃詞以駁之。至於以公羊學為中心的今文學家則有常州的莊存與和劉逢祿、宋翔鳳等，為古文張目的則以孫貽讓為鉅子。清末康有為為今文學的健將，章炳麟為古文學的大師，爭辯之烈，遠過前代。不過清代今古文學爭論上所採用的方法，都是屬於考證的，也就是漢學的。

第十六章　讀經問題

一、文體無關經術

自五四新文化運動興起，一般受過西學洗禮的人羣起提倡白話文，於是連帶引起讀經的問題，保守的一派人說，學白話文，無法讀古書，等於廢棄經書了；革新的一派人說；經書是古董，不合時代潮流，讀之徒令人頭腦頑固，無法接受外來的新知識，阻礙民族的進化。由於這種爭辯的激盪，遂有更進一步的學校禁讀經書的主張及打倒孔家店的口號發生。其實這都是一偏之見。就讀經必學文言說，這是知二五而不知一十的說法，耶蘇教的經典，舊約乃用希伯來文寫成，新約乃用希臘文寫成，但自從英國的約翰惠格列夫用英吉利方言翻譯聖經，德國的馬丁路德用德意志方言翻譯聖經以後，各國宗教學者相繼而起，截至一九零一年，聖經翻譯的語言已有四百種之多，原文聖經在市上已不易看到，可是聖經不惟未因古文的消失而減少了讀者，其流播的幅度反較用原文時不知增廣了多少倍，同時一般職業宗教家，一方面用原文研究教義，一方面用所在地的方言佈道，也都能得心應口，毫無不便之處，何況中國的白話文言之別，只不過是語助詞的差異，文義仍是相通的，怎見得學白話文的就絕對不能讀經呢？經書之所以與大衆脫節，被讀者視爲畏途，甚至引起反對的，癥結就在說經的人過於看深了經文，如尙書的堯典篇目二字，顧炎武日知錄說秦延君用了十餘萬言去解釋它，僅「若曰稽古帝堯」的「若曰」二字就花了三萬多言的解釋，其實「若曰稽古帝堯」一語，用宋人的話本體來翻譯，不過「話說古代有個堯皇帝」罷了，幷未有什麼了不起的深意，秦延君三萬多字的解釋現在無從看到，但他的故神其辭，是不難推想而知的。用這種高抬經文的方法來推行經書的教育，那簡直是南轅而北轍。我們要知道經書所具的價值乃在它所含的眞理，幷不在它的文字，子曰：「予欲無言」。就是這意思，以文字之古去尊經，那將要貽買櫝還珠之誚了。所以最好的讀經方法，應當是設法把經義完全用通俗的言語解釋出來，使之接近大衆，英詩人雪萊（Shiller）有句道：「神愈近人，人更像神。」（While the god remained more human, the men were more divine.）經書的解釋，愈能通俗，必愈能爲大衆所接受。

二、經無愚民之意

至於說讀了經會使人頭腦頑固，無法接受新的知識，那更是不通之論，詩經說：「先民有言，詢于芻蕘。」書經說：「滿招損，謙受益。」論語說：「素夷狄則行乎夷狄。」又說：「殷因於夏禮，所損益可知也，周因於殷禮，所損益可知也。」何曾有教人執一不化，故步自封的意思？相傳有塾師教學生說：「人能實行論語一句，便可稱爲聖人之徒。」有一學生立卽答道：「我已行了三句，應該是聖門高足了。」塾師問他行的是那三句，他說：「食不厭精，膾不厭細，狐貉之厚以居。」使得塾師啞口無言。用這種斷章取義的方法去讀經，那是讀經的不善，用這種斷章取義的態度去批評經，那只是批評者的淺薄，決不是經義本身不健全。喊打倒孔家店的人們把論語中的「民可使由之，不可使知之」拈出作藉口，攻擊孔子是愚民政策的倡導者，於是有衛道之士，改變這兩句的讀法爲「民可，使由之；不可，使知之。」說孔子幷無愚民之意，乃是後人句讀的錯誤。這辯解雖極巧妙，然實際上大可不必，這兩句的讀法，根本不錯，誤會發生在「可」字的解釋上，此處「可」的解釋同於能字，前人注解中已講過。可的本義是就主觀的成見言，能字的意思是就客觀的事實說，孟子說：「大匠能與人規矩，不能使人巧。」後一能字便是就客觀事實言的，大匠何嘗不想使人巧，無如學者爲天資所限，無法做到大匠的巧。明白了這事實，便知不能的責任不在大匠，而在學者本身。一個大政治家必須有高瞻遠矚，洞燭機先的眼光，然後可收政治上的興革之效，致國家於富強康樂之域，但一說到興革，就不免遭到人民的反對，因爲一般人民都是只顧小我目前之利的，你教他們忍一時之痛，圖百世之利，他們都是不願意的，所以左傳載鄭子產執政的初期，鄭國的人民作歌咒他說：「取我衣冠而褚之，取我田疇而伍之，孰殺子產，吾其與之。」到了第三年人民見到改革的利益，於是作歌頌他說：「我有子弟，子產誨之，我有田疇，子產殖之，子產而死，誰其嗣之？」在子產上臺之初，如果事事要先得到人民的同意再去做，那絕對的行不通。今日的鐵路運輸之方便，任何人不會否認，可是當中國第一條鐵路在淞滬線上敷設完成的時候，當時的人民認爲破壞了他們的風水，羣起反對，將路軌拆掉，將車頭擲入海中，如果要尊重這種民意的話，中國勢必至今仍停滯在牛車道上。美國大總統林肯站在人道立場，堅決的執行他的黑奴解放政策，當時不僅是南部的地主反對他，一部份被解放了的黑奴也罵他。這是有關社會福利的例子；再就政治上說，爲了國家的安全，有許多施設上的機密，絕不能讓大衆知道，英國是民主的先進國家，但英國的預算數字，習慣上未經國會討論之先，絕對不許外洩，過去就有某財長因洩漏預算數字而被迫離職。英國人民愛國心之強，權利觀念之重，都是世界首屈一指的，他們爲什麼甘心情願讓政府隱瞞他們呢？箇中的消息，就要向蘇格拉底給那個好講公道，而不知公道爲何物的青年的指示——欺騙是否公道，不在行之於敵友之間分別，而在其動機上分別——索解，那就是說，動機如果是爲了民族國家的利益，一時欺騙人民，也不算錯。孔子這兩句話，實在是政治上千古不磨的名言，試看現在世界各民主國家的政府，那一個能反此道而行？至於孔子之不主張愚民，我們只須看他說的「以不教民戰，是謂棄之。」「既富矣，而後敎之。」這些話就可以得到證明。德人戈貝爾倫茲（G. Von der Galbelentz）在所著「孔子與其學說」一書中說：「吾人欲測定史的人物的偉大程度，適當的方法，就是觀其人物所及於人民方面感化力的大小，存續的長短，和強弱的程度如何，用此法測定孔子，實在不可不說他是人類中最偉大人物之一，因爲經過二千年以上的歲月，直到今日，使全人類三分之一，在道德的，社會的，和政治生活三點，全然存續於孔子的精神感召之下。」簡而言之，孔子的學說和人格是人類歷史中最經得起考驗的。經書雖非孔子手著，而其學術的建立，則全出於孔子，孔子的偉大在他的學說思想中所具的眞理，所以我們當以認識眞理的態度去硏究孔子的爲人和他所建立的學說。若以意氣之爭，而隨便抹殺一個偉大的人格和民族文化的源泉，决不是講求學問的態度。

三、經書不可不讀

至於說經書是古董，那是無可否認的，但要知道古董就是歷史，夏周的鐘鼎，殷墟的甲骨，不都是古董嗎？地下掘出的北京人頭骨，不也是古董嗎？我們現在不是正憑着這些古董在硏究上古的文化和生物嗎？我們讀書經可以知道上古的政局，讀周禮可以知道周代的政制，讀易經可以知道古代的社會心理，讀詩經可以知道周代的民風國俗，讀春秋可以知道周末紀綱之壞，讀論孟可以知道儒家精神所在，這些不都是有益於我們的歷史知識的嗎？如果我們不反對一個國家的人民應該了解他的本國文化，我們就不當反對讀經。至於晚近學者說六經都是孔子爲託古改制而作，更有許多經傳是出劉歆僞造，並非上古原史料，值不得硏究。姑無論這些意見，幷無足夠的證據，即使退一步言，這些經書都是假托的，但也可像柏拉圖的理思國一樣，從它認識中國古代政治思想之一斑，何况這二千多年來的中國社會制度，民族思想都是由這些經典範鑄而成的呢？我們看充滿了神話的新舊約，現在還被西洋學者列在世界必讀名著之首，並未因它不合科學的進化原則而予以揚棄，中國所有經書的記載，至少並未有十分違反科學原則的，爲什麼我們不可以讀柏拉圖理想國的態度去讀它？又有人說，經書文字艱深，有些至今不得確解的，在畢生研究它們的學者尙無法澈底了解，現在教一般學力淺薄的青年去讀它，豈不是浪費光陰和精力嗎？這一說法，一方面暴露了學者的不負責，一方面是否認後生可畏的古訓。經書中有許多尙未徹底解決的文義，正是每一個學者應該負責尋求解決的，如果我們肯繼續不斷的研究下去，集思廣益，終必有完全解決的一天，若因噎而廢食，那就永無徹底解決的一日了，青年學生頭腦靈活，假想力強，如果讓他們來共同研究，也許有爲我們所不敢假定，或者是設想不到之處爲他們所發現所假想到的，也正未可知，如果我們不讓青年讀經，那是我們自暴自棄不說，還把下一代也連帶的暴棄掉，實在不是教育之道。朱用純治家格言說：「子孫雖愚，經書不可不讀。」所以我認爲從任何一個角度去判斷，經書都有他讀的價値，而且是應該讀的。

第三編　史學

緒論

甲、史的定義

什麼叫做史？梁起超說：「記述人類社會之體相，較其總成績，求得其因果關係，以爲現代人活動之資鑑者也。人類情感理智意志所產生，皆活動之相，即皆史之範圍也。」簡單的說，史就是人類過去一切活動的記述，但這是屬於現代史學的解釋，而與中國古代所謂歷史有廣狹義之別，中國古代的史學，正如曾鞏在南齊書序中所說：「蓋史者所以明夫治天下之道也。」故多偏重於政治方面的記述，雖然也附帶的述及有關經濟、社會、文化各方面的活動，但都只列於附從地位，不作主體看。本編所論，都是國史舊籍，不及現代史，故於史的取義，也是稍偏於狹義的。

乙、史官的建置

由於中國的歷史偏重在政治方面，所以史料的蒐集保存一向皆由政府設官專掌，漢志說：「古之王者，世有史官，君舉必書，所以愼言行，昭法式也，左史記言，右史記事，事爲春秋，言爲尙書，歷代帝王，靡不同之。」詩毛傳說：「古者后夫人必有女史，彤管之法，女史不記，其罪殺之。」這是周代及其前的史官制度。自孔子刪定尙書，因魯史修春秋，左丘明撰左傳國語之後，修史與掌錄史料的官職遂分而爲二，掌錄史料的官，漢代由宮中女史担任，魏晉時有職無官，後魏設起居令史，唐宋改稱爲起居郎，起居舍人，元於中書置時政科掌記錄，明初設起居注，後來併入翰林院，改由翰林及詹事官担任記注。清仍明制，是類史料均稱爲起居注或實錄。至於修史之官，西漢時武帝設太史公，位在丞相上，宣帝改爲太史令，行太史公文書而已，已不能盡修史之職。後漢時明帝以蘭臺令史爲修史之官，魏晉置著作郎，專掌修史之職，南朝四代均沿襲其制，隋以後史官多由大臣統領，名爲監修國史，明清兩代的史職，則屬於翰林院，所以翰林又有太史之稱。

丙、史的地位及功用

歷代政府既如此重視歷史，影響所及，民間文學也無不以史爲依皈，如傳狀碑誌一類的文章，固是以備史官採擇爲目標，而遊記小品文字，也無不或多或少取資於地方沿革古迹，至於戲劇小說，更有野史之目。所以中國史學一直占着中國文學中重要的地位。換言之，中國文學很少有完全獨立於歷史圈外的。錢大昕說：「仲尼贊修六經，而尙書春秋實爲史家之權輿。」古代經史原不分家，自晉荀勗因魏中經更著新簿，創立四部之制，以經爲甲部，史爲乙部，把經史分家，更由於歷代科考均有明經一科，所以學者視經比史爲重，遂有經精史粗，經正史雜之論，把經的地位抬得高出於史。不知經的價值，完全靠了歷史而存在，如果離開了歷史，經只是一些空無依據的臆說，最多也不過同於柏拉圖的理想國而已。四部的劃分，雖然提高了經的地位，却判決了經的死刑，因爲大家認經爲聖人之作，誰敢作經，誰就會被狂妄的譏評，後世學者除了作經的傳注外，誰也不敢公然作此嘗試，楊雄王通雖欲私擬，也不免學術界的指謫；歷史被劃開之後，它的地位是抑低了，但它的生命却活躍了。作史既不犯擬聖之譏，而實有黜陟之權，故後儒凡懷才不遇，或於世道人心思有所匡救的，莫不托史以自見，現行的二十五史，半屬私撰，其它未列入正史的私著，或傳或佚的，綜計何止數百家之多，因此史學成了最有生氣的學術，不僅作史者可以攄懷抱，舒憤懣，吐出心中不平之氣，臧否世事，儆惕人心，就是讀史的人，尤其是那些無法無天的專制君主及蠻橫權貴，見了這些歷史上的口誅筆伐之嚴，也無不驚心動魄，恐遺臭萬年，而稍歛其兇燄，經的功用是指示給人宇宙的眞理，教人以爲人處世之道，但未有強迫人遵行的力量，史則旣指出人生大道，更有一種迫着人循着這大道前進的力量，所以就端正人心的功效言，史的力量實比經爲大。

丁、修史者應具的條件

史的功用，誠如上述，但發揮這種功用幷不是一件容易的事。劉知幾史通認作史者須具備才學識三長，然後能有良史產生，這是很正確的。所謂才就是文字組織的技巧，所謂學就是參考資料的廣博，所謂識就是是非褒貶的精當。作史者最基本的工作，便是參考資料的涉獵，孔子修春秋，必觀史於周，幷先蒐集百二十國寶書，司馬光作資治通鑑，參考僅野史資料卽達二百數十種。參考資料愈豐富，史實必愈詳確，此非有足夠的學力不爲功。故修史不可不學。但資料多，而編排不善，亂雜無章，也爲修史所忌，把豐富的史料有條不紊的組織起來，使讀者一目了然，無雜沓牴牾之弊，便是作史者才能的表現，故作史不可無才。但有豐富的史料，良善的組織，而無精當的判斷，仍不能稱爲良史，春秋之美，就在褒貶的得當。陳壽撰三國志評諸葛亮將略非所長，後人因謂其意在報弒父之仇，魏收作爾朱榮傳有「若修德義之風，則韋彭伊霍，夫何足數」之評，時人遂謂其收榮子賄賂，故爲其父作佳傳。這都是由論斷失當所召致的攻擊，寓褒貶於史筆，是中國史的特色，同時也是修史者最不容易討好的一個問題。所以識鑒在修史者是一個最重要的條件。

戊、史的類別

史部的類別，有從性質分的，起於梁阮孝緒的七錄，阮別史部爲十二類：國史、注曆、舊史、職官、儀典、法制、僞史、雜傳、鬼神、土地、譜狀、簿錄。隋書經籍志將其改爲十三類，幷立正史之名，舊唐書經籍志除變更一二名目外，分類全依隋志，宋史藝文志分爲十三類，明史藝文志減爲十類，四庫全書復分爲十五類：正史、編年、別史、雜史、詔令奏議、傳記、史鈔、載記、時令、地理、職官、政書、目錄、史評、紀事本末。這些分類雖夠詳盡，但都傷煩瑣。有從體製分的，是劉知幾史通的六家：尙書家——記言體，春秋家——記事體，左傳家——編年體，國語家——國別體，史記家——通史紀傳體，漢書家——斷代紀傳體。劉氏又簡括上六家爲二體，卽編年與紀傳，他認爲二體互有短長，編年體的長處，在以時日爲樞紐，一切事迹，按年月一檢卽得，無分敍重出的煩瑣，它的短處，就是有關個人的行誼，涉及國政者，雖婦孺必錄，但大儒隱逸，潛德幽光，每因與國事無涉，淹沒不彰；紀傳體的長處在以紀擧大綱，以傳詳細事，以表列年爵，以志補遺漏，不管是天文地理，朝章國典，達官貴人，山林隱逸，大大小小的事，無不網羅無遺。它的短處，在每一事涉及多方面者，必分途敍述，須參互對照，始能悉其首尾，不免重複煩瑣。因爲這兩體互有長短，所以正史雖用紀傳體，而編年的私著，仍并行不悖。到宋袁樞撰紀事本末，創立了紀事一體（卽事類史），唐杜祐撰通典，創立了政書一體，（卽文化史），有此四體，中國的史學始臻完備，今卽以此四體爲本編論究的對象，其不屬此者，概從省略。

第一章　正史

前言

正史卽現行的二十五史，名目是：史記、漢書、後漢書、三國志、晉書、宋書、齊書、梁書、陳書、後魏書、北齊書、周書、南史、北史、隋書、舊唐書、新唐書、舊五代史、新五代史、宋史、遼史、金史、元史、新元史、明史，其中有五種完全是重複的，南史是宋、齊、梁、陳四書的重複，北史是後魏，北齊、周書的重複。新唐書是舊唐書的重複，新五代史是舊五代史的重複，新元史是元史的重複，有一種是半重複的，那就是漢書武帝以前的紀傳完全是史記下半部的重複。二十五史中除了史記外，都是斷代的紀傳體，獨史記爲通史的紀傳體，敍事上起黃帝，下迄漢武太初，因此紀傳體對先秦的史迹亦有完備的記述，使紀傳體能構成一個完整無缺的中國全史，這當是史遷所預料不到的。

一、史記

甲、編撰及定名

史記的編撰人爲司馬遷，他的先人世爲周室太史、他父親司馬談於漢武帝建元、元封之間爲太史令，據遷自述，其父臨終遺言說：「余爲太史，而不論載，廢天下之文，予甚懼焉。爾其念哉！」他流涕答道：「小子不敏，請悉論先人所次舊聞，不敢闕。」是馬遷之撰史記，既係秉承遺志，同時所用史料，也多半是他先人所次的舊聞。他在撰著期中，因論救李陵，下獄受腐刑，他爲了要完成這部著作，只好忍辱偷生，前後歷十七八年書始脫稿，又經過好幾年的修訂，故全書之成，費時在二十年以上，他所用的參考資料，有六經異傳，百家雜言，左傳、國語，世本、戰國策，以及楚漢春秋等書，所論史蹟，共二千六百三十六年，全書共一百三十篇，分爲十二本紀，十表，八書，三十世家，七十列傳。他家雖世爲史官，但本書則屬私撰，與政府無涉，加以他受刑之後，心懷怨憤，字裏行間，不無不滿現實之處，所以書成只能藏之名山，傳之其人，不敢公布於世，至宣帝時才由他外甥楊惲爲之公布，因此他幷未爲這部大著定下一個名子，書初出世，有稱它爲太史公書的，有稱它爲實錄的，有稱它爲太史記的，魏志因古有史記之名，遂稱之爲史記，隋書經籍志因之於史部之首列史記一百三十卷，自是史記一名遂由古代的泛稱變爲史遷書的專稱了。

乙、體製

本書的體例，爲史遷特創，他這一體製攝取了前代各種史書體例之長，奠立了後代各種史體的規模，實爲中國史學上一大建樹，本紀序帝王，以事繫年，乃仿春秋首舉天子正朔以明大一統之義，其例非大事不書，比之於春秋的經文；世家載諸侯，列傳載卿士，委曲周詳，以與紀相表裏，正如左氏之傳經；十表因譜象形，桓譚新論說：「旁行斜上，幷效周譜。」劉知幾史通說：「使燕越萬里，而徑寸之內犬牙可接；昭穆九代，而方寸之中雁行有序。」的確，像三代的年世是那麼綿邈，春秋戰國的時事是那麼錯綜，如果未有那些表以爲對照之助，讀史的人要想把那些散記的人與時融會貫穿成爲一系，將大爲不易。而且在歷史中有許多人物，地位足輕重，行誼無可述的，列之於表，便可省却文筆上的浪費，淸儒有專作歷代史表的，實由有鑒其功用之大。八書記禮樂刑政，將紀傳中所載不詳及全部遺漏的國家政令彙集於一篇，既省讀者搜尋之苦，又可使每一事類首尾畢具，乃仿自尙書禮經，實爲後來政書一體之所本。

丙、自亂其例

史記體例之完美，誠如前節所述，但史遷却不能嚴守這體例，而時有自亂其例之處，如史通本紀篇說：「遷之以天子爲本紀，諸侯爲世家，斯誠讜矣，但區域既定，而疆理不分，遂令後之學者罕詳其義，姬姓自后稷至於西伯，嬴自伯翳至於莊襄，爵乃諸侯，而名隸本紀，……必以西伯以前，其事簡略，別加一目，不足成篇，則伯翳之至莊襄，其書先成一卷，而不共世家等列，輒與本紀同篇，此尤可怪也。」按周本紀不僅因西伯以前，其事簡略，不足成篇，也含有一種數典不忘祖的意思，左傳中此類追記例甚多，離騷亦以帝高陽開端，此一例實不足爲史遷病，至於伯翳至莊襄另成一卷的原因，據德齡秦本紀考證云：「或曰：秦與始皇分紀，所以別嬴呂也，其論雖纖，理亦不誣。」據此，則史遷之將秦本紀與始皇本紀分開，實有微意在其中。但揆之本紀名實，終覺不安，史通說：「記之爲體，猶春秋之經，繫日月以成歲時，書君上以顯國號。」

伯翳至莊襄，既無天子爲本，紀元將何所繫？若爲別嬴呂，則分秦世家與秦本紀，豈不更爲顯著，又何必用本紀呢？而項羽本紀，尤爲不倫，史通謂：「春秋吳楚僭擬，書如列國，假使羽竊帝名，正可抑同羣盜，況其名曰西楚，號止霸王者乎？霸王者卽當時諸侯，諸侯而稱本紀，求名責實，再三乖謬。」這還是就大義上講，按之史記本身的例子，也極不相合。本紀旣所以序一代帝王，例當稍示尊敬，所以夏殷周本紀均用國號爲區別，始皇高祖本紀均用廟號爲區別，文景諸本紀均用謚號爲區別，未有直斥其名者，獨項羽本紀逕呼其名，這是與其它本紀書例顯然不同之一；本紀之當用本身的紀元，前已說過，秦本紀雖不合體例，然其紀年曰：「秦侯立十年」。「公伯立三年。」「秦仲立三年。」「襄公二年。」「世父七年」等，均用的是本身的紀元，而項羽本紀先用秦年，後用漢年，連西楚年號亦不用，這是與其它本紀書例顯然不同之二。史遷徒以羽將五諸侯滅秦，裂天下而封王侯，政由己出，遂列之於本紀，不惟未有顧到自己所訂定的體例界限，連書例也都自亂了。這不能不說是一遺憾。又按帝王統紀，應該以正位爲準，不當以在位之修短爲準。魯閔公在位僅二年，春秋古經仍列其年號，惟公羊家以爲孝子三年無改於其父，附閔於莊，去其年號，然猶有說，孝惠帝承繼高祖正統達七年之久，雖曰政由母后，但名號自在，乃史記不爲孝惠作紀，而爲呂后作紀，而呂后紀中又皆用孝惠紀元，全書爲例之惡，再未有逾此者，後代女主臨朝之盛，實由史遷此紀爲之鼓勵。世家一體，原爲諸侯之受命開國承家，世代相襲者而設，但陳勝起義於戍卒，稱王不過六月而亡，既無王命之封，又無世襲之嗣，史記却列之於世家。孔子棲旅於衰季之世，無尺土之封，史記亦列之於世家，在史遷的意思，或者以爲陳勝首先發難，功在不朽；孔子師表萬世，理當血食，故本春秋褒貶之義，特破其例。不知「無臣而爲有臣」，孔子所不取，春秋經文有貶爵之例，如杞文公用夷禮，貶書爲杞子，有抑僭稱之例，如楚自稱王，經皆書子。未嘗因獎某人之行，而提高其爵位稱呼者。故遷此等處用意雖善，殊乖名實。劉知幾說：「夫史之篇目，皆遷所創，豈以自我作故，而名實無準。」王安石說：「而遷也自亂其例，所謂多所牴牾者也。」列傳一體，據章學誠文史通義繁稱篇說：「史遷創列傳之體，列之爲言，排列諸人爲首尾，所以標異編年之傳也，然而列人名目，亦有不齊者，或爵（淮陰侯之類）或官（李將軍之類）或直書名，雖非左氏之錯出，究爲義例不純也。或曰：遷亦有微意焉。夫據事直書，善惡自見，春秋之意也，必標目以示褒貶，何怪沈約魏收諸書直以標題爲戲哉！況七十列傳，稱官爵者偶一見之，餘幷直書姓名，而又非例之所當貶，則史遷創始之初，不能無失云爾，必從而爲之辭，則害於道矣。」蓋史遷好奇，興之所至，往往自亂其例，白圭之玷，誠爲可惜。

丁、殘闕及竄亂

史記一書，據太史公自序及報任安書所說，都顯示它是一部已完成的作品，漢書本傳稱其十篇闕，有錄無書。張晏注以爲遷歿之後，亡景帝紀、武帝紀、禮書、樂書、兵書、漢興以來將相年表、日者列傳、三王世家、龜策列傳。劉知幾以張晏之注非是，說「十篇未成，有錄而已，元成之間，褚先生更補其缺，作武帝紀、三王世家、龜策日者等傳」。四庫提要謂：「今考日者龜策二傳，幷有太史公曰，又有褚先生曰，是爲補綴殘稿之明證，當以知幾爲是也。」仔細推敲，提要此論，殊嫌曖昧，劉知幾的意見是站在漢志方面的，以爲史記所闕十篇，是史遷本身未完成，幷非佚失，如果所闕十篇眞是有錄無書，史遷根本未作，那麼日者龜策二傳就不應有太史公曰了，今二傳既有太史公曰，顯然是二傳雖佚，尙有殘簡，幷未全失，如謂史遷於二傳都只寫了一半，未曾完篇，衡之著作常情，决未有將甲篇寫一半擱下，再去寫乙篇，而又將乙篇寫了一半擱下之理。這兩篇所存太史公曰的殘簡，正足以證明張晏的意見是對的，班固劉知幾的意見是不對的。魏志王肅傳說：「武帝聞其述史記，取孝景及己本紀覽之，於是大怒，削而投之，於今此兩紀有錄無書。」這也是認史記是已完成的意見。張照孝武本紀考證云：顏師古謂序目無兵書。是班固所云十篇缺者，只缺九篇，張晏稱褚先生補書惟一本紀一世家二傳，而餘篇爲誰所補，並無說明，然則其五篇之果缺與否，頗成疑問。就我個人的看法，史記之殘缺，毫不成問題，惟孝武尙在，事業未終，例不當爲作本紀，所以孝武本紀决非史遷所作，王肅傳所說的武帝削而投之，當非事實。也許有人會問，如無孝武本紀，則只十一本紀，豈不與史遷說的十二本紀相違？我的答案是，史遷已作十二本紀，所佚失的是孝惠本紀，，而非孝武本紀。何以見得呢？孝惠在位七年，不應無本紀，前節已論其不合。史遷既爲良史，應當不會荒謬至此。細讀呂后本紀，所載均婦女妬忌之事，不及大臣除拜，焉有七年皇帝，無一封降除拜可述之理？再看目錄中所載諸侯年表，第六爲高祖功臣侯年表，第七爲惠景間侯者年表，第八爲建元以來侯者年表。公侯大臣之除拜，例登本紀，侯者年表，照例是以本紀爲根據的，現在既有惠帝年表，而無惠帝本紀，顯然是本紀佚失了，决非原書未作。班固言史記十篇有錄無書，不過根據褚少孫所釋者而言，褚少孫爲宣帝時博士，時間早於班固百多年，班固之時，史記已被補足，固已無由得見原本目錄，故以原錄有孝武或今上本紀者，皆係為褚少孫所惑。由於褚少孫誤以呂后本紀代替孝惠本紀，而另作孝武本紀以滿足十二本紀之數，至造成許多臆說（如武帝削投景武本紀之類）。至其餘各篇的補作問題，以日者龜策傳為褚先生所補的證明來推斷，當然也是褚先生的手筆。趙翼廿二史劄記說：「按史公自敍十二本紀、十表、八書、三十世家、七十列傳，共百三十篇，五十二萬六千五百字，是史公已訂成全書，其十篇之缺，乃後人遺失，非史公未及成，而有待於後人補之也。」可為此一問題的定案。本書在殘闕問題之外，還有竄亂之處，據四庫提要稱：「周密齊東野語摘司馬相如傳贊中有揚雄以為靡靡之賦，勸百而諷一之語，又摘公孫宏傳中有平帝元始中詔賜宏子孫爵語。焦竑筆乘摘賈誼傳中有賈嘉最好學，至孝昭時列為九卿語。皆非遷所及見。王竑白田雜著亦謂史記止紀年而無歲名，今十二諸侯年表上列一行，載庚申甲子等字，乃後人所增，則非惟有所散佚，且兼有所竄易，年祀綿邈，今亦不得而考矣。」觀此，則本書之為後人增補竄易者，已不在少，實為一大不幸。

戊、所受批評

世間的事物，只要是價值高的，所受批評必多，史記自無法例外，關於對它體例的批評，前面已引述過不少，關於它的立旨方面的批評，則當以班固在馬遷傳中所下者為最早，他說：「其是非頗謬於聖人，論大道則先黃老而後六經，序游俠則退處士而進姦雄，述貨殖則崇勢利而羞賤貧，此其所蔽也。」但他又在論贊中說：「然自劉向揚雄博極羣書，皆稱遷有良史之才，服其善序事理，辨而不華，質而不俚，其文直，其事核，不虛美，不隱惡，故謂之實錄。」傳中的批評，是指立旨的不當，贊中的批評，是指才能的卓越。裴駰以爲「固之所言，世稱其當。」劉知幾史通中的批評，也與班固在傳中的批評相近，他說：「太史公述儒林則不取游夏之文學，著循吏則不言冉季之政事，至於貨殖爲傳，獨以子貢居先，掩惡揚善，既忘此義，成人之美，不其闕如。」浦起龍通釋謂劉氏此批評非譏游夏等不列傳之失，乃譏不當以子貢入貨殖傳。我以爲劉氏的譏評，乃是說游夏文學優良，史遷不列之於儒林之首，子貢貨殖賤事，却居貨殖之先，譏其不揚聖門之善，而揭聖門之短，不合君子隱惡揚善之意。劉氏以游夏與子貢，貨殖與儒林，兼提并舉，實不止爲子貢一人而發。至就子貢貨殖一事而言，並非短失，孔子說：「賜不受命，而貨殖焉，億則屢中。」從後一句去推敲，孔子所歎，爲子貢惜其偏才，幷無深責之意，而且「富而可求也，雖執鞭之事，吾亦爲之。」是孔子的自白，他何嘗以貨殖爲惡事？故如以子貢列貨殖傳，爲不合掩惡之意，殊非的論。劉氏又就文字方面批評說：「史記鄧通傳云：文帝崩，景帝立。向若但言景帝立，不言文帝崩，斯亦可知矣，何用兼書其事乎？」這更是不通之論，古來帝王承襲，有由禪讓者，有由繼承者，有由革命者，有由篡奪者，如不兼書，何以分明？容齋隨筆謂：「史記之繁處，必勝於漢書之簡處。」正指此等處而言。王充因史遷報任安書有發憤之語，遂斥史記爲謗書，章學誠在文史通義中辨正說：「今觀史遷所著書，如封禪之惑於鬼神，平準之算及商販，孝武之稗政也，後世觀於相如之文，桓寬之論，何嘗待史遷而後著哉？遊俠貨殖諸篇，不能無所感慨，賢者好奇，亦洵有之，餘皆經緯古今，折衷六藝，何嘗敢於訕上哉？」至於三國譙周所著之古史考及清人邵泰衢所著之史記疑問二書，專門從史遷徵引敘述史蹟之牴牾罅漏處加以糾釋，倒是有益於原書的作品。平情而論，詩書尚難見信於孟子，世上何來完全無疵的著述？不過就史記本身比較其得失，誰也不能否認它的功當在過之上，鄭樵稱譽它說：「六經之後，惟有此作。」就它在創作方面的貢獻說，初非溢美。

二、漢書

甲、撰述經過及卷數

本書是東漢蘭臺令史班固所撰，它的起因是這樣的：司馬遷著史記，終於漢武太初，太初以後的事就未有了，西漢末年一般學者紛起續修，其中最有名的為劉向劉歆揚雄蕭奮劉恂等，他們把西漢的史事續至哀平之世。但因這般人都曾受王莽羅致，常有美新之論，深為東漢人所不滿，於是司徒掾班彪便採集舊事，旁貫異聞，繼太初後作傳六十五篇，以為史記的續編，彪死後，他兒子班固以為這不成為獨立的著作，便就史記和他父親所續的資料來重加編撰，起於高祖起義，終於王莽之誅，凡十二世，二百三十年，斷代為史，自成一格，書未完成，被人控告，說他私改國史，於是朝廷下詔京兆將他逮捕，抄沒其書入官，經他弟弟班超上書辨白，說固續父所作，并未私改國史，明帝審知屬實，乃釋出，并徵為著作郎，令完成父業，後因受大將軍竇憲之累，卒於洛陽獄中，稿頗散亂，無人可理，固妹班昭，博學能文，和帝便命其就東觀藏書，續成固書，班昭整理固稿，并續撰八表，但天文志仍未能完成，復由待詔馬續為之完成。故本書前後經四人之手，歷年四十，才告完成。據固所定目錄，全書述紀十二，述表八，述志十，述列傳七十，凡百篇。每篇爲一卷，共一百卷，隋書經籍志作一百十五卷，現行本作一百二十卷，原因是後人將卷册過重的分了許多子卷。

乙、體例的得失

漢書因襲史記之例雖多，但修正變更者亦不少，如漢書之名，便是仿尚書的虞書、夏書、商書、周書之名而定；在時間上改通史爲斷代史，尤爲首創；在體製上廢世家爲列傳，改項羽本紀爲列傳；史記的八書，他改爲十志，史記的十表，他改爲八表。在這些改變和修正中，頗有裨於史例。但在另一方面却現出不少的疏失，如古今人表列入了許多漢以前的人名，超越了時代的斷限，實爲自壞其體例，在文字方面因爲西漢初年的許多資料不得不沿用史記所有，遂有全抄史記原文的，史通因習篇說：「蓋著魯史者不得謂其邦爲魯國，撰周書者不呼其上曰周王，如史記者，事總古今，勢無主客，故言及漢祖，多爲漢王，斯亦未爲累也。班氏既分裂史記，定名漢書，至於述高祖爲公王之時，皆不除沛漢之字，凡有異方降款者，以歸漢爲文，肇自班書，首爲此失，迄於仲豫，仍踵厥非，積習相傳，曾無先覺者矣。又史記陳涉世家稱其子孫至今血食，漢書復有涉傳，乃具載遷文。案遷之言今，實孝武之世也，固之言今，當孝明之世也，事出百年，語同一理，卽如是，豈陳氏苗裔，祚流東京者乎？斯必不然。」錢大昕跋漢書也說：「史記以數人合爲一傳，一篇之中，首尾相應，漢書則人各爲篇，略以時代事類相從，與史公合傳之例，固有別矣，然多承用舊文，不加刊削。史公作陳平世家，附見王陵事，今陳王各爲一篇，而敍陳平事於王陵之後；史公作張蒼列傳附見周昌、趙堯、任敖諸人，今張、周、趙、任各爲一篇，而敘張蒼事於任敖之後，在張陳之傳則闕而不完，在王任之傳，則贅而無當，以及竇田衛霍諸篇，多沿斯失，於是史公錯綜變化之文，皆齟齬而不相入矣。」蓋史遷之失失在奇，班固之失失在泥，這正是二人才氣大小不同的表現。

丙、攘竊之嫌

由於漢書多所因襲，而因襲處又不標明出處，所以後人於班固人格有許多批評，最厲害的是說他：「遺親攘美，徵賄鬻筆」。史遷史記自序，首引其父談所論六家要旨，并述其父臨終囑其以修史爲念，且說他的著作是「論先人所次舊聞」，語必稱先。班固漢書多踵其父彪所作後傳，而敘錄中除收彪王命論一首外，於彪繼史遷作後傳事，隻字不提，而敘傳下篇自敘撰著緣起，直接史遷，一若無後傳者，遺親攘美，罪證顯然。顏師古於韋賢傳「司徒掾班彪曰」下注說：「漢書諸贊，皆固所爲，其有叔皮先論述者，固亦具顯以示後人，而或者謂固竊盜父名，觀此可以免矣。」四庫提要也引此以爲班固迴護。按班彪所作後傳共六十五篇，今固書中用「司徒掾班彪曰」顯示之者，僅韋賢，翟方進、元后三傳，好像除此三傳贊語外，更不復有彪遺著者，這正是黠賊手法高明之處，師古及提要所辨，實有所蔽。關於徵賄鬻筆一案，文心雕龍說：「公理辨之究矣，是無其事也。果眞公理之辨，足以服人，則劉知幾就不會還在史通曲筆篇說「班固受金而始書」了。而且劉知幾於班固創立斷代史，曾大加讚譽，他決不會隨聲附和，去厚誣他所推崇的人。故班固受金之謗，雖查無實據，要必事出有因。至於班氏的識解，我們看前節所引他批評史遷的話，他是自命高出史遷的，但後漢書班固傳論說：「彪固譏遷以爲是非頗謬於聖人，然其論議，常排死節，否正直，而不敘殺身成仁之爲美，則輕仁義賤守節愈矣。固傷遷博物洽聞，不能以智免極刑，然亦身陷大戮，知及之而不能守之，嗚呼！古人之所以致論於目睫也。」所以就識鑒及人格來比較，班固於史遷都有遜色。

丁、僞本的出現

漢書成後，和帝以其義蘊宏深，不易通了，乃選高才郎馬融等十人伏閣下從固妹班昭受讀，足見本書在當時受政府重視的情形，遠非史記不敢及身公布，以致遭受散佚的不幸可比。注漢書者，據史通說：「始自漢末，迄乎陳世，爲其注解者，凡二十五家，至於專門受業，遂與五經相亞。」又遠勝於史記自晉宋以下始有寥寥幾個音注家的情形，故漢書最爲完備可靠，但南史蕭琛傳有琛得漢書眞本於北僧，以餉鄱陽王範，獻於東宮的記載，又劉之遴傳有太子（卽昭明）以漢書眞本令之遴與張纘到溉陸襄等參校異同，之遴錄上其異狀數十事的記載。齊召南和四庫提要都曾據之遴所錄異狀加以駁斥，斷定其爲梁人僞撰。由於事證確鑿，這一所謂的眞本出現，對於漢書幷未發生任何影響。

三、後漢書

甲、名義及編撰經過

本書是宋范曄所撰，不名續漢書，而名後漢書者，續漢書非獨立之名，不合斷代史例，西漢東漢雖屬一姓，但東漢情同再造，與西漢斷限甚明，名爲後漢書，不僅可別於班固漢書，亦所以明歷史斷限。范字蔚宗，初爲彭城王義康冠軍參軍，後爲尙書吏部郎，因忤義康，左遷宣城太守，悒鬱不得志，乃廣集門徒，窮覽舊籍，繼班固漢書撰爲後漢書，起光武終獻帝，成紀十卷，列卷八十卷，共九十卷，志未終篇，坐與孔熙先謀爲大逆，伏誅，遂全佚散。先是，晉高陽王睦之長子司馬彪以漢中興之後史實，無精確記載，因繼班固漢書，綴其所聞，起於光武，終於孝獻，撰爲續漢書，凡爲紀志八十篇。梁剡令劉昭以彪書紀傳太略，而曄書無志，乃割彪志以附曄書，使後漢書成爲一完整之作。故本書一百二十卷，出范曄手者九十卷，出司馬彪手者三十卷。

乙、優異之由

關於東漢歷史的撰修，自明帝起，即詔班固陳宗尹敏孟異等作世祖本紀，幷撰功臣及新市平林公孫述事，成列傳載記二十八篇，直到漢末，蔡邕楊彪盧植等相繼撰述著不下十餘人，前後共得一百四十三篇，是爲東觀漢紀。在這些本朝詔撰者之外，漢後個人所修者，則有吳謝承的後漢書百三十卷，晉薛瑩後漢記一百卷，晉司馬彪續漢書八十三卷，晉華嶠後漢書九十七卷，晉謝忱後漢書一百二十二卷，晉張瑩後漢南紀五十五卷，晉袁山松後漢書一百卷，晉袁宏後漢紀三十卷，晉張璠後漢紀三十卷，晉孔衍後漢尙書六卷，後漢春秋六卷，宋劉義慶後漢書五十八卷，張溫後漢尙書十四卷。因爲東漢史料如是衆多，所以范曄只須刪煩補略，去取得當，便可成爲良史，在這一方面，范氏也確有很好的成就，王先謙後漢書集解序說：「范蔚宗氏後漢書拔起於衆家之後，獨至今存，其褒尙學術，表章節義，既不蹈前人所譏班馬之失，至於比類精審，屬詞麗密，極才人之能事，雖文體不免隨時，而學識幾於邁古矣。」范氏自己對他這著作也很自負，他在獄中給他甥侄的書中說：「班氏最有高名，既任情無例，不可甲乙辨，後贊於理近無所得，惟志可推耳，……吾雜傳論，皆有精意深旨，既有裁味，故約其詞句，至於循吏以下及六夷諸緒論，筆勢縱放，實天下之奇作，其中合者，往往不減過秦論，嘗共比方班氏所作，非但不愧之而已。」

丙、所據底本

因爲在范書之前的後漢史書已如上述之多，范氏採取諸家資料，自不免襲其原文，如列傳中劉平趙孝淳于恭江革劉般周磐趙咨傳序，全用華嶠後漢書文，袁安傳論頭半，中興二十八將論首七句及肅宗紀論首二句，亦皆用華嶠書文，故章宗源等說范書全本華書。按范書摭用華文者，章懷太子注均爲揭出，爲數并不太多，而且史通謂晉室東徙，華書散佚，僅存三分之一，范又何從全本華書？實則范書的底本當爲東觀漢紀，這不僅因東觀漢紀的作者，既皆有名學者，而且均爲當時人，見聞既切，義法也嚴，最足以供參稽，衡之情理，范氏自當取資乎上；同時范氏也在書中有所透露，他在明八王傳序中說：「陰貴人生梁節王揚，餘七王本書不載母氏。」所謂本書卽是底本，章懷太子注：「本書謂東觀漢紀也。」至於漢魏之交的史迹，爲東觀漢紀所不及載者，陳壽三國志已先問世，故范書荀彧已下十傳及東夷，烏桓、鮮卑諸傳多採三國志。要知，史書重在敍事詳覈，取材精當，如果舊籍中事實既可據，文義復精審，自不妨抄摘挪用，如史遷之採尚書，班固之襲史記，已有先例，并不爲病。如以「維古於辭必已出，降而不能乃剽賊」的觀念來批評史書，那就欠當了。趙翼說：「後漢成書旣多，范氏採擇自易。」但我在前面已說過，採集資料，乃學力上事，資料雖多，如果編排不善，擇斷不精，即如無才識以相駕馭，仍將作不出良史。試看上舉後漢史書之多，諸家何嘗無互相採用之資？爲什麼范書一出，諸家之書悉被淘汰呢？足見范書之能獨存者，實有它存在的條件，決非偶然。王應麟說：「史裁如范，千古能有幾人？」史書的優劣，全在裁斷上分，不在轉抄上分，這是評范書所當明白的。

丁、體例因革

范氏所取體例，多從史遷，然亦小有因革。在本紀方面，東漢本有十三帝，范氏只作九紀，因他以殤帝生未兩歲，在位不過一年，無政績可述，故附於安帝紀，冲質二帝在位也各只一年，故併附於獻帝紀，少帝在位半年而廢，故附於靈帝紀。在帝紀之外，所有皇后悉納入皇后紀，按皇后立紀，始於史遷之呂后本紀，因其臨朝稱制，與皇帝無異，故以皇帝之體待之，其未臨朝者，幷不爲作本紀，范曄大概因後漢臨朝者六后，女主之風，遠過前漢，與其分作紀傳，不如一視同仁，悉作本紀，這是他改變史遷之處。列傳八十，中有十一彙傳，彙傳之名襲承前史者則有循吏、酷吏、儒林三傳，餘八傳：黨錮、宦者、文苑、獨行、方術、逸民、列女、四夷之名，均所自創。史遷列傳次第，不依時代先後，全以類從，班氏曾譏其失，予以修正，范氏列傳，則不從班氏，仍採史遷以類相從之例，正所謂見仁見智，各有所主。

戊、八志之劃併

本書八志，乃劉昭劃自司馬彪續漢書，前文業已述及，但洪邁、孫承澤等則認爲范所自撰，這實在是一種誤會，這種誤會，大概起因於皇后紀皇女中有「事在百官志」，蔡邕傳中有「事在五行天文志」，東平王蒼傳中有「語在禮樂輿服志」，以爲志已在傳先成，實則范氏獄中致其甥姪書說：「欲徧作諸志，前漢所有者悉令備，……意復未果。」顯然是只有這計劃，并未完成，證以他在書中對紀傳的矜炫，幷無一語評及志的優劣的情形，則其志之有錄無書，更屬顯然。又據章懷太子注所引沈約的謝儼傳稱：「范所撰十志，一皆托儼，搜撰垂畢，遇范敗，悉蠟以覆車，宋文帝令丹陽尹徐湛之就儼尋求，已不復得。」也足以證明現有八志非范氏所作。劉昭以所注司馬彪八志三十卷補范氏之缺，乃是昭個人私擬，未經公認，所以直到唐朝，紀傳與八志仍各單行，唐朝選舉功令規定習後漢書者，必幷習八志，此官府承認劉昭劄併之始，到宋眞宗乾興元年，翰林學士孫奭奏請將八志與紀傳合刊，奉牒依奏施行，於是劄併才取得了合法地位。惟孫奭奏中有「范曄作之於前，劉昭述之於後。」的語句，於是又引起了少數人以八志爲劉昭所作的懷疑，實際乃由孫奭語意含糊所致。四庫提要說：「令於此三十卷幷題司馬彪名，庶以祛流俗之譌焉。」這不僅足以祛流俗之譌，也是不沒原作者的一種無上的功德。

四、三國志

甲、官史私史之辨

本書爲陳壽所撰，壽字承祚，原爲蜀漢觀閣令史，蜀亡，入晉，因張華之薦，舉孝廉，除著作佐郎，晉書本傳謂：「時人稱其善敍事，有良史之才，夏侯湛時著魏書，見壽所作，便壞己書而罷，張華深善之，謂壽曰：「當以晉書相付耳。」幷未說明本書爲官史抑係私史，據淸李龍官等奉旨校刊識說：「承祚奉命修史。」是認本書爲官史了。章炳麟說：「余素怪國志作於晉時，乃於陳留王傳數稱晉武之名，疑其爲私史，故然。」易培基謂：『承祚不辟晉諱，不僅陳留王傳，如明帝傳「司馬懿臨危制變」，蜀後主傳「魏使司馬懿由西城」，魏司馬懿張郃受命救祁山」，李嚴傳「平說司馬懿等開府辟召」，吳主傳「聞司馬懿南向」，又「司馬懿入舒」，諸葛恪傳「加司馬懿先誅王陵」；至名晉武：如三少紀書「中府軍司馬爽」者二，書「中壘將軍司馬炎」「撫軍大將軍新昌鄉侯炎」，「晉太子炎」者各一，承祚晉臣，不應不避其主之諱，其爲後人竄改無疑。』按全書中除上引數處呼名者外，餘均稱官稱爵，如果係後人有意竄改，何不全部竄改，而只竄改此數處？如果係後人於無意中轉抄譌誤，又何能如是自然？易氏之見，恐不足採。觀於本傳稱壽卒後，范頵等表請採錄三國志時，引武帝取司馬相如遺書爲喻，以及詔下河南尹洛陽令就家寫其書的事實，三國志實係陳壽私撰，死後乃由政府採錄作爲官史，故其書中避諱與不避諱，全隨行文之便，毫無拘束，章炳麟的意見是可信的。

乙、帝魏僞蜀之謬

本書全部共六十五卷，計魏志三十卷，蜀志十五卷，吳志二十卷，無志表。魏志有四紀：太祖武帝紀、文帝紀、明帝紀、三少帝紀，二十六列傳；蜀志計十五列傳，吳志計二十列傳，均無紀。就這種體例上觀察，陳壽顯然是以魏爲正統的，晉習鑿齒除作漢晉春秋以蜀爲正統，糾正其失外，更列舉理由說：「若以魏有代王之德則不足，有靖亂之功，則孫劉鼎立共王，秦政猶不見敍於帝王，況暫制數州之衆者哉？」但北宋時，司馬光撰資治通鑑，仍以魏爲正統，他明說：「非若春秋立褒貶之法，撥亂世反諸正也，正閏之際，非所敢知，但據其功業之實而言之。」更明白地說，司馬光是不顧理論，只據事實的。因此，南宋時朱熹又作綱目帝蜀僞魏以矯正之。四庫提要評此問題說：「然以理而論，壽之謬萬萬無辭，以勢而論，則鑿齒帝漢順而易，壽欲帝漢逆而難，蓋鑿齒時，晉已南渡，其事有類乎蜀，爲偏安者爭正統，此孚於當代之論者也；壽則身爲晉武之臣，而晉武承魏之統，僞魏是僞晉矣，其能行於當代哉？此猶宋太祖篡立近於魏，而北漢南唐蹟近於蜀，故北宋諸儒，皆有所避，而不僞魏；高宗以後，偏安江左，近於蜀，而中原魏地，全入於金，故南宋諸儒，乃紛紛起而帝蜀，此皆當論其世，未可以一格繩也。」這段話，看似公正，而實際仍在以不得已之勢爲陳壽開脫，古今來多少枉法失節之行，均藉不得已而遂行。獨歷史則不得藉此口實，壽之撰史，如前所論，乃屬私撰，如其畏禍，正可不作，若既作，則不當敗壞史法，以求倖免，董狐齊太史氏之所以被稱爲良史者，就在嚴守史法，死不虧職，壽史既已不避晉諸帝諱，卽使僞魏觸犯晉忌，書如不及身公布，也不會有及身之殃，有何迫不得已之勢，而爲此曲筆？其尤荒謬者爲蜀志之名，在歷史上原有不少篡竊國號，冒用美名者，修史者雖明知其名實乖舛，然必援用其所冒之名號以稱之，至多加一僞字於其上而已，如劉豫之僞齊便是，從未有廢棄其本來國號，而更加別名者。三國之國號，魏國之名，由於曹操曾受魏公魏王之封，曹丕襲其封爵，故篡位之後，卽以魏爲國號；吳國之名，由孫權曾受魏明帝之封爲吳王，故孫權稱帝，卽以吳爲國號；魏吳兩志，卽以其原來國號爲名，是應該的。劉備之稱帝，乃以宗室繼統，自比於光武，國號始終用漢，故與吳所訂盟約，均以吳漢對稱，從未以蜀爲號，或者是加蜀字於國號上。陸機辨亡論下稱：「昔三方之王也，魏人據中夏，漢氏有岷益，吳制荊揚而奄交廣。」是當時學者亦以漢稱蜀不以蜀稱漢。只因曹氏以正統自命，否認劉備承繼漢業，故一直以蜀稱之，此在敵國相詬，原不足怪，而陳壽以史家的立場，不知尊重本來的國號，而採取相詬之名以爲史稱，名實乖違，實古今中外所未之前見之惡例。後人之爲壽辯護者，謂壽於敍事中，仍多尊蜀，并無抑蜀之心，不知名不正，則言不順，前提既錯，敍事安能得其平？試看吳主傳中稱曹操均呼曹公，而稱先主則呼劉備，這不是尊操抑備而何？那些曲爲迴護者，眞不知何所居心！

丙、顛倒史實

俗話說：「狗口裏未有象牙。」同樣，一個邪曲的歷史撰述者，也決不會有公正的史筆，暫置正統不說，試看他記述曹氏司馬氏兩家逆迹就可見其一斑。魏武紀寫操之逐步晉封，惟見謙讓之辭，毫無逼主自專之迹，與後漢書獻帝紀所云曹操自領冀州牧，曹操自立爲丞相，曹操自立爲魏公加九錫，曹操進號爲魏王各種跋扈不臣之迹完全相反，尤其是高貴鄉公之被弒，漢晉春秋稱：「帝見威權日去，不勝其忿，乃召侍中王沈、尚書王經、散騎常侍王業謂曰：「司馬昭之心，路人所知也，吾不能坐受廢辱，今日當與卿自出討之，……於是入白太后；沈、業奔告文王，文王爲之備。帝遂帥僮僕數百鼓譟而出，文王第屯騎校尉伷入遇帝於東止車門，左右呵之，伷衆奔走，中護軍賈充又逆帝，戰於南闕下，帝自用劍，衆欲退，太子舍人成濟問充曰：事急矣，當云何？充曰：畜養汝等，正謂今日，今日之事，無所問也。濟卽前刺帝，刃出於背。」世語、干寶晉紀、魏氏春秋載此事大致相同，乃陳壽魏紀載此事僅謂：「五月己丑高貴鄉公卒，年二十。」寥寥數字，一若壽終正寢者。雖然接下去所載皇太后令中可以看出其被弒之迹，但這篇令文說的是高貴鄉公屢次圖弒太后，悖逆不道，司馬昭部下爲捍衛皇太后遂弒之。顚倒黑白至此，史書何以取信於後？本傳說他遭鄉黨貶議，沉滯累年，又說：「或云：丁儀丁廙有盛名於魏，壽謂其子曰：可覓千斛米見與，當爲尊公作佳傳，丁不與之，竟不爲立傳。壽父爲馬謖參軍，謖爲諸葛亮所誅，壽父亦坐被髡，諸葛瞻又輕壽，壽爲亮立傳，謂亮將略非所長，無應敵之才，言瞻惟工書，名過其實，議者以此少之。」足見其當時不理於人口的一斑。後之爲其辯護者說壽上諸葛亮集表，對亮稱美甚至，幷無絲毫嫌怨之迹，髡父之恨，當非事實。不知壽整理諸葛遺集，乃係受命而爲，朝廷既欲表揚諸葛公，他也只好望風承旨了。至於諸葛的將略，據漢晉春秋載，司馬懿「登山掘營，不肯戰，賈詡魏平數請戰，因曰：公畏蜀如虎，奈天下笑何？宣王病之。」因司馬懿忌人說他怕諸葛亮，不敢戰，所以陳壽評諸葛亮將略非所長，以爲司馬懿裝面子。又陳壽爲了掩飾魏晉篡逆之迹，所以敍事多從簡略，四庫提要反讚其簡質得法，正中陳壽詭計了。三國的史實，要不是宋文帝令裴松之作三國志註，裴松之把當時的史實在注中全盤托出，將整個被陳壽歪曲了。自從陳壽三國志開了這一歪曲史實的惡例，後代竟少有信史，故陳壽不止是三國的罪人，實在是中國史學的罪人。

丁、目錄非壽自撰

本書的目錄問題，章炳麟說：「觀國志篇目如武帝操，文帝丕之類，諸本皆同，斯例亦史家所無，儻承祚別有微意，非吾儕所能窺測耶？」這裏的微意，即疑壽有故加貶抑之意，柯劭忞說：「隋書經籍志三國志下注敍錄一卷，疑即是今本之目錄，……此敍錄一卷，當出於裴安期，不出於陳承祚，何以證之？目錄下附傳人名皆列傳中所有也，獨管寧傳下附胡昭、張臻、王烈、焦先四人，管寧傳僅載胡張之事，王烈焦先，則裴注有之，陳志所無，知目錄爲裴撰明矣。」這裏斷定目錄不出陳壽是對的，但未說出作目錄者之用意。就常例來說，目錄必與書中標題相應，而三國志目錄則不然，魏志篇中卷一首行標「武帝紀第一」，次行標「太祖武皇帝」，卷二首行標「文帝紀第二」，次行標「文皇帝」，卷三首行標「明帝紀第三」，次行標「明帝」，均未書名，今目錄稱「武帝操」，「文帝丕」，「明帝叡」，均以名諱替去「紀」字。蜀志篇中首行標「先主傳第二」，次行標「先主」，而目錄則標「先主劉備」，以名諱替去「傳」字。吳志篇中首行標「吳主傳第二」，次行標「孫權」二字，而目錄則標「吳主孫權」，以名諱替去「傳」字，這樣把三志的目錄形式整齊劃一，（微有不一者，爲魏帝均稱名不稱姓，蜀吳二帝則姓名幷稱。）顯然是有意對篇中標題的糾正。柯氏又說：「魏志三十卷後，接蜀志爲三十一卷，四十五卷後，接吳志爲四十六卷，若然，則前人謂三國各爲一書者爲妄言也。」按前人之所以有謂三國志各爲一書，體同國語者，乃在爲陳壽帝魏僞蜀作辯護，明其各爲一書，不相統屬，則可無軒輊於其間了，柯氏此說，正足以杜悠悠之口。

五、晉書

甲、撰修情形

晉書係唐貞觀中勅撰的史書，據史通所載，晉人修晉史的，已有陸機撰的三祖紀，束晳撰的十志，王隱父子撰的晉書八十九卷，干寶撰的晉紀二十三卷，鄧粲撰的元明紀十篇，孫盛撰的晉陽秋三十二卷，檀道鸞撰的續晉陽秋二十卷，王韶之撰的晉安帝陽秋。貞觀詔謂前後晉史十有八家，而隋唐二志所載不下二十餘家之多，史料可說是相當豐富了。關於撰修的人數，據舊唐書房玄齡傳稱：「貞觀十八年玄齡與褚遂良受詔重撰晉書，於是奏請許敬宗、來濟、陸元仕、劉子翼、令狐德芬、李義府，薛元超、上官儀等八人分功撰錄。」合計僅十人，同書令狐德芬傳則稱爲一十八人，同書藝文志則稱爲二十八人，一書三歧，顯然不確，唯新唐書藝文志稱預修者有房玄齡，褚遂良、許敬宗、來濟、陸元仕、劉子翼、令狐德芬、李義府、薛元超、上官儀、崔行功、李淳風、韋邱叡、劉行之、楊仁卿、李延壽、張文恭、敬播、李安期、李懷儼、趙宏志等二十一人，較近事實。晉書目錄者證謂：「大約類例多出於敬播，而天文歷律則李淳風爲之，今書中宣武紀與陸機王羲之傳乃太宗所御製也。」全書爲紀十，爲志二十，爲列傳七十，爲載記三十，并敍例目錄，合計一百三十二卷。所用藍本則爲臧榮緒的晉書，旁採正典雜說數十部，兼引僞史十六國書。

乙、得失

關於本書的體例，有可議者數點：一、司馬懿司馬師司馬昭均未即帝位，徒以身後追尊之故，竟仿三國志爲曹操作紀之例，作宣、景、文三紀，實於本紀之例有失；二、因預修諸人多爲唐初文學詞臣，行文常用時行之駢驪，於史書體製，亦有不合；三、是四庫提要所評：「其所載大抵宏獎風流，以資談柄，取劉義慶世說新語與劉孝標所注，一一互勘，幾於全部收入，是直稗官之體，安得目曰史傳乎？」但本書也自有其得當之處，那就是分功的適宜，李淳風明於天文地理圖籍之學，便使擔任諸志的撰述，顏師古孔穎達等博通今古，便使擔任紀傳的撰述，敬播的敍例雖已散佚，但據史通所錄二事來看，也極得體，至仿東觀漢紀之例，爲五胡十六國立載記一類，尤有巧於師古之美。故本書雖有如上可議之處，但大體上不愧爲一部良史，尤其是因時代相隔已遠，人事上的恩怨都盡，絕無因迴護而生的顛倒史實，淆亂黑白之病，是則爲六朝諸史所不可及者。

六、宋書

甲、撰修情形

本書爲梁沈約所撰，沈約撰宋書本在齊代，因其仕終於梁，故後人題梁沈約撰。據梁書本傳稱約於永明五年春被勅撰宋書，六年二月畢功，表上之。首尾才及一年，實開修史速度之新紀錄。查其所以能如是速成者，乃因宋文帝元嘉中著作郎何承天已開始宋史的撰述，成有武帝一代君臣紀傳及志十五篇，孝建初又敕奉朝請山謙之續撰，謙之病亡，又使南臺御史蘇寶生續修，元嘉諸傳均出寶生之手，寶生被誅，大明中又命著作郎徐爰續成，徐爰便就何承天、山謙之。蘇寶生諸人所撰編勒成書，起自義熙之初，終於大明之末，其中臧質、魯爽、王僧達諸傳則爲孝武帝親撰，只缺永光以後到禪讓這十多年的史事，沈約修宋書，全用徐本，只不過把所缺永光到昇明三年這十多年的史事補撰而已。另外也删削了徐本的一部份，他以桓玄、譙縱、盧循、馬魯之徒，身爲晉賊，無關後代，吳隱、謝混、郗僧施義止前朝，不宜濫入宋典，劉毅、何無忌、魏詠之、檀憑之、孟昶、諸葛長民，志在興復，情非造宋，故一併刊削。

乙、闕補問題

本書有紀十，列傳六十，志三十，合爲一百卷，未有表，但據沈約上書的表說：「本紀列傳繕寫已畢，合志表七十卷，臣今謹奏呈，所撰諸志須成續上。」就本書現有目錄來看，似乎沈約先上的是十紀。六十列傳，志則說明俟撰成再上，紀傳剛好爲七十卷，故「合志表七十卷」之志表二字當係衍文，表則根本未作。隋書經籍志載宋書一百卷，與現行本卷數相符，史通謂：「爲紀十，志三十，列傳六十，合百卷。」亦與現行本相符，似唐人已不見有表，四庫提要因疑在唐以前，其表早佚，今本卷帙出於後人所編次。細按今本編次情形，如律志與歷志分割，顯與志序律歷不分的敍說違異，又第四十六卷趙倫之傳鄭穆附記謂：「約之史法，諸帝稱廟號，而謂魏爲虜。今帝稱帝號，魏稱魏主，與南史體同，而卷末又無史臣論，疑非約書」；又第五十九卷已有張暢傳，而張劭傳後又附一張暢傳，全爲南史之文，忘其重出。足證律歷志之分割，乃編者所爲；趙倫之張暢兩傳之同南史，乃編者雜採南史補綴，從這補綴分割情形看，則其表早佚一語，似又可信，但無其它佐證，只好存疑。

丙、得失

關於本書得失方面的批評以梁書本傳所載姚察的史論爲最早，他說：「約高才博洽，名亞遷董。」可謂推崇甚至了。但史通採撰篇卻說：「沈氏著書，好誣先代，於晉則故造奇說在宋，則多出謗言。」清人萬承蒼也說：「當時史官，若何承天、蘇寶生、徐爰之徒，率非其人，約以貪榮嗜利之心，逞其浮靡之習，歲月未久，遽成此書，大抵因何徐舊本而稍更益之，永光以後，不免遷就，以合時君之旨，雖自謂創立新史，取捨是非，未必皆當，又況其喜造奇說，以誣前代，如王邵之所議者耶？姚察稱其高才博洽，名亞遷董，要非此書定論。」這裏所謂奇說，乃指沈約在所著晉書（本傳稱約撰有晉書百一十卷，非唐人所撰之書。）中說瑯琊國姓牛者與夏后妃私通，生中宗一事而言；所謂謗言，乃指本書后妃傳內文路叔媛傳稱「崇憲太后居顯陽殿，上於閨房之內，禮敬甚寡，有所御幸，或留止太后房內，故民間諠然，咸有醜聲，宮掖事祕，莫能辨也，」一節而言。但這所傷的尚屬私生活，最壞的是他於晉宋易代之際的史事，完全採何承天徐爰之本，徐何身為宋臣，記述多所迴護，故於宋之開國史事多失其實；於宋齊易代之際的史實，沈氏又以身為齊臣，多方為齊掩飾，以致前後逼奪篡弒之迹，全被抹殺，顛倒史實，一如陳壽之三國志。至於他的八志，據他在志序中所說，乃參考何承天所作的十五篇而成，故志雖為作史者所難，他因有了藍本，也就不感覺到了。他創的符瑞志頗受後人攻擊，因為歷代符瑞，多出偽造，實無記述價值。而樂志則極受好評，這因他精於聲律之故。此前，三國志無表志，故魏蜀吳制度文物之失記者，多賴本書諸志得以考見，故說者謂宋書八志實包魏晉，正如隋志之包齊梁陳一樣，這可說是本書最可稱道之處。

七、齊書

甲、撰修情形及卷數之闕

本書名稱，據梁書蕭子顯傳及隋書經籍志唐書藝文志皆稱齊書，宋人爲別於李百藥北齊書，乃以南齊書相稱，故本書又有南齊書之名。撰修者蕭子顯字景陽，爲齊高帝蕭道成之孫，封寧都縣侯，入梁累遷吏部尚書，加侍中。齊史在齊高帝建元二年本已詔江淹檀超等撰修，江淹以爲作史之難，無出於志，爲顯示其才華，乃先撰十志，後來沈約又撰齊紀二十篇。子顯於梁天監中啓撰齊史，上起宋順帝昇明元年，訖於東昏侯，計爲紀八，志十一，列傳四十，凡五十九卷。惟南史子顯本傳言其撰齊書六十卷，較之今本多出一卷，四庫提要「疑原書六十卷爲子顯敘傳，末附以表，與李延壽北史例同，至唐已失其敘傳，而其表至宋猶存，今併其表佚之，故較本傳闕一卷也。」

乙、記述得體

子顯撰本書，雖於以前作者，不無因襲，然頗能斷以已意。本來子顯以齊宗室而於異代爲祖國作史，於開國史實既不便宣揭祖惡，以成攘羊之證，而於亡國史實又不便直彰篡逆之迹，致觸當朝之忌，所以在記言述事方面，較之他人爲尤難。但四庫提要說：「然如建元創業諸事，載沈攸之書於張敬兒傳，述顏靈寶語於王敬則傳，直書無隱，尚不失是非之公。」在其他紀傳中，他都只陳述事實，不作斷語，是非得失，讓讀者去批判，這是他的取巧之法，也可說是他的識鑒高出於陳壽沈約之上的表現。劉知幾在史通敍例篇中說：「子顯雖文傷蹇躓，而義甚優長。」可以說是極公道的批評。淸人王祖庚謂：「蕭子顯齊之宗室，仕梁而修齊史，以故事多附會，辭有溢美，且以時尙瞿曇，黜儒崇釋，其是非大謬於聖人，昔曾鞏譏其喜自馳騁，刻彫藻繢之變尤多，而文溢下，洵非誣也。……卽如天文但紀災祥，州郡不著戶口，未免疏漏；而祥瑞一志，多載圖讖，尤爲近誣。」這些枝節之失，誠不能爲子顯諱，然如上章所述，班馬又何能免？我們實不必苛求之於子顯，撰修史書，最切要的是忠於史實，評歷史也應當從這一方面去着眼，子顯在這一方面無大乖剌，實已難能可貴了。

八、梁書

甲、撰修情形

梁書題姚思廉撰，按唐貞觀三年的詔書是令魏徵與思廉同撰的，因爲魏徵只處於監修的地位，除了撰總論二篇幷參定論贊外，未預筆削，故獨題思廉以紀實。據史通之言，梁史在武帝時已有沈約、周興嗣、鮑行卿、謝昊等相承撰錄，凡百篇。梁之亡亂，幷遭焚佚，後來何之元劉璠以所聞見，究其始末，合撰梁典三十篇，姚察復就前項史料加以撰勒，但未成書而卒，據陳書姚察本傳稱：「梁陳二史，本多是察之所撰，其中序論及紀傳有所闕者，臨亡之時，仍以體例戒約子思廉博訪撰續。」故思廉之撰梁史，雖承詔旨，也是續父遺著。

乙、內容大概

全書有本紀六篇，列傳五十篇，共爲五十六篇，無志表。新唐書所言卷數，與上述合，惟舊唐書經籍志及思廉本傳都說是五十卷，今本目錄與篇數既兩相符合，則本書當爲五十六卷，舊唐書大約是脫去六字，所以不符。本書初稿撰在梁代，故史迹記述詳覈，而成書之時又相隔三代，既無個人的恩怨，也少當朝的忌諱，所以持論亦平。更加姚氏父子爲唐代古文之先驅，行文皆自出爐錘，洗盡六朝浮豔，雖敍事論人間亦不免複互矛盾冗雜之嫌，後世評論家亦多諒之。

九、陳書

甲、撰修情形

陳書與梁書同爲姚思廉奉敕撰，亦同爲子繼父業的作品。據史通所載，陳史在先已有顧野王傳縡的修撰，後又有陸瓊的續撰，姚察就三家的撰著加以修訂，及江東不守，持以入關，依違荏苒，竟未絕筆，貞觀初，思廉奉敕修撰二史，於是據其舊稿，加以新錄，，歷時九載，才得畢功，全書計爲本紀六卷，列傳三十，凡三十六卷，無志表。四庫提要謂：「書中惟二卷三卷題陳吏部尚書姚察，他卷則俱稱史臣，蓋察先纂梁書，此書僅成二卷，其餘皆思廉所補撰。」按二卷三卷卽武帝文帝本紀，史通謂：「其武文二帝紀，卽顧傅所修。」又說：「太建初中書郎陸瓊續撰諸篇，事傷煩雜，姚察就加修改。」是則察所修決不止武文二紀，提要僅據後論推斷姚察所撰部份，以「其餘皆思廉所補撰」，不僅抹殺姚察之功，并且抹殺了陸瓊之功，似未可盡信。至於史論作者，題姚察者固爲姚察，題史臣者可能係思廉就父作又加修訂者，不題私名，示不擅美。

乙、得失批評

本書與梁書既同一撰著情形，故其優劣，也相伯仲，惟在體例方面頗有受人議論之處，如史遷班固均用序傳代替家傳，本書則專立姚察傳，似有變古之嫌。四庫提要爲解釋此點說：「是書爲奉詔所修，不同私撰，故不用序傳之例，無庸以變古爲嫌。」又有謂姚察入隋爲祕書監，歷踐華秩，又卒於隋，其傳應列隋書，今列之陳書，有違斷限。此蓋由於隋書非思廉所撰，欲表彰其先德，故就已著作之便，而破斷限，永言孝思，不無可原。杭世駿諸史然疑又批評其傳次說：「沈君公不當附沈后，當附君理傳；歐陽紇不當附頠，當次華皎等傳；徐孝先不當附陵，當入孝行傳；沈客卿施文慶當附江總，總不得與姚察同傳；任忠以死奉衛，言猶未入於耳，遽出降擒虎軍，又引擒虎入南掖門，乃置之樊猛魯廣達之間，爲不類矣；又徐陵致書於楊培，傅縡著論以明道，一則梁代之舊章，一則宏明之餘習，祇溢篇章，無關國憲，矧徐集既已單行，傅論未爲淵妙，概從刊落，史例洒嚴。」這些編次上的小失，既無關於宏旨，而且也不見得絕對爲編撰者的錯誤，曾鞏上陳書序說：「而其書亦以罕傳，則自祕府所藏，往往脫誤，嘉祐六年八月始詔校讎，使可鏤版行之天下，而臣等言，梁陳等書缺，獨館閣所藏，恐不足以定著，願詔京師及州縣藏書之家，使悉上之，先皇帝爲上其事，至七年冬稍稍始集，臣等以相校，至八年七月陳書三十六篇者始校定，可傳之學者，其疑者亦不敢損益，特各疏於篇末，其書舊無目，列傳名氏多闕謬，因別爲目錄一篇，使覽者得詳焉。」很顯然的本書目次，幷非姚氏之舊，其咎是否在姚氏，尚屬問題。

十、魏書

甲、撰修情形

爲別於曹魏，本書又有北魏書之稱，係北齊文宣天保二年魏收奉勅所撰，前此，已有魏史官鄧淵、崔浩、高允等所作之編年史，嗣李彪崔光又奉詔改爲紀傳表志之目，宣武帝時命邢巒追撰孝文起居注，太和十四年又命崔鴻王遵業補續至明帝，繼復有温子昇作宣帝紀三卷，王暉業撰辨宗室錄三十卷，故資料相當完備。關於魏收撰本書的情形，北齊書收本傳記載甚詳，據稱：「收本以文才必望穎脫見知，位既不遂，求修國史。」是收之修史目的，不過求逞其仕宦的野心而已，目的先已不正。因此助修者亦無一正人。本傳稱其「所引史官，恐其凌逼，唯取學流先相依附者，房延祐、辛元植、眭元讓雖涉朝位，並非史才，刁柔裴昂之以儒業見知，全不堪編輯，高孝幹以左道求進。」因爲這些人不是依附他的，就是史才不夠的，所以本書名雖官修，實際等於收私撰，五年三月書成奏上，凡十二紀，九十二列傳，合一百一十卷，同年十一月又撰十志：天象四卷，地形三卷，律歷二卷，禮樂四卷（分二志）食貨一卷，刑罰一卷，靈徵二卷，官氏二卷，釋老一卷，共二十卷，合紀傳爲一百三十卷。其三十五例，二十五序，九十四論，前後二表，一啓，幷出收手。

乙、內容之蕪穢

作品是作者人格的表現，本書作者之不稱既如上述，自不能望其內容之佳善，魏收本傳說：「修史諸人祖宗姻戚多被書錄，飾以美言。」已形同分贓。又因收史職之獲得，出自陽休之的幫助，「因謝休之曰：無以謝德，當爲卿作佳傳。休之父固。魏世爲北平太守，以貪虐爲中尉李平所彈獲罪，載在魏起居注，收書云：「固爲北平，甚有惠政，坐公事免官，又云李平深相敬重。」史筆又成了酬恩的工具。本傳又稱：「爾朱榮於魏爲賊，收以高氏出自爾朱，且納榮子金，故減其惡而增其善，論云：「若修德義之風，則韓彭伊霍，夫何足數！」」史傳又成了商品。傳又稱他對「夙有怨者，多沒其善，每言；何物小子，敢共魏收作色？舉之則使上天，按之當使入地。」」史書又成了擅作威福的武器。由於內容褒貶肆情，不公至此，所以書一公布，輿論便羣起攻擊，諸家子孫控告者達百餘人之多，因爲左僕射楊愔，右僕射高德正二人勢傾朝野，收曾爲二家作傳褒美，二人不欲言史不實，抑塞訴辭，輿論遂不得伸，但都以穢史目之。由於輿論始終不平，所以皇建中孝昭帝詔收更加研審，收奉詔之後，改正了很多，但到武成帝時復飭更審，收又遵改。從這些事實看。則本書內容之蕪穢，不問可知了。尤可恨的，是魏收於其書成後，把前人所撰的魏史悉數焚毁，以致被他顛倒淆亂了的史實，後人無憑更正，故隋文帝令魏澹重撰魏書時，除了收書外，一無參考之資，煬帝以澹書未盡善，更敕楊素等重撰，也迄不能成書，因這一代的歷史無他書可用，儘管收書穢聲彰著，仍不得不用之以備一代之數，其預爲本書之計，亦可謂工了。

丙、體例之荒謬

本書體例，惟一可取者，爲將拓跋氏追封的二十餘帝概入紀序，糾正了前代史書爲追尊帝作本紀之失。關於元魏帝統，孝武帝因畏高歡之逼，走依關西宇文泰，是爲西魏，西魏在孝武後尚有文帝、廢帝、恭帝三世，高歡於孝武出走後，別立靜帝於鄴，號爲東魏，旋又篡東魏改號爲齊，魏收因欲以齊承魏統，故魏紀止於孝靜帝，於西魏三帝均廢而不紀，這全是襲陳壽僞蜀的謬例。史通稱謂篇說：「唯魏收遠不師古，近非因俗，自我作故，無所憲章，其撰魏書也，乃以平陽爲出帝，司馬氏爲僭晉，桓劉已下，通曰島夷，夫其諂齊則輕抑關右，黨魏則深誣江外，愛憎出於方寸，與奪由其筆端，語必不經，名惟駭物。」關於其列傳附傳之濫，趙翼陔餘叢考說：「尤可厭者，一人立傳，則其子孫不問有官無官，有功績無功績，皆附綴於後，有至數十人者，…………似代人作家譜者，所載之人別無可記，但敍其官閥一二語而已，則又何必多費筆墨耶？當時陸操嘗病其敍諸家枝葉姻戚，過爲繁碎，魏收謂因中原喪亂，譜牒遺亡，是以具書支派，此雖見其採集之本意，實不盡然，蓋傳中諸人子孫多與收同時，收特以此周旋耳。」關於其敍事之荒唐，洪邁容齋三筆說：「其自序云：漢初魏無知封高良侯，子均，均子恢，恢子彥，彥子歆，歆子悅，悅子子建，子建子收。無知於收爲七代祖，而世之相去七百餘年，其妄如是，則其述他人世系與夫事業可知矣。」

丁、殘闕及補綴情形

本書曾經魏收兩次奉詔修改，原本之歧出，自在意中，加以內容蕪穢，人不愛惜，殘脫紛亂，面目益非。宋范祖禹等校定序說：「修史者言詞質俚，取捨失衷，其文不直，其事不核，終篇累卷，皆官爵州郡名號，雜以冗委瑣曲之事，覽之厭而遺忘，學者陋而不習，故數百年間，其書亡佚不完者，無慮三十卷，今各疏於篇末。」據其所疏補綴情形，孝感列傳張昇事出宗諫史目，藝術列傳王顯以前爲魏收舊書，崔彧蔣少游傳全出北史及小史，史臣論亦取北史藝術傳論，而北史全用周隋書藝術傳論，氐楊難敵等列傳史臣論蓋略取北史，西域傳全寫北史，而不錄安國以後，儒林傳用高氏小史，外戚傳下史臣論全用周隋書外戚傳，其餘諸篇則指爲後人所補，而不明其出處。惟太宗紀，陳振孫書錄題解認係取魏澹後魏書補，天象二卷係以張太素後魏書補。后妃傳四庫提要認係取魏澹書足成，故崇文總目謂收書已與魏澹魏書李延壽北史相亂。

戊、提要評斷之失

收史之顚倒是非，悖謬失實，不僅後人指摘者均有迹可按，即就當時兩度詔令修改的情形以觀，也當是毫非寃枉的。但四庫提要於齊書本傳所載收撰史諸卑劣言行却力爲辯護，結論且謂：「今魏澹之書俱佚，而收書終列於正史，殆亦恩怨併盡，而後是非乃明歟！」不知收書之得列入正史，乃由收將在前諸人所撰魏史，悉數焚燬，元魏一代史迹，除了他這部書外，再無可考之資，魏澹與顏之推受隋文帝之命重修魏史，因無所依據，仍不得不利用收書，但删其繁蕪不實之記述後，事迹轉略，所以體例雖善，仍未能中煬帝之意，於是詔楊素等另撰，亦未能成。唐雖有張太素後魏書一百卷，裴安時元魏書三十卷，因非官撰，未被重視，故唐代於魏史，魏澹魏收之書并取。到宋代范祖禹等奉敕校定正史時，魏澹、裴安時、張太素之書均亡，獨收書倖存，雖明知其文不直，其事不核，然以此一代史籍不可獨闕，不得不取以備數。此種不得已情形，在范祖禹等校定序中說得已十分明白，那裏是因爲恩怨併盡，是非乃明？若說到恩怨，隋唐兩代君主於收何怨，必欲一再另撰魏史，以廢收書？劉知幾於收相去已遠，爲何於史通中痛加詆斥？尤其是作北齊書魏收傳的李百藥，於收爲世交，其父李德林的字「公輔」二字便是魏收所命，理當感恩圖報，爲收作佳傳，爲何反將收作史的醜行全盤托出，而且於爾朱文暢傳中證實收接受榮子文略之金，故比爾朱榮於韓彭伊霍呢？豈非公道之在人心，有不容自己的嗎？四庫提要之評論正史，每不能於大處着眼，對於曲筆之輩，輒爲恕辭以護之，豈因諸人受清廷豢養日久，竟迷失其民族正氣耶？於此，我眞懷疑四庫書的去取標準，是否公正？

十一、北齊書

甲、撰修情形

北齊書係唐貞觀初中書舍人李百藥奉敕撰，據史通所載，北齊史在天統初已有太常少卿祖珽所撰的獻武起居注，當時名曰皇初傳天錄，另有中書侍郎陸元凱著皇帝實錄，惟所述皆係從文宣征討剋伐之蹟，除軍事外，不及其它。武平後則有史官陽休之、杜臺卿、祖崇儒、崔子發等相繼而作的注記。齊亡之後，隋祕書監王邵，內史令李德林均係高齊故臣，多識往事，王邵便依據起居注作編年史十六卷，名曰齊志。李德林在齊本預修國史，隋書本傳載其與魏收議論史例甚詳，先已作有紀傳二十七卷，隋開皇初奉詔續撰，增多三十八篇，未成而卒，藏於祕府。百藥奉敕撰齊史，即據其父德林舊錄，雜採它書，增爲五十卷，凡七紀八卷，四十二列傳，無志表，四庫提要說：「大致仿後漢書之體，卷後各繫論贊。」

乙、敷衍充數

齊雖五帝，享國僅二十七年，政教法令，既不足述，文事武備，一無可取，百藥敷衍成書，聊以充數，所以當時學者寧習北史，而於魏周齊單行之史書極少寓目，因之本書殘闕尤劇，後世刊行者取北史補綴，惟求完足卷數，隨意增損，故重複雜沓，事意不屬的地方很多，而列傳後有論無贊，有贊無論，或論贊俱無者，達二十篇以上，其所以取列正史的，完全係爲了湊成一代正史之數，書的本身實無價值之可言。

十二、周書

甲、撰修及失實情形

本書是唐令狐德芬奉敕所撰，德芬於武德中向高祖建議修撰梁、陳、齊、周、隋正史，奉詔與諸臣論撰，因歷年不成而罷。貞觀二年復詔德芬與岑文本崔師仁陳叔達唐儉等共成周書，周史在周大統年間本已有祕書丞柳虬的撰述，隋開皇中又有祕書監牛弦的撰述，故德芬周書只是取柳虬牛弘之史加以潤色，因柳虬身爲周臣，對周開國史實不無迴護之處，牛弘入隋爲二臣，對於隋開國史實又不能不加文飾，德芬以唐人修周史，本可以超然立場，糾正二人之失，乃其於二人曲筆，全無修正，所以史通批評他說：「而令狐不能別求他述，用廣異聞，惟憑本書重加潤色，遂使周氏一代之史，多非實錄。」

乙、識小遺大

趙翼陔餘叢考說：「梁書蕭詧無傳，以其雖稱帝三世，然皆從屬於周隋也。周書爲詧立傳，而以二十六人附於傳末，亦見德芬位置之苦心；又………如趙貴等傳後，總敍八柱國十二大將軍，以見一代策勳之典；………宇文護傳載其母子相寄之書，千載下神情如見；王褒傳載其寄周宏讓書，庾信傳載其哀江南賦，此二人皆以才著，故轉存之。」四庫提要亦稱：「德芬旁證簡牘，意在摭實，故元緯傳後，於元氏戚屬事蹟湮沒者，猶考其名位，連綴附書，固不可概斥爲疏略。」但這些記述均屬私人瑣委之事；其有關軍國大政，典章制度之因革者宇文開國之初，信任蘇綽，銳意復古，軍國詞令，皆準尙書，所以文物制度，較之魏齊有足稱述，尤其是仿周禮爲六官府兵之制，開唐一代良法，其間斟酌損益，必多可資龜鑑者，乃周書除於蘇綽傳載其六條詔書及大誥全篇外，於實際施設之得失，均未加以記述，使後人無從比較魏周兩代制度之因革損益，識小遺大，不免爲有識者所譏。

丙、闕補之亂

本書凡五十卷，爲本紀八卷，列傳四十二卷，無志表，因德芬在唐諸史臣中，以博學見稱，諸史體例，多出其手訂，故本書體例方面無大可議者，惟本書與魏齊二書同遭殘佚補緝，淆亂殊甚。四庫提要說：「今考其書，殘闕殊甚，多取北史以補亡，又多有所竄亂，而皆不標其所移掇者何卷，所刪改者何篇，遂與德芬原書混淆莫辨，今案其文義，粗尋梗概，則二十五卷，二十六卷、三十一卷、三十二卷、三十三卷，俱卷後無論，其傳文多同北史，惟更易北史之稱周文者爲太祖，韋孝寬傳連書周文、周孝閔帝，則更易尙有未盡，至王褒傳連書大象元年、開皇六年，不言其自周入隋，尤剽取北史之顯證矣。又如韋孝寬傳末刪北史「兄瓊」二字，則韋瓊傳中所云與孝寬並馬者，事無根源；盧辨傳中刪去其曾事節閔帝事，則傳中所云及帝入關者，語不可曉。是皆率意刪削，遂成疏漏，至於遺文脫簡，前後疊出，又不能悉爲補綴，蓋名爲德芬之書，實不盡出德芬，且名爲移掇李延壽，亦不盡出延壽，特大體未改而已。」

十三、南史

甲、撰述經過

本書是唐李延壽私撰，延壽之父李大師，因見修南北各朝史者互相詬詈，南罵北爲索虜，北罵南爲島夷，而且各史只詳本國情形，於敵情多疏，因此過美溢惡，事多不實，乃擬吳越編年體冶各代史迹於一爐，以矯其失，書未成而卒。延壽因欲續成父業，乃乘參預顏師古孔穎達等修五代史之便，把齊梁陳各代未見的史料，晝夜抄出，後又因預修晉書之便，得以勘究劉宋、蕭齊、元魏三朝的史料，同時又參考雜著一千餘卷，仿司馬遷通史紀傳的體裁，起宋永初元年，終陳禎明三年，將四代的史實彙爲一書，爲本紀十卷，列傳七十卷，合八十卷，送請令狐德芬爲之校正，故乖失之處不多。

乙、頗正前史之失

本書於宋書刊落最多，此因宋書本紀所載詔誥太多，列傳所載文章太多，李延壽對於此等文字一概刪削，有關係者則以數語括存之，甚得史裁之正。所以宋祁評其「刊落釀詞，過於舊書遠甚。」對於齊書，不惟無刪削，反有增補。梁書原作本佳，但延壽於其所錄文詞多有刪削，而於記述方面則加入不少雜史筆記新奇可喜之事，資人談助，因此行文轉多澀滯，不如梁書之爽勁了。對於陳書無大增損，趙翼謂：「蓋李延壽修南北二史，閱十七年，至修陳書部份時，精力澌竭，故不能多爲搜輯耳。」南史最可稱道處，爲於宋齊梁陳易代之史實，均據事直書，糾正了各史掩飾迴護不實之失。至於四庫提要評他因史書無文學一目，而文學傳竟以齊之邱靈鞠開端，遺落宋代學者，爲有失體例之耆一，王鳴盛十七史商榷更極詆其增删移植之乖舛，毫無條理。但都係枝節問題，無關宏旨，自從有了南史，後世對於宋齊梁陳四書失實之記載，得一參考糾正之依據，這不能不歸功於李延壽。

十四、北史

甲、改修情形

北史係李延壽與南史同時私撰的，四庫提要說其「於北史用力獨深」。底本仍係其父大師的手稿，所採參考資料，卽用魏、齊、周、隋四書，他自謂「除其冗長，括其精華。」關於元魏一代的史料，惟魏收所撰魏書爲詳贍，故這一部份史實與收書無大出入，只不過採用魏澹的義例，以西魏爲正統，增入文帝、廢帝、恭帝三本紀而已，其它如爾朱榮傳，對魏收的曲筆也有修正。對於北齊北周二書史實，則多有增改，而於文詞也頗删繁就簡。對隋代事蹟，全用隋書，僅小有删節，並無改正，所以北史有事增於前，文省於舊之評。

乙、卷帙完整

本書記事，起魏登國元年，終隋義甯二年，全書卷數，據李延壽進書表所稱，爲本紀十二卷，列傳八十八卷，合計一百卷，與今本卷數相符，唯馬端臨文獻通考作八十卷，不知何所依據，本書因體例完善，能正舊史之失，故傳習者多，卷帙的保存較善，除麥鐵杖傳略有闕文，荀濟傳脫去數行外，其餘卷帙均甚完整，與北朝三書之殘亂情形，適得其反，故北魏北周北齊三書之殘闕者，悉藉是書以爲補苴。

丙、義例得失

本書義例，大體完善，惟列傳以姓爲類，故家世族，一例連書，於是隋周之人，而入魏齊之傳者，往往而是，朝代混雜，斷限莫辨，以家傳之體，用之於國史，未免不合。但另一方面也有其可稱之處，四庫提要說：「敍事詳密，首尾典贍，如載元韶之姦利，彭樂之勇敢，郭琬沓龍超諸人之節義，皆具見特筆，出酈道元於酷吏，附陸德和於藝術，離合編次，亦深有別裁，視南史之多仍舊本者，迥如兩手。」

十五、隋書

甲、撰修及題名經過

本書係魏徵奉詔領修，在先，王劭於隋開皇仁壽年間纂書八十卷，惟體例以類相從，不依編年紀傳之序，煬帝時王胄修大業起居注，於江都之亂，多所散佚，唐武德五年起居舍人令狐德芬奏請修梁、陳、齊、周、隋五代史，詔中書令封德彝，舍人顏師古修隋史，數年不成，後遂罷修。貞觀三年重詔祕書監魏徵修隋史，徵因奏請顏師古、孔穎達、許敬宗等共同修撰，徵總知其務，就顏孔等所撰加以損益，務存簡正，徵所自撰者，僅序論而已。貞觀十年，書成奏上，計有本紀五卷，列傳五十卷，無志表。太宗以五代史均缺志，復於貞觀十五年詔于志寧李淳風韋安仁李延壽敬播同修五代史志，共成十志三十卷，於顯慶元年五月由太尉長孫無忌奏上，詔藏祕閣，後又編入隋書，因初係單行，故稱五代史志，後來隋書與梁陳齊周諸書分行，十志附在隋書，遂稱爲隋志。舊本每卷分題撰作人名，十志中經籍志題鄭國公魏徵撰，五行志序或云褚遂良作，紀傳有題爲太子少師許敬宗撰者，宋天聖中重加校刊，對於各卷撰著人無法確定，爲畫一起見，乃以領銜上奏人爲主，紀傳題魏徵，十志題長孫無忌。

乙、義各有當

本書史實除於高祖紀中隱其篡周之迹，於煬帝紀中隱其弒逆之迹，有乖直筆外，其餘義例，大致完善，這全由當時執筆者均一代之選，而魏徵總知其事，務存簡正之故。至於十志，不止總述梁陳齊周隋五代文物制度，實上接沈約宋書八志，所以極受後人稱道。鄭樵說：「觀隋志所以該五代，南北兩朝紛然淆亂，豈易貫穿，而讀其書，則了然如在目，良由當時區處各當其才，顏通古今，而不明天文地理之序，故祇令修紀傳，而以十志付之志寧淳風，所以粲然具舉也。」四庫提要謂：「惟經籍志編次無法，述經學源流，每多舛誤。……………在十志中爲最下，然漢以後之藝文，惟藉是以考見源流，辨別眞僞，亦不以小疵爲病矣。」

十六、唐書

甲、撰修經過

本書題後晉司空同中書門下平章事劉昫撰，但新舊五代史劉昫本傳均無撰書之說，趙翼廿二史劄記因謂：「蓋昫爲相時，唐書適訖功，遂由昫表上，其實非昫所修也。」唐代史書，據文徵明重刊唐書序說：「按唐興，令狐德芬等始撰武德貞觀兩朝國史八十卷，至吳兢合前後爲書百卷，而柳芳韋述嗣輯之，起義寧訖開元，僅僅百餘年，而于休烈令狐峘以次增輯，訖於建中而止，而大曆元和以後，則成於崔龜從，厥後韋澳諸人又增輯之，凡爲書百四十有六卷，而芳等又有唐曆四十卷，續曆二十二篇，皆當時記載之言，非成書也。」則唐代史料之豐富，觀此可知了。另據于休烈傳云：「國史一百六卷，開元實錄四十七卷，起居注幷餘書三千六百八十二卷，幷在興慶宮史館，京城陷賊後，皆被焚燒。」此又足見唐史所受災厄之鉅。後梁欲修唐史，荒亂之後，史料缺乏，乃下詔懸賞徵求會昌以後公私事迹，但無多大收穫，後唐長興中又下詔購募野史，除目、朝報一類史料，又聞成都有先朝實錄，即令郎中庾傳美往訪，僅得九朝實錄，因此後梁後唐的修撰計劃，都無法實現。後晉天福五年詔張昭遠、賈緯、趙熙、鄭受益、李爲光同修唐史，由宰相趙瑩監修，瑩以唐代史料殘缺，簡選能員從事纂補，又以唐咸通中韋保衡、薛伸、皇甫煥曾撰武宗宣宗實錄，會昌至天祐間，李德裕平上黨，撰有武宗伐叛書；康承順定徐方，有武寧本末傳，請政府下令諸家後嗣及門生故吏進獻，幷以官位相酬。故舊唐書之成，實以趙瑩監修之功居多。至撰述方面，則以張昭遠、賈緯、趙熙三人出力最大。全書凡二百卷，本紀二十，志三十，列傳一百五十，名爲唐書。宋人修新唐書成，乃冠舊字於其上以資區別。

乙、舛漏之因

本書前半因有吳兢等所修唐史爲藍本，所以敍事簡而有體，後半無成事可據，由纂輯諸人雜採傳記編綴而成，故委瑣支蔓，重出牴牾，不一而足。如卷一百二十二已有楊朝晟傳，卷一百四十四又爲立傳；卷一百二韋述傳已附見蕭穎士，卷一百九十文苑傳又立蕭穎士傳；韓愈傳謂愈修順宗實錄，「拙於取舍，爲世所非」，而路隨傳則稱愈「撰順宗實錄，說宮中事頗切實，內官惡之，往往於上前言其不實，累朝有詔改修，……………隨奏曰：……………近見衛尉卿周居巢、諫議大夫王彥威、給事中李固言、史官蘇景胤等各上章疏具陳刊改非甚便宜，又聞班行如此議論頗衆。」足見韓愈所修實錄深得正人君子之愛護，只不過爲宦官所忌而已，而愈傳與隨傳所敍全相矛盾，可見二傳非出一人之手，四庫提要說：「蓋李崧賈緯諸人各自編排，不相參校，昫掌領修之任，曾未能鈎稽本末，使首尾貫通，舛漏之譏，亦無以自解。」可稱確論。

丙、廢而復存經過

本書記事既已前後繁簡不一，而本紀直抄實錄，於原作迴護之筆，均未能加以刊正。如高宗上元二年皇太子宏之死，本由武后酖殺，而紀竟書皇太子宏薨於合璧宮之綺雲殿；章懷太子之死於巴邱，也是武后令邱神勣迫使自殺，而書庶人賢死於巴邱；楊貴妃本壽王瑁妃，度爲女道士，號太眞，召入宮，至天寶四載册封爲貴妃，本紀絕不提及其出身壽邸之事；穆宗以下諸帝皆宦官所立，本紀亦皆不書。其他列傳中類此記載不實之處甚多，因此後人多以五代搶攘，文氣卑弱，此書紀次無法，詳略失中，不足傳遠爲言，於是宋慶曆中詔翰林學士歐陽修，端明殿學士宋祁等重加刊修，名爲新唐書，因宋人尊尚新唐書，舊唐書遂廢，直到明朝御史紹興聞人詮視學江南，聞民間藏有舊本，經數年之辛苦探訪，才從吳中王氏獲得紀志，吳中張氏獲得列傳，交吳郡訓導沈桐校刊傳佈，本書遂得廢而復存。

十七、新唐書

甲、撰修經過

新唐書爲歐陽修宋祁等奉宋仁宗敕撰，監修者則爲曾公亮，故本書上表用曾公亮之名，紀志表題歐陽修撰，列傳題宋祁撰。但據曾公亮上書表所列修史人名在修祁之外，還有范鎮、王疇、宋敏求、呂夏卿、劉羲叟等，據呂夏卿本傳所稱，新唐書世系諸表創自夏卿，新唐書糾謬則以天文律曆五行志出於劉羲叟，方鎮，百官表出於梅堯臣，禮儀兵志出於王景彝。但這些人都未見題名，大概題名仍用主編領銜之例。全書共二百二十五卷，爲紀十，爲傳一百五十，爲志五十，爲表十五。歷時十七年始成。

乙、優異之處

由於本書修撰諸人均爲北宋績學之士，又修史之時，正是文物鼎盛之際，在五代時所徵求不得的史料，此時出現者已有數百種之多，而宋初諸儒私撰唐史，則有孫甫的唐史記七十五卷，趙瞻的唐春秋五十卷，趙鄰璣的唐實錄會昌以來日曆二十六卷，陳彭年的唐紀四十卷，所以新唐書的憑藉之厚，實非舊唐書所能望其項背。因此新書於舊書迴護之筆，多所刊正，舛漏的記述，多所補救，又刪減本紀二十卷爲十卷，刪除舊書列傳六十一傳，增加列傳三百一十傳。增多舊書的事蹟共二千餘條。舊書志爲三十卷，新書增爲五十卷，舊書無表，新書作表十五卷，舊書全部約一百九十萬言，而新書全部則約一百七十四萬言，所以曾公亮的上書表特揭出「其事則增於前，其文則省於舊」，以示其優異。

丙、內容得失

新書本紀出於歐陽修之手，故記述有裁斷，文亦明達，惟因過重筆削之義，於事蹟遂多所忽略，趙翼廿二史劄記摘舉其所刊落的重要史蹟多條，謂其草率從事。列傳出於宋祁之手，宋祁一味提倡古文，凡唐人之駢文詔誥奏議不是加以刊削，便將之譯爲散文，因此頗失本來面目，又由於刻意求簡之故，每將舊書明白曉暢的文字改成晦澀不明的文字，日知錄舉例批評說：『如太宗長孫皇后傳，舊書書「安業之罪，萬死無赦，然不慈於妾，天下知之。」新書改爲「安業罪死無赦，然向遇妾不以慈，戶知之。」意雖不易，而戶知之三字殊不成文。又如德宗王后傳，舊書書：「詔曰：祭筵不可用假花果，欲祭者從之。」新書改爲「有詔祭物無用寓，欲祭聽之。」不過省舊書四字，然非注不明也。』所以劉安世謂：「事增文省，正新書之失。」本書在主觀上由於修撰諸人求好心切，矯枉不免過正；在客觀上，由於期待者屬望太高，故愜心尤難。四庫提要說：「書甫頒行，吳縝糾謬卽踵之而出，其所攻駁，亦未嘗不切中其失，然一代史書，網羅浩博，門分類別，端緒紛挐，出一手則精力難周，出衆手則體裁互異，爰從三史以逮八書，牴牾參差，均所不免，不獨此書爲然。……因是以病此書，則一隅之見矣。」可稱持平之論。

十八、五代史

甲、初撰及再編情形

本書係宋薛居正奉敕監修，與修的人爲盧多遜，扈蒙、張澹、李昉、劉兼、李穆、李九齡等。自開寶六年四月戊申奉詔修撰，七年閏十月甲子書成，凡百五十卷，目錄二卷，爲紀六十一，爲志十二，爲傳七十七，因爲有累朝實錄，及范質五代通錄爲底本，所以成書能如是之速。當時詔語只云梁唐晉漢周書，五代史乃後來總括之名。自熙寧五年詔取歐陽修新五代史付國子監刊行，本書已不爲時重，金章宗太和三年詔學官削去薛居正五代史，止用歐陽修所撰五代史，本書遂漸湮沒，惟明內府尚有藏本，故永樂大典多載其文，但已割裂淆亂，篇第非復原書之舊，淸開四庫館，纂修諸臣從永樂大典中把所引薛史諸條一一摘錄出來，重加編輯，仍有不完者，便據前代徵引薛史之書如通鑑考異，通鑑注，太平御覽，太平廣記，册府元龜、玉海，夢溪筆談，容齋五筆，青緗雜記，職官分記，錦繡萬花谷，藝文類聚之類加以補充校訂。這一已殘之書遂得重行於世，並被列入正史之目。

乙、內容得失

本書因成書太速，自然無由注意到修史的義例，各朝本紀是直抄實錄，於實錄中迴護之處，均未能核實糾正，所以於五代篡奪相尋的史蹟，多晦而不彰，敍事冗蕪，褒貶失實，但列傳則尙能不廢公道，趙翼廿二史劄記列擧宋朝顯宦中與薛居正共事諸人之先輩列傳，均能據事直書，絕少如魏收以史筆爲週旋工具的流弊，四庫提要說：「居正等奉詔撰述，本在宋初，其時秉筆之臣，尚多逮事五代，見聞較近，紀傳皆首尾完具，可以徵信，故異同所在，較核事迹，往往以此書爲證，雖其文體平弱，實足爲考古參稽之助。」

十九、新五代史

甲、撰述及刊行

本書爲歐陽修私撰，原名新五代史記，世人省稱之爲今名。歐陽修撰本書的動機，他自己未有說明，陳師錫五代史記序說：「五代距今百有餘年，故老遺俗，往往垂絕，無能道說者，史官秉筆之士，或文采不足以耀無窮，道學不足以繼述作，使五十有餘年間廢興存亡之迹，姦臣賊子之罪，忠臣義士之節，不傳於後世，來者無所考焉。惟廬陵歐陽公慨然引以自任，蓋潛心累年而後成書，其事迹實錄，詳於舊記，而褒貶義例，仰師春秋，由遷固而來，未之有也。」這裏所說的史官秉筆之士，當然是指薛居正等而言，所謂廢興存亡之迹，姦臣賊子之罪，忠臣義士之節，不傳於後世，當然是指舊史缺乏義例而言，所謂事迹實錄詳於舊記，褒貶義例，仰師春秋，便是新史優於舊史之處。歐史成後，深藏於家，不輕示人，大概是對舊史避嫌的緣故。歐沒後，政府於熙寧五年詔其家上之，并爲刊行。

乙、體例變更之處

本書共七十四卷，計本紀十二卷，列傳四十五卷，考三卷，世家年譜十一卷，附錄三卷。在體例上，舊五代史仿三國志，以國別爲限，各國的紀傳卽繫於各該國號之下，新五代史則仿史記，以類相從，各國本紀依時代先後排在一起，列傳亦然，不以國爲界。在列傳中他廢棄了宗室后妃傳，而以家人傳統之，又因五代國祚均短，一人恆仕數朝，他創設雜傳一目，把這類人統列在雜傳中，示非純臣，惟終始一朝者，乃入本國列傳。舊史於四夷用外國列傳，新史於四夷用附錄。舊史於各國僭大號者，立僭僞傳，其未僭號，而自傳子孫者，立世襲傳，新史則仿史記立世家一目以併之。舊史凡除官自宰相至刺史均書於本紀，新史僅宰相及樞密使的除拜書於本紀，餘均不書。舊史紀傳後論贊均用史臣曰，新史論贊概用嗚呼冒頭，以示時衰道敝之感。舊史有志十二卷，新史僅作司天職方二考。

丙、內容得失

新史與舊史的區別，除了執筆人的裁斷有高低外，所用參考資料亦有廣狹之別，舊史全以各朝實錄爲依據。故玉海稱「胡旦以爲褒貶失實」，新史除參考舊史外，旁參的史料，據前人指出的計有宋賓著的宋梁至周的通鑑六十五卷，王溥的五代會要三十卷，王子融的唐餘錄六十卷，鄭向的開皇紀三十卷，路振的世家列傳，孫光憲的北夢瑣言，陶岳的五代史補，王禹偁的五代史闕文，劉恕的十國春秋，龔穎的運曆圖，錢儼的吳越備史，湯悅的江南錄，徐鉉的吳錄，王保衡晉陽見聞要錄。其它見於徐無黨注中的，則有唐摭言，唐新纂，九國志，五代春秋，鑑戒錄，紀年錄，三楚新編，記年通譜，閩中實錄諸書，因爲他所據的資料多，故書事紀時，均較舊史爲覈實，足以訂正舊史之失。然以五代十國，倏起倏滅，人事疆域，變化都劇，歐陽修以一人之力，完成此極複雜之史，參稽雖博，顧此失彼，殆事所難免，如司馬光通鑑考異辨晉王三矢付莊宗之事，洪邁容齋三筆指謫其失載朱梁輕賦等事，而吳縝更作新五代史纂誤，抉其舛誤，均非無據。四庫提要說：「一節偶疏，諸史類然，不足以為修病也。修之文章，冠冕有宋，此書一筆一削，尤具深心，其有裨於風教者甚大。」可謂識大體之論。

二十、宋史

甲、撰修時所占便宜

本書係元順帝至正三年三月敕撰，至正五年十月告成。總修者為脫脫，元史本傳作托克托，實係一人，由於音讀的緩急不同，故書寫兩歧。發凡起例，則出於歐陽玄之手居多。全書共五百九十六卷，為本紀四十七卷，志一百六十二卷，表三十二卷，列傳二百五十五卷。以如是巨著，不及三年便告完成，可稱神速了，查其所以能如此神速的，則因宋代史料的記錄與保管之制很周密，每一帝都修的有日曆，每一朝都修的有實錄，其他私人撰進的片段史書也不少，在易代之際，董文炳在臨安主留事，他說：「國可滅，史不可滅。」把宋史館所存各種史料都送元都貯國史院，避免了他代在易姓之際史籍所遭的厄運。同時自元世祖中統二年起，元代諸帝都有詔修遼金宋三史，雖因義例問題爭執不決，直到元順帝時始克正式開館撰修，然宋代末年所缺的一部份史料，反因此得藉元初諸學者的整理掇拾免於文獻無徵。

乙、蕪雜不實

本書因全抄宋人實錄及傳記而成，而宋代實錄全出本朝史官之手，自難免枉曲迴護之筆，而宋人傳記，多採自碑狀誌銘，此類諛墓之文，自更不足以傳信，而修宋史諸人除了把宋人國史舊本列傳次第略加移植外，於事實方面絕少考覈，因此謬誤百出，蕪雜特甚。沈世泊曾著宋史就正篇，糾舉其失。由於本書之不能令人滿意，後來重修者頗不乏人，元末周以立及其孫周敍曾相繼重撰，但都未完成，明嘉靖中廷議更修，以嚴嵩董其事，也未能成，惟王洙私撰宋史質一百卷，柯維騏合遼金宋三史撰成宋史新編二百卷，其書以宋史為主，遼金附之，義例雖有可取，但學力不足，亦不足以饜時望，又以未能付梓，旋遭佚散，祥符王維儉也曾刪宋史，自成一書，也因未能印行而失傳。修訂宋史之難，正與修撰宋史之易，成一反比例，似若有數存在其中者。四庫提要說：「其書僅一代之史，而卷帙幾盈五百，檢校既已難周，又大旨以表章道學為宗，餘事皆不甚措意，故舛謬不能殫數，……自柯維騏以下，屢有改修，然年代緜邈，舊籍散亡，仍以是書為稾本，小小補苴，亦終無以相勝，故考兩宋之事，終以原書為據，迄今竟不可廢焉。」

廿一、遼史

甲、撰修及卷數

遼史也是至正三年四月由脫脫奉詔領修的，據脫脫上書表所說，除了他自己為都總裁外，總裁官有鐵睦爾達世、賀惟一、張起巖、歐陽玄、呂思誠、揭傒斯等六人，纂修者為廉惠山海牙、王沂、徐昺、陳繹曾等四人，所據底本為遼人耶律儼於天祚乾統三年所修太宗以下諸帝實錄七十卷，及金章宗太和七年詔陳大任等所修之遼史。本書自頭年四月奉詔纂修，翌年三月卽告完成，首尾不及一年。全書卷帙，據本書目錄稱凡一百一十六卷，分目爲本紀三十卷，志三十一卷，表八卷，列傳四十六卷，依細目計算，僅得一百一十五卷，短少了一卷。四庫提要指其細目爲本紀三十卷，志三十一卷，表八卷，列傳四十六卷，國語解一卷，各數相加，與總數相符，但把列傳多算了一卷，因爲原目所稱列傳四十六傳，已包括國語解在內，剔除國語解，列傳只有四十五卷，國語解不能作列傳，四庫提要將其分出是對的，但分出之後的列傳應爲四十五卷。查今本目錄，志爲三十二卷，所少的一卷，乃志目少列，四庫提要未計算志目，而於列傳外加國語解一卷，如再加所短的一卷志，又多出一卷了。所以本書的細目應爲本紀三十卷，志三十二卷，表八卷，列傳四十五卷，國語解一卷，共一百一十六卷。

乙、潦草疏略

脫脫進史表說：「耶律儼語多避忌，陳大任辭乏精審。」是其已知二書之未可靠，照理遼史應該於二書之短有所糾正，但據趙翼廿二史劄記所舉遼史記述與唐書新五代史所載不相符的地方極多，其結論謂：「凡此有善則書，有惡則諱，可見皆耶律儼在遼時所修原本，而陳大任因之者也。而元時修史之草率，并唐書歐史亦不復校勘，概可見矣。」四庫提要也說：「故當時所據，惟耶律儼陳大任二家之書，見聞旣隘，又蒇功於一歲之內，無暇旁搜，潦草成編，實多疏略，其間左支右詘，痕迹灼然，……至厲鶚遼史拾遺所摭，更不可以僕數，此則考證未詳，不得委之文獻無徵矣。」不過此書於本國事蹟的記載雖多失實之處，但用以參校宋金二國史蹟，却多所糾補。

廿二、金史

甲、撰修情形

本書與宋遼二史係同時由脫脫受詔領修，於至正四年十一月告成，時間遲於遼史，早於宋史。全書一百三十五卷，爲紀十九，志三十九，表四，列傳七十二。在本書完成時，脫脫已卸相事，故本書與宋史進表均由繼任丞相阿魯圖領銜，而稱脫脫爲前中書右丞相。惟書中仍題總裁脫脫等撰，是脫脫始終參預其事，未嘗離局。按本書進表中所列預修人名；領修者爲阿魯圖與別兒怯不花，都總裁爲脫脫，總裁官爲鐵睦爾達世、賀惟一、歐陽玄、張起巖、李好文、王沂、楊宗瑞、纂修官爲沙剌班、王理、費著、伯顏、趙時敏、商企翁等。宋遼金三史同時開局，又以同一人爲都總裁，其他總纂官及纂修人員又復大致相同，照理應該優劣相等，但事實上本書敍事詳核，文筆簡潔，迴出宋遼二史之上。

乙、優異之由

本書所以優於宋遼二史者，幷非撰修人拙於彼而工於此，乃由其憑藉之厚也。金初無文字，開國時，宗翰向故老訪求先世遺事，錄備史乘之需，後來睿宗實錄，又得舊人古雲爲之更定，是其原始資料均得自聞見，非揣摩臆造之紀錄可比，故所記金國與契丹往來及戰爭之事，中間許多陰謀詭計，均委曲詳實，一無所隱，而金亡時，元將張柔陷汴京，獨入史館，盡取金實錄及祕府圖書，後來張柔以萬戶鎮順天，元好問向張柔請求，利用其所得實錄及圖書撰修金史，但爲樂蘷所沮，未得如願，元氏便自築野史亭著述其上，凡金代君臣遺言往行，採摭搜集，記錄至百餘萬言，名曰壬辰雜志。同時劉祁於金亡之後，仕元之前，著歸潛志，雜記金末諸人小傳及哀宗亡國始末與崔立作亂諸事，也極爲詳盡有法。張柔所得金代史料雖未給元好問利用，但張柔鎮順天時，王鶚館於其家，因得盡讀所有實錄，後來張柔將實錄等獻給世祖，王鶚又適爲翰林學士承旨，因卽奏請開修遼金二史，當卽詔左丞相耶律鑄、平章政事王文統監修，雖因循未能成書，但據阿魯圖進金史表說：「張柔歸金史於其前，王鶚輯金事於其後。」又據王惲玉堂嘉話載王鶚所擬金史大綱，紀志表傳均完備，足見王鶚所輯金史業已成篇。脫脫等修金史卽用元好問壬辰雜編，劉祁歸潛志，及王鶚所輯金史爲底本，因爲這些底本的記述論斷詳盡精確，所以金史也隨之而詳盡精確，遠出宋遼二史之上了。四庫提要說：「元人之於此書，經營已久，與宋遼二史取辦倉卒者不同，故其首尾完密，條例整齊，約而不疏，贍而不蕪，在三史之中獨爲最善。」

廿三、元史

甲、撰修情形

本書係洪武二年明太祖命宋濂王禕等纂修，於二月在天寧寺開局，八月成書，因順帝一朝資料缺乏，未能完備，乃命歐陽佑等往北方採集順帝一朝遺事，第二年二月重開史局續修，經六個月的時間完成，史目載本紀四十七卷，志五十三卷，表六卷，列傳九十七卷，實際上志爲五十八卷，表爲八卷，較目錄多出八卷，合總數爲二百一十卷。其所據資料，本紀則採了元十三朝實錄；志則靠了虞集主修的經世大典，順帝一代事蹟，則完全由歐陽佑得之於訪問；至於列傳則多就各家誌錄及家傳之類抄錄，因全書均出於抄摘，故成書能如是之速。

乙、毛病所在

本書頒行之後，學者竊議紛紛，多表不滿，先後有朱右作拾遺，解縉作正誤，加以糾補。究其毛病，屬於本紀者，首先是元朝的實錄極爲疏謬，據徐一夔給王禕的書說：「日曆者，史之根底也；至起居注之設，亦專以甲子起例，蓋記事之注，無踰於此也。元則不然，不置日曆，不置起居注，獨中書置時政科，遣一文字掾掌之，以事付史館，及易一朝，則國史院據所付修實錄，而其於史事固甚疏略。」本來在時政科之外，元代尚設有內廷記錄，名爲脫卜赤顏，記注比較詳備，虞集曾請以之爲增修太祖實錄之資，而翰林承旨塔失海牙說：「脫卜赤顏非可令外人傳者。」所以未能邀准。在此情形下，修實錄者既無翔實資料，只好任其疏略，修史諸人直抄實錄，亦不旁求補訂，這是本紀疏謬的原因。屬於傳志者，據顧炎武日知錄所摘舉，趙孟頫諸傳備書上世贈官，仍誌銘之文，不知芟削；又列傳第八之速不台卽第九之雪不台，第十八之完者都卽二十之完者拔都，三十之石林也先卽三十九之石林阿辛，皆以音訛重出；而河渠志言耿參政，祭祀志言田司徒，案牘之語，不知剪裁，這些是傳志毛病所在。朱彝尊謂「元史急於成書，倉卒失檢」、觀此益信。

丙、義例不合

關於本書的義例，在目錄之前，曾有凡例四條，略謂一、本紀事實與言辭幷載，準兩漢史；

二、宋史所志，條分件列，覽者易見，志準宋史；三、遼金史據所可考者作表，不計詳略，表準遼金史；四、列傳準歷代史而參酌之。歷代史書紀志表傳之末，各有論贊之辭，今修元史不作論贊，但據事直書，具文見意，使其善惡自見。觀此，似修撰者於義例曾加研究，但據四庫提要說：「今觀是書，三公宰相分爲兩表，禮樂合爲一志，又分祭祀輿服爲兩志，列傳則先及釋老，次以方技，皆不合前史遺規，而刪藝文一志，收入列傳之中，遂使無傳之人，所著皆不可考，尤爲乖迕。」是見本書的義例，幷未照凡例的規條去做。

廿四、新元史

甲、撰修情形

本書爲糾正元史之失而作，故名曰新元史，作者膠東柯劭忞生當清末民初，是書草始於清季，完成於民初，卷頭仍題柯氏在清代所居官銜，乃因柯氏於清亡後，未曾出仕，仍以遺老自居。關於元史之繁蕪不滿人意，明人予以糾補的情形，已略如上述，清人之圖加以刊正者更不一其人，其尤著稱者，則有邵遠平之元史類編四十二卷，錢大昕之元史氏族表，補元史藝文志，元史拾遺，元史考異等，魏源之元史新編，李文田元祕史注，至於採用外國資料，擴大元史範圍之著作，則有洪鈞的元史譯文補正，屠寄的蒙兀兒史記。而元人當年祕不示人的脫卜赤顏，亦早已於明太祖洪武十五年譯爲元朝祕史，錢大昕曾從永樂大典中抄出刊行。柯劭忞之新元史，卽根據上面這些新著幷旁參金石文字以及西洋著作編撰而成。

乙、對舊史之糾補

本書有紀二十六卷，表七卷，志七十卷，列傳一百五十四卷，共二百五十七卷。本紀中於太祖以前有序紀一卷，根據元祕史及波斯人拉斯脫所著資料，詳述蒙古族發展事蹟，足補舊史太祖以前史迹之缺略。又根據上項資料，立氏族一表，詳述蒙古氏族之支派。又立行省宰相一表，以記中國行省制度之起源。志中將舊史禮樂志分爲禮志樂志，併舊史祭祀輿服二志爲一，名曰輿服志，乃採納四庫提要所指舊史之失而正之。列傳中次釋老於藝術之後，也是依據四庫提要的指謫而改。至於帖木兒之卒雖已在永樂三年，柯氏以其於元代具有迴光反照之勢，故特爲作傳以論其事。惟四庫提要評舊史不作藝文志之非，而錢大昕已有補元史藝文志之作，而柯式既不採錢氏之作，又不自作，殊爲費解。

丙、有關批評

本書於民國八年由北京政府明令列入正史，世多以其義例謹嚴，考證博洽稱之。日本東京帝國大學幷特贈柯氏以博士學位。雖然他們在審議報告中曾指出本書增刪取捨尙有未盡得宜，及考證未盡精詳者數事，但在結論中却褒美說：「改修元史一節，爲向來文學家屢作而未成之事，著者以平生之苦心毅力成此大著，不可謂非千秋之盛業也。元史類編之長處在博引旁搜，其短處在煩瑣冗漫，元史新編之長處在文章雅潔，論斷明快，其短處在記事簡略，史實不備，本編又兼有二書之長而無二書之短，自非學識該博，精力絕倫，安能得此！」惟梁啓超於中國近三百年學術史中說：「柯著彪然大帙，然篇首無一字之序，無半行之凡例，令人不能得其著書宗旨及所以異於前人者在何處，篇中篇末又無一字之考異或案語，不知其改正舊史者爲某部份，何故改正，所根據者何書，著作家作如此態度，吾未之前聞。吾嘗舉此書記載事實是否正確以問素治此學之陳援庵垣，則其所序批評，似更下魏著一等也。吾無以別其然否。」觀此，則梁氏對本書，似并不十分滿意者。

廿五、明史

甲、撰修經過

明史題清保和殿大學士張廷玉等奉敕撰，其成書進上雖在乾隆間，而其開局則遠在康熙十七年，原始的總裁官爲華芳藹、張玉書，繼任者有湯斌、徐乾學、王鴻緒、陳廷敬、張英諸人，參加纂修的則有朱彝尊、毛奇齡、潘耒、施潤章、汪琬、尤侗、吳任臣、黃儀、萬言諸人。據趙翼廿二史劄記稱：「後玉書任志書，廷敬任本紀，鴻緒任列傳，至五十三年鴻緒傳稿成，表上之，而本紀志表尚未就，鴻緒又加纂輯，雍正元年再表上，世宗憲皇帝命張廷玉等爲總裁，即鴻緒本，選詞臣再加訂正，乾隆初始進呈，蓋閱六十年而後訖事。」據張廷玉進史表說：「惟舊臣王鴻緒之史稿，經名人三十載之用心，進在彤幃，頒來祕閣，首尾略具，事實頗詳，爰即成篇，用爲初稿。」據錢大昕萬季野傳稱：「乾隆初，大學士張廷玉等奉詔刊定明史，以王公鴻緒史稿爲本而增損之，王氏稿大半出先生手。」萬季野就是黃宗羲的大弟子萬斯同，斯同於康熙十七年曾力拒清廷鴻博之徵，後來徐乾學任史局總裁官，極力羅致他，他因想藉官府人力物力完成他平生所抱撰修明史的志願，便應聘入京，但他仍不受官，不領俸，不署銜，只住在徐乾學家核定諸纂修官之稿，他因利用此十餘年的時間完成了明史稿五百卷，他後來死在京師，所藏圖書全爲錢名世所乾沒，而史稿則落入王鴻緒之手，張廷玉表中的名人卽指斯同而言，所以不指明者，不願揭人陰私。故明史的底本，實際爲斯同所撰。

乙、幕後指導人物

明史三百三十六卷，爲本紀二十四卷，志七十五卷，表十三卷，列傳二百二十卷，目錄四卷。本書無論在史實方面，抑或文筆方面，都是史漢以後難得之作，所以有良史之稱。這種成績固由於初期纂修諸人，均爲一代名手，又經過六十多年的斟酌損益工夫所致，但最有力的還是在幕後指導的兩位大遺老，那就是顧炎武黃宗羲，這兩人都是躬冒矢石參與明代光復工作的，到光復事業失敗，自覺回天無力時，遂轉而注意於有明一代的歷史文物的保存，顧炎武蒐集有明史料一千多卷，黃宗羲則撰有明史案二百四十卷，行朝錄八種，清廷爲了要籠絡二人，便迎合他們的志趣，以修明史爲由徵聘他們，但都被他們拒絕了。可是他們本人雖不接受修史的聘請，但清廷却任命了顧氏的外甥徐乾學爲史局的總裁官，而徐乾學又私聘了黃義宗的高足萬斯同爲顧問，因此炎武與宗義便成了明史幕後的指導人了。相傳明史曆志都求宗義審核後才定稿，地理志則大半取資於他的今水經。

丙、體例之得

本書的體例，四庫提要極爲稱許，它說：「其間諸志，一從舊例，而稍變其例者二：曆志增以圖，以歷生於數，數生於算，算法之勾股面線，今密於古，非圖則分刌不明，藝文志惟載明人著述，而前史著錄者不載，其例始於宋孝王關中風俗傳，劉知幾史通又反覆申明，於義爲允，唐以來弗能用，今用之也。表從舊例者四；曰諸王，曰功臣，曰外戚，曰宰輔；創新例者一：曰七卿，蓋明廢左右丞相而分其政於六部，而都察院糾核百司，爲任亦重，故合而七也。列傳從舊例者十三，剏新例者三：曰閹黨，曰流賊，曰土司，蓋貂璫之禍，雖漢唐以下皆有，而士大夫趨勢赴羶，則惟明人爲最夥，其流毒天下亦至酷，別爲一傳，所以著亂亡之源，不但示斧鉞之誅也；闖獻二寇至於亡明，剿撫之失，足爲炯鑒，非他小醜之比，亦非割據羣雄之比，故別立之；至於土司，古謂羈縻州也，不內不外，釁隙易萌，大抵多建置於元，而滋蔓於明，控馭之道與牧民殊，與敵國又殊，故自爲一類焉。若夫甲申以後，仍續載福王之號，乙酉以後，仍兼載唐王桂王諸臣，則頒行以後，宣示綸綍，特命改增。」趙翼廿二史劄記於本書列傳之得體，也極爲讚揚。惟章炳麟檢論說：「明史以聖安、思文及永曆帝雜諸宗室諸王，夫本紀猶經，諸臣列傳猶傳記，此史官之大律也。明三帝不列於紀，而其臣史可法、瞿式耜及三朝將相四十餘人，皆有列傳，此其所事者何主，所立者誰之朝耶？去本幹而存枝葉，首尾衝決，遂至於此，文字爲不通矣；從存忌諱，不當紕謬若是甚也。」這實在是一種苛求的責難，在清初文字獄之嚴，卽所以防止民族思想之煽動。修史諸人不惟不敢以三王列本紀，卽列傳也不敢專立，意卽在避當時忌諱，可是他們明的避忌諱，暗的仍傳三王及其諸臣，不沒一代殘局中奮鬥之實，今日這部份史迹之不全被湮沒者，實得力於此種委曲求全的苦心孤詣，若必如章氏之見爲三王作本紀，一旦觸怒當朝，勢必全部削而投之，今人雖欲睹此不全之記載，亦不可得了，章氏在易代之後說話容易，詎知在危疑局勢下筆削之難！所以這不得已的變通情形，我們不當視爲體例上的過失；尤其是明史是官修之史，非私史可比。

第三章　通史

前言

通史一名，望文生義，卽知其爲通貫古今，不以朝代爲斷限的史書。以朝代爲斷限的史書，用本紀以爲綱維，故稱紀傳體；不以朝代爲斷限的通史，須以年爲綱維，故稱爲編年體。編年與紀傳體在中國史學的地位是相等的，劉知幾史通論述各代歷史，均以編年與紀傳幷舉。四庫提要編年類說：「編年紀傳均正史也，其不列爲正史者，以班馬舊裁，歷朝繼作，編年一體，則或有或無，不能使時代相續，故姑置焉，無他義也。」這議論是把斷代史來限編年的用途了。因爲提要的作者見史通六家篇以荀悅漢紀列編年體之首，而漢紀的史蹟，洽限於西漢一代，與前漢書的斷限相應，遂誤把編年與紀傳二體都作了斷代來論，不知荀悅漢紀乃是漢獻帝因班固漢書文繁難省，令悅依左氏傳體改編而成，故其斷限一準漢書，晉袁宏又步其後塵，改編後漢書爲後漢紀，於是風氣相承，各斷代紀傳史幾於都有人爲之用編年改寫。遂使編年體成了紀傳體的副產品，後世所以稱紀傳體爲正史的，實對這副產品而言，幷非如提要所稱「歷代繼作」之故，因爲編年的通史例以一書貫串數代，實不用每代都作。如果我們承認編年體與紀傳體是等量并重的，我們就得把編年體從漢紀一類副產品的地位解放出來，恢復它的獨立性，怎樣才能做到這地步呢？那就是把編年體納入通史範圍內，以與斷代的紀傳體相對立。也許有人會懷疑，司馬遷的史記便是紀傳的通史，李延壽的南史和北史以及鄭樵的通志都是以紀傳爲通史的，怎見得紀傳非通史？但這只是紀傳體的變通用法，正如荀悅等以編年作漢紀一樣。紀傳的體式不僅是斷代，而且是斷朝的，以記數百年間史迹，尚無大礙，以作數千年的通史，將有不勝尋檢之煩，故司馬遷的史記非另作表以資比照不可，像司馬光的資治通鑑上下數千年，根本不用表，按年索事，如網在綱，就無須立表之煩了，這一事實說明了紀傳與編年孰宜於作通史。故四庫提要在議論方面雖未以通史專屬於編年，而在分類方面，編年類的第一部史書便是通史的竹書紀年，而司馬光的資治通鑑也屬之，事實如此，更無所用其懷疑。準此，故本章於編年體，專以通史爲論述對象，於其餘斷代以及附通鑑而作的綱鑑一類編年史書，概從省略。

一、竹書紀年

通史中最早作品，當推竹書紀年，作者爲誰，已無從推考。據晉書束皙傳稱：「太康二年，汲郡人不準盜發魏安釐王墓，得竹書數十車，其紀年十三篇，記夏以來至周幽王爲犬戎所滅，以事接之三家分晉，仍述魏事至安釐王二十年，蓋魏國之史書，大略與春秋多相應。」惟歷代書志所載是書帝王起訖年代及卷帙，均不一致，不知是否爲轉抄所誤，四庫所錄爲二卷，題沈約注，惟注文多抄宋書符瑞志，世固疑其出宋後人僞托，四庫提要以書中所載多與歷代傳注家所引不相符，懷疑其爲明人鈔合諸書所成，并謂「觀其以春秋合夏正，斷斷爲胡傳盛行以後書也。」故本書原文有無訛亂不可知，而沈約注本則絕對出於依托。

二、通史

通史一名，創自梁武帝，史通載：「至梁武帝又敕其羣臣，上自太初，下終齊室，撰成通史六百二十卷，其書自秦以上，皆以史記爲本，而別採他說以廣異聞，至西漢已還，則全錄當時紀傳，……大抵其體皆如史記，其所爲異者，惟無表而已。」這部通史後被與金陵所藏其它圖書七萬卷一併運往江陵，到西魏兵破江陵，蕭繹焚所藏古今圖書十四萬卷，本書遂同爲灰燼，劉知幾實不及見此書，據其所說本書體如史記，則是紀傳體而非編年體了。觀蕭子顯傳所稱梁高祖對子顯說「我造通史，此書若成，衆史可廢」的口氣，其目的正爲不滿意於紀傳體而作，如依史記體而作，至多不過史記續編而已，何至欲廢衆體？則此書體例必不同於史記，殆可斷言。胡三省注資治通鑑序說：「自荀悅漢紀以下，紀年書事。世有其人，獨梁武帝通史至六百卷。」是亦認通史爲同於漢紀的編年體，而非如史漢的紀傳體了。知幾揣度之辭，恐未足據。

三、資治通鑑

資治通鑑爲繼梁代通史後所撰通史之鉅著，據通鑑事略及進表所載司馬光撰本書的經過，光因歷代史書繁重，患人君無暇閱覽，想把戰國到五代史實中之有關國計民生，可法可戒者，效左氏編年體，約爲一書，名曰通志，以備人君閱覽，先撰成了戰國到秦二世的八卷之後，便進呈英宗，英宗大加欣賞，於治平三年四月詔令開局續修，可自選辟官屬，并許借龍圖天章閣三館祕閣書籍，以爲參考。書成時，英宗已崩，光表上於朝，神宗因其有裨治道，便賜名爲資治通鑑，并親爲之作序。司馬光撰此書時，所用參考書，除正史之外，採集雜史及小說達三百二十三種之多，書成後，在洛陽的殘稿堆滿兩屋，可想見其工夫之深了。當時助編的人，有劉攽擔任史記前後漢部份，劉恕擔任三國南北朝部份，范祖禹擔任唐五代部份，三人均通儒碩學，故能取精用宏。四庫提要說：「其書網羅宏富，體大思精，爲前古之所未有。」實非過譽。全書卷帙：正文二百九十四卷，目錄三十卷，合計三百五十四卷。編撰時間自治平三年四月開局，至元豐七年十二月畢功，歷時十九年。所述的史實，上起戰國三家分晉，下終五代，凡一千三百六十二年。其三家分晉之前不作者，大約以爲有尚書及左傳，可相銜接。劉恕又作通鑑外紀，起包羲終威烈王，以替尚書及左傳。本書行世後，繼起作者，南宋有朱熹的編目，李燾的續資治通鑑長編，金履祥的通鑑前編，元有陳桱的通鑑續編，清有徐乾學的資治通鑑後篇，畢阮的續資治通鑑，則本書對史學影響之鉅，於此可見一斑，將上面這些通鑑著作聯貫起來，便構成一部完整的中國通史。

第三章　事類史

前言

劉知幾史通列史學六家，而歸總到紀傳編年二體，因自漢至唐，所有史書，均不出此二體。到宋袁樞讀資治通鑑而好之，因苦其以事繫年，前後尋檢，殊多費事，乃就通鑑史蹟以事爲類，仍依年次先後纂述成書，名曰通鑑紀事本末，事類史遂於此成立，後人仿其體相繼撰述，於是自開闢以迄明末事類均備，與斷代史通史形成我國史體鼎足之勢。章學誠稱：「文省於紀傳，事豁於編年。」確爲此體之長處所在。茲將事類史著作中之在年代上足以構成全史者，論述於下，其零星作品，概從省略」。

一、通鑑紀事本末

本書凡四十二卷，爲宋袁樞撰，樞爲建安人，試禮部第一，累官右文殿修撰，嘗分修國史傳，章惇與同里，宛轉請文飾其傳，樞力拒之。時相趙雄總史事，聞而歎曰：「無愧古良史。」他因喜讀資治通鑑，苦其事類分散，首尾難覓，乃依類編次爲本書，每事各詳起訖，自爲標題，每篇各編年月，自爲首尾，經緯明晰，節目詳備，前後始末，一目了然。全書事蹟雖不出通鑑範圍，但去取剪裁，義例精密，故孝宗以賜東宮及江上諸帥，令各熟讀曰：「治道盡在是矣。」朱熹也稱其「部居門目，始終離合之間，皆曲有微意。」

二、春秋左氏傳事類始末

本書凡五卷，爲宋章冲撰，冲爲葉夢得之婿，夢得著有春秋考及春秋讞，以春秋學著稱於時，故冲於左氏春秋也號稱明習，冲與袁樞均生當孝宗之世，袁樞的通鑑紀事本末刊於淳熙丙申年，此書刊於淳熙乙巳年，後於樞書九年，可以說是步袁書後塵最早的著作。惟袁書用資治通鑑爲底本，以史編史，順理成章，輕而易舉；冲書以春秋及左傳爲底本，春秋經比事屬詞，義多互發，而左傳之文，或先經以始事，或後經以終義，或依經以辨理，或錯經以合異，頭緒紛煩，裒集甚難。但冲取諸國事迹，排比年月，各以類從，使節目相承，首尾完具，變經傳爲史裁，工作之難，遠在樞上。明曹宗儒也有春秋左傳敍事本末，無以勝此，不具論。

三、左傳紀事本末

本書凡五十四卷，爲淸高士奇撰，是書標例有補逸、考異、辨誤、考證、發明諸目，不僅在廣章冲之書，兼亦補訂左氏之失。惟冲書用春秋十二公爲紀，本書則以國別爲紀，編輯義例，稍有不同。又冲書頗傷繁碎，本書則大事必書，細事從略，故四庫提要說：「與冲書相較，雖謂之後來居上可也。」與此同名異撰的尙有馬敎思的左傳紀事本末四卷，不具論。

四、繹史

以上兩書是向上伸展通鑑紀事本末至春秋，至於由春秋再向上，則缺如了。馬驌的繹史便是應這一需要而作，馬驌爲淸順治年進士，精研古史，時號馬三代。此書纂錄開闢到秦末年的史事，全書一百六十卷，屬於太古者十卷，屬於三代者二十卷，屬於春秋者七十卷，屬於戰國者五十卷，另有別錄十卷。本書於每事各立名目，詳其始末，悉依袁樞紀事本末體，所不同者，袁書乃鎔鑄通鑑成篇，本書事類皆出於抄摘，所抄各事均冠以原書名，遇有異同訛舛之處，便於條下疏通辨證，并於每篇之末，自作論斷。別錄則抄撮諸書之文以當正史之表志。四庫提要評其「疏漏牴牾，間亦不免，而蒐羅繁富，詞必有徵，實非羅泌路史，胡宏皇王大紀所可及。」

五、宋史紀事本末

由通鑑紀事本末往下延長的作品，就當首推宋史紀事本末了。此書爲明兵部侍郎陳邦瞻所撰，在邦瞻之前有禮部侍郎馮琦仿通鑑紀事本末例以宋史分類相比，欲以續袁樞之書，未成而卒，御史劉曰梧得其遺稿，交邦瞻增訂成編，故本書篇章成於琦者大抵十分之三，出於邦瞻之手者約十分之七。上起太祖代周，下訖文謝之死，共分一百零九目，於一代興廢治亂之迹，列舉無遺，在組織上雖不及袁書之精密，但袁書所據通鑑本自條理分明，義例精嚴，而本書所據宋史，則向以冗蕪著稱，披榛得路，故其用功遠較袁樞爲勤。四庫提要以本書紀事既兼及遼金兩朝，自當稱宋遼金三史紀事本末方於體例無乖，乃專用宋史標名，殊涉偏見。不知遼金雖與宋爲敵，幷未一統華夏，若援史漢之例，只當附之於宋史列傳，元人分修宋遼金三史，意在消除春秋內諸夏而外夷狄之義，明人光復華夏，民族意識正濃，豈肯循韃靼之例，以自儕於四夷？四庫纂修諸人身受異族豢養，忘却春秋大義，反以不辭爲恥，亦胡顏之厚！惟元朝旣已君臨中國，成大一統之局，陳氏繼又有元史紀事本末之作，則元初事迹，不留載於元史，而附見於本書，不免稍失斷限。

六、元史紀事本末

元史紀事本末四卷，也爲陳邦瞻所撰，元史僅八月成書，本極潦草，後商輅等撰續綱目，也未能旁徵博采，故於元代史迹，仍多闕略，本書取材，不出二書之範圍，故不及宋史紀事本末之賅博，又以其將元初史迹附詳於宋史，而於元朝鼎革的記載，又以爲宜詳於明史，遂使本書於元代興亡重要史迹均略而不詳，未免有乖史例。同時附述明初史實，因有意爲本朝文飾，不無曲筆之處，所以本書比之宋史紀事本末，殊多遜色。四庫提要稱：「元代推步之法，科舉學校之制，以及漕運河渠諸大政，措置極詳，邦瞻於此數端，記載頗爲明晰，其他治亂之迹，亦尚能撮舉大概，攬其指要，固未嘗不可以資考鏡也。」

七、明史紀事本末

明史紀事本末八十卷，爲清谷應泰所撰，應泰編撰此書時，明史尚未刊行，遂蒐采野史稗乘，以資參考，據邵廷采思復堂集稱：「明季稗史雖多，體裁未備，罕見全書，惟談遷編年，張岱列傳兩家具有本末，應泰幷采之以成紀事。」因本書取材於稗乘野史者多，遂使史事間不免於失實，然其排次得法，文筆亦佳，四庫提要評稱：「其排比纂次，詳略得中，首尾秩然，於一代事實極爲淹貫，每篇後各附論斷，皆仿晉書之體，以駢偶行文，而遣詞抑揚，隸事親切，尤爲曲折詳盡。」

第四章　文化史

前言

文化一辭，古今異觀，在我國舊籍中所說的文化，都指文物教化而言，說苑指武篇說：「凡武之興，爲不服也；文化不改，然後加誅。」王融三月三日曲水詩序：「設神理以景俗，敷文化以柔遠。」均屬此義。所以我國古代文化之義，是與政治聯爲一體的。現代的文化，意義就廣泛了，凡人類由野蠻進入文明的各種風俗習慣，政治宗教，語言文字，天文地理，科學藝術，體育衞生一切有關人類活動的事項，都包括在內，所以近世西洋史中把記述這類事迹的作品稱爲文化史；而我國原有的解釋既與近代的解釋有廣狹義之別，故歷史中無文化史一名。究因我國史學的發達，名目雖缺，而史書自備。尙書中有洪範以記天文五行，有禹貢以記疆域地形，有周官以記典章制度，雖然它們所記述的不能精確的概括唐虞夏商周的文物教化，但是已具備了文化史的雛形。司馬遷會通其意，創爲八書，班固廣之爲十志，於是體例益備，記載更詳，在二十五種正史中，除了三國志、梁書、陳書、北齊、北周、南北二史無志外，餘皆有志。不過這些志書所記文物教化，均隨紀傳以朝代爲限，無法觀其會通，唐劉秩有鑒於此，遂摭拾諸史，分門銓次，作政典一書，是爲我國獨立文化史之濫觴。杜佑因劉作不夠完備，乃根據史漢以來各代志書所載的典章制度文物，彙爲一編，改名爲通典，四庫全書以明錢溥祕閣書目有政書一類，遂立政書一目以收之。提要所舉是類書目凡數十種，但如各代會典、會要以及律例、錢通、馬政諸書，或限於一代，或偏於一目，均不合於杜佑通典會通各代之典章制度文物成一完整之著作之旨，換言之，也就是不合於本章文化史的定義，所以本章所論，只限十通，餘悉從略。

一、通典

本書凡二百卷，上溯黃帝，終於唐之天寶，分食貨、選舉、職官、禮、樂、兵刑、州郡、邊防八門，各門之中又分爲子目若干。據杜佑自敍篇次的意義說：夫子曰：既富矣，而後敎之，故以食貨爲第一；行敎化必須設職官，設職官就得擇人才，故以選舉第二；人才既得，然後設官分職，故以職官爲第三；敎化之道，須制禮以端其俗，立樂以和其心，故以禮爲第四，以樂爲第五；有不遵敎化者，則威以刑罰，故以兵刑爲第六；列州郡以便分治，故以州郡爲第七；阻遏戎狄之入侵，必須設置邊防，故以邊防爲第八。各目除詳載其制度沿革外，并附錄有關各該目得失議論文字，以資考鏡。四庫提要評其「詳而不煩，簡而有要，元元本本，皆爲有用之實學，非徒資記問者可比」，乾隆御序說：「朕惟三書，各有意義，鄭樵主於考訂，故旁及細微；馬端臨意在精詳，故間出論斷；此書則佑自言徵於人事，將施有政，故簡而有要，核而不文。」雖其在細節上間有記載不全，如四庫提要所摘舉者，但都無傷大體，不足爲病。

二、續通典

杜佑通典終於天寶之末，宋咸平三年詔宋白續修，於翌年九月書成，共二百卷，名爲續通典，起唐至德初，訖周顯德末年。因通典載數千年事亦止二百卷，此書所載僅二百餘年事，卷帙竟與之相埒，時論頗議其繁複，書亦旋佚，清乾隆三十二年敕紀昀等爲總纂撰續通典，起唐肅宗至德元年，訖明崇禎末年，凡爲書一百四十四卷。篇目悉依杜典之舊，惟杜書將兵制附於刑罰之後，此書將兵刑各列一目，據凡例說明，這完全是因卷帙及事蹟多寡有異，幷非別有歧見。又杜書州郡典統以九州，本書則以宋遼金元迄明，地方行政區域，或分爲路，或分爲道，或分爲省，各成一代之制，若仍分屬於九州，未免紛紜割裂，轉失分土之實，遂變其例，以朝代爲綱。四庫提要評云：「較諸杜氏原書，實有過之無不及，宋白所續，更區區不足道矣。」

三、清朝通典

清朝通典一百卷，原名欽定皇朝通典，亦係乾隆三十二年敕撰，大目仍照杜佑的八門分列，惟細目則頗有更易，因清朝距唐已遠，文物制度，變化很大，在唐以前所有制度，爲清朝所無者，，卽一例刪除，不存虛目。如地理典中疆界，杜氏以九州提綱，而清代疆域廣闊，超越九州不啻倍蓰，故悉以大清一統志爲斷。尤其此時清朝經制已大體完備，各有專門記載之書，如禮則有大通禮及皇朝禮器圖，樂則有聖祖御製律呂正義及乾隆御製律呂正義後篇，刑則有大清律例，兵則有中樞政考，地理則有皇輿表，大清一統志，欽定日下舊聞考，盛京通志，熱河志，滿州源流考，皇輿西域圖志，故此書雖名爲續杜佑之作，實在只是一部大清會典的變相。四庫提要稱其「誠足媲美乎官禮，又豈杜氏之綴拾殘文，裒合成帙，所可同日語哉！」因提要作者便是本書總纂官，猶未免敝帚自珍之習，實則杜書博取五經羣史，備具歷代沿革，考鏡得失，體大思精，又豈是此僅記二三帝王制度典章之編所能望其項背？

四、通志

通志二百卷，爲宋鄭樵所撰，據他自己解釋這名稱說：「古者記事之史謂之志，……太史公更志爲記，今謂之志，本其舊也。」志既作史解，則通志卽通史之別名。事實上本書的體製也是仿史記的，它有帝紀，有列傳，有年譜以代史記諸表，有二十略以代史記八書。但四庫全書既不把它與紀傳的斷代史同收，也不把它與編年的通史同收，却把它收在別史類，其原因大概是如提要所評：「大抵因仍舊目，爲例不純，……或繁或漏，亦復多歧，均非其注意所在，平生之精力，全帙之精華，惟在二十略而已。」按二十略所載多爲歷代文物教化之制，大致項目與通典通考相同。所以學者均以三通幷稱，四庫全書將通典通考都收入政書門，而於清朝通志也收入政書門，乃獨將本書收入別史類，未免失倫，故本編以之與通典通考同列在文化史中。本書所載的紀傳及譜，止於隋代，因他對於各代紀傳都稍有刪錄移掇，唐書及五代史爲宋代官史，他爲避擅議本朝官史之嫌，所以於唐五代的紀傳一概不取。二十略則敍至唐代。二十略的目錄爲：一、氏族，二、六書，三、七音，四、天文，五、地理，六、都邑，七、禮，八、謚，九、器服，十、樂，十一、職官，十二、選舉，十三、刑罰，十四、食貨，十五、藝文，十六、校讎，十七、圖譜，十八、金石，十九、災祥，二十、草木昆蟲。這裏面的氏族，六書，七音，都邑、草木昆蟲五略是他的創例，也是他自命爲得意的，禮、職官、選舉、刑法、食貨這五略，他說：「雖本前人之典，亦非諸史之文也。」至於其餘十略，則典與文皆取之於舊史。四庫提要說它的氏族略多挂漏，六書略多穿鑿，七音乃小學之支流，非史家之本義，於例無取。草木昆蟲略則幷詩經爾雅之注疏亦未能詳核。都邑略中兼載四裔所居，非但約略傳聞，地多無據，且外邦與帝京幷列，義亦未安。」其它各略也都乖誤百出，所以後人對之多加譏彈，認爲不足與杜馬幷稱。

五、續通志

續通志五百二十七卷，也係乾隆三十二年敕撰，所載紀傳，上起唐代以迄於元末，據本書凡例稱，所有無關重要之傳都加刪削，所採諸傳幷間根據資治通鑑及其它史書加以補綴校訂，至於明代紀傳，因明史爲清朝敕撰，依鄭樵不議官史之例，一概不錄，故明代紀傳均缺，略則自五代迄於明。惟鄭志食貨、刑法、災祥諸略，於唐事也間有未備之處，續志則採新唐書諸志以補其闕。而變其例者也有三端：一爲藝文略，鄭志只列卷數書名，續志則補列撰著人的名氏爵里；二爲圖譜略，鄭志原以索象、原學、明用三篇辨其源流，又以記有記無二篇考其存佚，續志刪除舊名，另用經學、天文、地理世系、兵、刑、食貨、算術、儒學、醫藥爲子目；三爲昆蟲草木類，續志以動植物幷無時代可分，惟於鄭志未載者補其闕遺，已載者正其譌誤，至其煉石煮丹之類，事涉迂怪，則概不續增。所以四庫提要稱其比鄭志「雖同一傳，而條理倍爲分明，雖同一略，而考證尤爲精核。」

六、清朝通志

清朝通志二百卷，原名欽定皇朝通志，也係乾隆三十二年敕撰，關於紀傳一目，據凡例說：「若我國家列聖相承，文德武功，臚具實錄者，藏諸金匱石室，至於臣功事實，自有國史列傳及宗室王公功績表諸書爲之敍述，茲篇亦仍鄭氏之例，不復載入。」因此，本書僅有二十略，幷無紀傳，四庫全書以其體例全同通典通考，乃列之於政書，而不隨通志入別史。其修正鄭略者有三端：一爲都邑略，只載興京、盛京、京師城闕之制，以統於尊；二爲謚略，只錄賜謚；三爲金石略，只錄淸諸帝寶墨及西淸古鑑，三希閣帖，淳化軒帖，蘭亭八柱帖諸刻，餘悉不登。至於天文略，則以此時西法盛行，地理略則以版圖擴大，故均有增加；而藝文校讎二略，則以此時四庫全書已經編定，故尤爲精核。四庫提要評以「蒐羅宏富，辨證精詳。」幷非虛譽。

七、文獻通考

文獻通考三百四十八卷，爲元馬端臨撰，其命名意義，據馬氏自序說：「凡敘事則本之經史，而參之以歷代會要，以及百家傳記之書，信而有證者從之，乖異傳疑者不錄，所謂文也；凡論事則先取當時臣僚之奏疏，次及近代諸儒之評論，以至名流之燕談，稗官之記錄，凡一語一言，可以訂典故之得失，證史傳之是非者，則採而錄之，所謂獻也；其載諸史傳之記錄而可疑，稽諸先儒之論辯而未當者，研精覃思，悠然有得，則竊著己意，附其後焉，命其書曰文獻通考。」本書完全以杜佑通典爲藍本，不過他認爲通典「節目之間，未爲明備，而去取之際，頗欠精審，不無遺憾」，所以本書在天寶以前，則增益通典事迹之所未備，離析通典門類之所未詳，凡爲田賦考七卷，錢幣考二卷，戶口考二卷，職役考二卷，征榷考六卷，市糴考二卷，土貢考一卷，國用考五卷，選舉考十二卷，學校考七卷，職官考二十一卷，郊社考二十三卷，宗廟考十五卷，五禮考二十二卷，樂考二十一卷，兵考十三卷，刑考十二卷，輿地考九卷，四裔考二十五卷；其增廣通典之所未及的則有經籍考七十六卷，帝系考十卷，封建考十八卷，象緯考十七卷，物異考二十卷。四庫提要雖指謫其諸考中闕漏之處甚多，然仍稱其「條分縷析，使稽古者可以案類而考；又其所載宋制最詳，多宋史各志所未備，案語亦多能貫穿古今，折衷至當，雖稍遜通典之簡嚴，而詳贍實爲過之，非鄭樵通志所及也。」

八、續文獻通考

續文獻通考二百五十二卷爲乾隆十二年敕撰，馬氏文獻通考訖於宋寧宗嘉定以前，至明王圻才撰續文獻通考二百五十四卷，以續馬氏之書，惟王氏意存炫博，體例糅雜，顛舛叢生，爲識者所病，乾隆最愛通考一書，故首令設三通館，以紀昀陸錫熊爲總纂官，嵇璜劉墉等爲總裁，曹仁虎蔡廷衡等爲纂修兼校對官，博徵舊籍，更爲編撰，以續馬氏之書，而黜王圻之作。是書門目，仍依馬氏之舊，只不過隨時制之變更，將細目略加增損，大抵事蹟先徵正史，而參以說部雜篇，議論則博取文集而佐以史評語錄，至於王圻書中偶有可採者，也間加摘錄，對異同之考證，是非之辨訂，也都元元本本，各附案語。四庫提要稱其「既博且精，非惟可廢王氏之書，即馬氏之書，歷來推爲絕作，亦陶鑄之而有餘也。」平情而論，本書足代王氏之作，是不過份的，至謂可以陶鑄馬書而有餘，實與評清朝通典同一阿私之論。

九、清朝文獻通考

清朝文獻通考二百六十六卷，原名欽定皇朝文獻通考，也係乾隆十二年敕撰，在先本與續文獻通考合爲一書，後因敍本朝典章，凡關詔諭尊稱鴻號，依禮應出格跳行，不能同前朝稱謂一例平書，遂決定將清朝部份劃出，獨立成編。門目原依馬氏二十四門之舊，後來將宗廟考的羣廟劃出，另立羣廟一門，郊社考外另立羣祀一門，於是增爲二十六門。又將前朝所無，清朝新有的制度，各依類增入子目，於田賦中增八旗田制，錢幣中增銀色銀直及四部普兒，戶口中增八旗壯丁，土貢中增外藩，學校中增八旗官學，宗廟中增崇奉聖容之禮，封建中增蒙古王公，其有前朝舊制，為本朝所無者，則加刪削，於市糴中刪均輸和買和糴，選舉中刪洪範五行。其小變舊例者，分國用為九目，將尊號冊封之典自帝系中移入王禮考。自本書開獨立之例，後來續修通典通志時，關於清朝部份均劃出獨自成編。

十、清朝續文獻通考

清朝續文獻通考四百卷，為吳興劉錦藻私撰，為部三十，為目百三十有六，起於乾隆五十一年，終於宣統三年，所記共百二十有六年之典章文物。清季海禁大開，政制有配合國際情勢而設者，所以本書於清朝文獻通考的二十六門之外，又增入外交、郵傳、實業、憲政四門，合為三十門。通典通志的續撰，均斷於乾隆五十年頃，自有本書，乃使中國封建期中的文物制度得有完整的紀錄，換言之，中國整箇封建時期的文化史才得完成。劉氏的貢獻，實不可沒。

十一、餘論

民國以來，因受西學的影響，學者對於歷史的撰著，多半採用分類及通史的方式，這與上述的編年及政書二體正相同，而紀傳的正史，則已於無形中受到淘汰，似於數千年的國有史學精神不無可惜，然中國史學，自孔子修春秋立褒貶及內諱之義，後世作者多有藉褒貶之名，酬個人恩怨之實的，如陳壽魏收之流，可謂變本而加厲者，在二十五種正史中，眞能無愧於筆削之義者，至多不過十之一二，最可遺憾的，褒貶之不公，如止於論評，所失不過少數人的眞面目，影響不大，但作史者爲證成其褒貶計，往往把一代盛衰存亡的關鍵史迹，不惜顚倒錯置，甚者如魏收把凡屬元魏的史籍一概焚燒，使自己的謊言，死無對證，自己的著述，定於一尊，無它可資駁難替代的史書，流毒之甚，可以說爲他國史學界所絕無。現在把這一褒貶的史體去掉，修史者只須就事言事，把前人的面目原樣繪出，妍蚩好醜，讓讀者去評斷，則以上所說的流弊，轉可不禁自絕了。同時分類史由各人就自己的專門研究去著述，分類愈細，著述的價值必更高，這類分類的著述，看去似各不相謀，散無統紀，但若能經文化或出版機構把它們收集彙編在一起，便可收到高度的分工合作之效了。我們很驕傲，就是中國的史學發達之早，體例之完備，幷世各國無與倫比；同時我們也很樂意見到中國的史學體例，能隨着時代而有所改進。

第四編　子學

緒論

甲、釋名

子爲男子的美稱，故古來弟子多用以稱其師，如論語中的孔子夫子便是，但因古人又有自稱爲子（如巷伯之詩的寺人孟子）及泛稱朋友爲子（如孟子稱匡章爲章子）的例外，故弟子之尊重其師者又於某子之上加一子字——如子墨子、子列子——的。孔子以後，春秋戰國的各派學者爲尊崇其師，都援儒家稱孔子之例，編訂其師門學說，名之爲某子，於是有了子學的產生。批評這類學說的，在戰國時稱之爲百家——見莊子天下篇，在西漢初年稱之爲諸子——見史記賈誼列傳。至於諸子學派的私名，在戰國時僅儒墨較爲顯著，名法僅在尹文子大道篇見之，道家之稱，則終始含糊，當時批評諸子的名作，如莊子天下篇稱述老聃也不用道家之名，稱述惠施也不用名家之名，荀子非十二子也只歷舉各個人名，呂覽不二篇說：「老聃貴柔，孔子貴仁，墨翟貴廉，…………」也都未曾標舉學派名。到史記述司馬談論六家要旨，才標出陰陽、儒者、墨者、法家、名家、道家諸學派名。漢書藝文志於六家之外，又加列了縱橫家、雜家、農家、小說家四派，它說：「諸子十家，其可觀者九家而已。」因此諸子又有九流之稱。隨着諸學派名目的確定。諸子學說的系統也有了鮮明的劃分。惟漢書藝文志所引諸子書目，都有越出春秋戰國時代之外的，此在藝文志偏於存目的觀點來說，是無可非議的，但就研究諸子學說的範圍來說，應當以春秋戰國爲斷限，其在春秋以前的子書多出後人依托，不足取信，其在秦以後的子書，只是戰國諸子的餘瀝，幷無甚思想學術上的發明，不足以與先秦諸子幷論，故本篇論究，只以春秋戰國諸子爲限。

乙、諸子不出於王官

關於諸子學說的來源，除了儒家有「仲尼祖述堯舜，憲章文武」的自白以外，其餘各家都未嘗自白其所出，班固採劉歆七略之說，斷然的指出諸子學說的淵源所自，他說：儒家出於司徒之官，道家出於史官，陰陽家出於羲和之官，法家出於理官，名家出於禮官，墨家出於淸廟之守，縱橫家出於行人之官，雜家出於議官，農家出於農稷之官，小說家出於稗官。此卽諸子出於王官之說。汪中墨子後序說：「昔在成周，禮器大備，凡古之道術，皆設官以掌之，官失其業，九流以興，於是各執其一術以爲學。」這是承襲漢志的意見。章炳麟所說：「古之學者多出於王官，」「不仕則無所受學」，同樣也是附和漢志之說的。胡適則著諸子不出於王官論，辨其謬妄。胡適這反對的意見是正確的，但他的說明，則有待於補充。我們要討論這個問題，首先得分辨官制與官守的不同。官制是立法之事，官守是執行之事。立法是屬於學理的，執行是屬於技術的，二者截然不同，譬如現在政府訂頒直接稅法，間接稅法，創制的人必先有學理上的依據，權衡何者當稅，何者不當稅，然後草立稅則；至於那些稅局的徵收官吏，他們所注意的是徵收的技術，而不是稅則的法理。如果我們認諸子之學是屬於技術方面的，那諸子出於王官之說，便無置辯的餘地，如果我們承認諸子之學是屬於思想或理論方面的，班固的見解就錯了。章炳麟說：「世卿用事之時，百姓當家則務農商畜牧，無所謂學問也，其欲學者，不得不給事官府，爲之胥徒，或乃供灑掃爲僕役焉。」他却不知務農商畜牧無所謂學問，供灑掃僕役的胥徒，那裏又能談得上學問。漢昭帝說：「公卿大臣當用有經術明於大誼者。」就是明指那般學幕出身的師爺未有解決大事的學問的。王官之制立於周公，要明白王官的學理，就得從周公學，從那些執行政令的官吏是學不到甚麼的。引班志的說明爲例，他說：「農家者流，出於農稷之官。」此條補注載：「沈欽韓曰：呂覽上農、任地二篇，皆引后稷，任地以下三篇似全述古者樹藝收穫之法，此農書之祖。」在這些篇裏，我們只看到后稷教民播種之法，幷未曾講到農業政策和制度，他怎能啓發戰國農家君臣幷耕的思想和主張呢？如果說這種思想惟有農稷之官才能聯想得到，那只知務農商畜牧的老百姓想不出，我們要問「不稼不穡，胡取禾三百廛兮？不狩不獵，胡瞻爾庭有懸貆兮？」的不平之詩，是農稷之官做的呢，還是那遭受剝削的農民做的？要求一個制度變更的思想，往往身受其害者比之那些執行制度的人爲敏感得多。所以我們把君臣幷耕的思想歸本於勤苦的農民則可，歸本於那些執行農業政策的官吏是毫無理由的。胡適說：「諸子之學，不但決不能出於王官，果使能與王官幷世，亦定不爲所容，而必爲所焚燒坑殺耳。」就是這個道理。

再就各學派的創立人物的出身及思想來研究，儒家的領袖是孔子，他在學問上曾師項橐，曾學琴於師襄，曾問官名於郯子，曾問禮於老聃，子貢說：「夫子焉不學，而亦何嘗師之有？」他在仕途上曾爲委吏，曾爲乘田，曾爲司寇，就是未有爲司徒之官做灑掃僕役的工作。班固徒見其以六藝教人，合於地官司徒的職掌，便稱儒家出於司徒之官，實屬附會。道家的領袖是老子，史記說他是周守藏室之史。周禮中的史字多作官吏解，與許愼說文解字敍所稱的史書之史同義，守藏爲周禮春官天府的職掌，據周禮所載：「天府掌祖廟之守藏與其禁令，凡國之玉鎭大寶器藏焉，若有大祭大喪，則出而陳之，既事藏之；凡官府鄉州及都鄙之治中受而藏之，以詔王察羣吏之治。」根據這一記載，守藏之官所保管的一爲祖廟祭器，一爲地方官工作報告。老子那種淸靜無爲的思想，正合這種職官的身份，孔子問禮於老聃，可能就是就他職掌上的知識而問。班固說他出於史官，明是對史字字義的誤解，而且從五千言的道德經中也找不出一些史學家的思想，或是一句史學家的話來。歷史上最重要的是時間與是非觀念，道德經說：「善者吾善之，不善者吾善之；信者吾信之，不信者吾亦信之。」又說：「唯之與阿，相去幾何？善之與惡，相去何若？」都是混一善惡的思想；至對時間，除了用先後長久等字外，從未下過一個正確的數字，這那有史學家的氣息？班志說：「道家者因歷記存亡禍福古今之道，然後知秉要執本，淸虛以自守，卑弱以自持。」果眞史職會產生老子這樣的人生觀，爲什麼同一時代的書崔子弒其君的齊太史兄弟和南史氏，以及書趙盾弒其君的董狐這班史官們又那樣對是非公道的爭執絲毫不苟呢？班固因誤解史義，便杜撰一番理由出來，以證道家出於史官，眞是牛頭不對馬嘴。除非確認老子爲史記中所說的周太史儋，道家與史官實無一毫牽合的可能。陰陽家的領袖是鄒衍，班固說陰陽家出於羲和之官，按羲和爲授時之官，鄒衍的思想和學說，據太史公在孟荀列傳中說：「稱引天地剖判以來，五德轉移，治各有宜，而符應若茲。」很顯然的，鄒衍是利用陰陽消息作他的機祥的象徵，用五行生剋作他帝運轉移的論據的，他的重點在機祥和符應，而不在頒閏授時，陰陽家之無關於羲和之官，正如同今日的測字攤之無關於天文臺一樣。如果我們認測字攤出於天文臺之說爲荒唐，那我們也就不能不說班固謂陰陽家出於羲和之官的言論爲荒唐了。法家的代表人物爲商鞅。申不害、韓非。商鞅相秦，申不害相韓，都是大政治家，班固說法家出於理官，理官爲專掌推鞠獄訟的法官，其性質同於漢之張湯，唐之周興來俊臣，這班人只懂獄訟，根本不懂政治爲何物。而且在商、申、韓三人的史迹中也找不出他們推鞠獄訟的記載來，班固徒因他們主張法治，便把這類學說思想列到純法官的門下，簡直是對政治與法律的觀念未弄清。名家的中心人物爲惠施公孫龍，他們的學說就是今日的論理學，班固說名家出於禮官，按周禮禮官之屬爲大宗伯小宗伯等職，大宗伯所掌爲祭典，小宗伯所掌爲祭典中的法物使用，大宗伯的職掌與名家絲毫牽扯不上，小宗伯的職掌，則有辨廟祧之昭穆，辨吉凶之五服，辨三族之親疏，辨六牲之名物，辨六齍之名物，辨六彝之名物，辨六尊之名物等規定。同條又有樂器使用的規定，班固因孔子說：「名不正則言不順，言不順則事不成，事不成則禮樂不興，禮樂不興則刑罰不中，刑罰不中則民無所措手足。」或以爲小宗伯所掌正是禮樂名物的辨別，便把名家牽入禮官門下，不知小宗伯之辨名物，乃在分別某禮用某物，使不相亂，并不是名家的辨認名稱與物體的相應與否，惠施公孫龍的名學是玩奇辭以勝人爲賢的，他們的鷄三足，卵有毛，白馬非馬諸論，與禮毫不相干，他們這種辯術，不僅小宗伯夢想不到，如果用之對小宗伯講，一定會遭受到激烈的反對，因爲他的職掌是一個釘子一個眼，不許玩弄任何花樣的。禮官以守器爲主，名家以論辯爲主，兩者間正如風馬牛之不相及，荀子在非十二子篇中說名家「不法先王，不是禮義。」已經告訴了我們這一派學說是自我作古的，班固這牽合眞無聊之至。墨家的領袖是墨翟，淮南要略說：「墨子學儒者之業，受孔子之術，以爲其禮煩擾而不悅，厚葬靡財而貧民，久服傷生而害事，故背周道而用夏政。」已很明白的指出了墨家乃生於對儒家的反動。班固却偏要說他出於清廟之守，這一說因有呂氏春秋「魯惠公使宰讓請郊廟之禮於天子，天王使史角往，惠公止之，其後在於魯，墨子學焉」的記載，較之他家之說略有根據，但墨子學於史角之後，也不過如孔子問禮於老聃，欲明清朝之禮而已，班固因左桓二年臧哀伯曰：「是以清廟茅屋，大路越席，太羹不致，粢食不鑿，昭其儉也。」便謂茅屋采椽，是墨子貴儉之由，按儉的範圍很廣，何必一定由於清廟茅屋？孔子說：「禮與其奢也寧儉。」難道不可以作墨子貴儉的啓示嗎？他又說：「養三老五更，是以兼愛。」孔子說：「汎愛衆，而親仁。」不比養三老五更更有力嗎？他又說是「選士大射，是以上賢。」子曰：「舉賢材。」不是上賢的提倡嗎？他又說「宗祀嚴父，是以右鬼。」子曰：「祭如在，祭神如神在。」不是右鬼的觀念嗎？他又說：「順四時而行，是以非命，」子曰：「天何言哉？四時行焉，百物生焉。」又「子罕言命」不可爲順四時與非命的根據嗎？他又說：「以孝視天下，是以上同。」子曰：「弟子入則孝，出則弟。」不就是上同的敎育嗎？細按墨子的學說，無論是同於儒家抑或反對儒家，無一不可在孔子學說中找到根據，反觀清廟茅屋之說，既非出於史角之口，而所謂養三老五更，選士大射，根本與清廟之守不生關係。（呂思勉嘗謂古者明堂學校同爲一室，故養老大射均爲清廟之典，以駁胡適。卽使清廟用途如呂氏所說，則天子三公是否卽與清廟之守同爲一人？不然，則此與卽不能爲清廟之守之職。）捨現有的證據不取，却偏去無中生有的拉證據，如班氏者，眞可說是王官迷了。縱橫家之名乃由合縱連橫兩個國際政策的術語組合而成，與行人之官，絲毫不生關係，行人之官是政府的外交代表，所以他們出國要受命，依照國策行事。政客以推行自己的主義爲主，他們主要在利用有關係的國家來作實現自己主義的工具，決不是胸無城府去受別人役使。而且縱橫這一名辭在王官中根本找尋不出，倡此主義的蘇秦張儀也未曾做過行人之官的胥徒或者是藉行人之官以進身，怎能說他是出於行人之官？班固只知縱橫家尙辭令，行人之官亦尙辭令，遂以兩者爲一事，不知一有個人的主張，一無個人的主張，身份完全兩樣。雜家一名，用作書目分類可以，如四庫全書便立此目以收寥寥不能成類之書，若以此名來定學說思想派系，那就是荒天下之大唐了。學說必須有獨到的見解，特殊的主張，乃可稱家，不專一門，東鱗西爪，雜採衆說，如何能成家？班氏徒因呂氏春秋一書兼攬儒、法、名、墨、道各家之說，特立雜家一名，且謂其出於議官，幷把尸子、東方朔之流都收進去，甚至司馬相如的荊軻論也算雜家學說，果能如此成家，編文選的蕭統，編古文辭類纂的姚鼐也都是雜家之流了。恐無是理。歷觀班氏所列王官之說，惟小說家出於稗官差可牽強。但小說家已被他自己擯於九流之外，所以班氏諸子出於王官之說，整箇是錯誤的。揆其所以致誤之由，厥有二端：一爲劉歆爲古文學家，極端推崇周禮，故於諸子略中倡爲諸子出於王官之說，以擡高周官地位，班氏藝文志沿襲七略，不知辨察；二由班氏旣採劉說，便從王官的立場來論評諸子學說思想，把諸子的中心思想認成了王官末流之失。出發點旣偏，歸結自難望其正了。汪中章炳麟也盲目附和，可謂不察之甚。

丙、諸子出於儒家

如上所論，諸子既不出於王官，淵源何自呢？我以爲儒家由孔子建立，孔子的學說思想乃集堯舜禹湯文武周公之大成。所以他能以德行、政事、言語、文學四科教弟子，由於夫子之道大，三千弟子中有的得其一鱗半爪，有的得其一體，有的具體而微，這班人進入社會，弘揚師說，自不免有些偏差或者是過份強調的，於是便引起了許多反感，衆說蠭起，羣以儒家爲集矢的對象，不過他們的思想言行雖起自對儒家的反動，但他們的學說基礎仍建立在儒家的六經上，這不僅有諸子的著作可證，還有莊子天下篇的說明可考。莊子這篇文章是討論子學最早而且最具權威的，他首先列舉天人神人聖人以爲道術淵藪，但所謂天人神人，不過是他自己理想中的超人，所謂「不放於宗（天人）」「不離於精」（神人），都是虛幻不可捉摸的。到聖人君子他便於諸子的源流有了具體的說明。他說：「其明在數度（即制度）者，舊法世傳之史，尚多有之，其在於詩書禮樂者，鄒魯之士，縉紳先生多能明之。詩以道志，書以道事，禮以道行，樂以道和，易以道陰陽，春秋以道名分，其數（同說）散於天下，而設於中國者，百家之學，時或稱而道之。」這裏的鄒魯之士，當然指的孔門師弟，所舉六經闡明了儒家教材的功用，「其數散於天下，而設於中國。」是說明儒家學說普及到了社會的各階層，「百家之學，時或稱道之。」是說百家學者，最初也奉行儒家的教義。接下去，他說：「天下大亂，賢聖不明，道德不一，天下多得一察焉以自好，譬如耳目鼻口，皆有所明不能相通，猶百家衆技也，皆有所長，時有所用。雖然，不該不偏，一曲之士也。判天地之美，析萬物之理，察古人之全，寡能備於天地之美，稱神明之容，是故內聖外王之道，闇而不明，鬱而不發，天下之人，各爲其所欲焉，以自爲方。悲夫！百家往而不反，必不合矣。後世之學者，不幸不見天地之純，古人本體，道術將爲天下裂。」在這一段裏，他說明了春秋末年，天下大亂，學者各人就自已所了解的一面造爲學說，漫無統紀，後來的學者無法見到古人學說的整體，於是學術便分裂成了好多家數。接着他又列舉分裂的家數，加以批評，第一個被列舉的是墨子，第二個被列舉的是宋硏、尹文，（此二人亦墨家）第三個被列舉的是彭蒙、田駢、愼到，（此三人爲道家）第四個被列舉的爲關尹、老聃，第五個被列舉的是他自已，（也爲道家）最後被列舉的是惠施、桓團、公孫龍（名家）。本篇不及法家農家陰陽家，大約是這幾家在當時還未有顯著的地位。至於儒家爲當時的顯學，而且莊子在其它篇中經常引用孔子，本篇獨不提及者，則以鄒魯之士已確指了孔子，六經教義，已說明了儒家思想及學術。很明白的莊子是認爲先王之道，寄托在儒家的學說中，儒家學說末流的分裂，形成了墨道名三家。這是莊子承認諸子出於儒家的說明。再看漢志評諸子的根本思想，它說道家「合於堯之克讓，易之嗛嗛，一謙而四益」，說法家引易「曰：先王以明罰飭法」，說名家引「孔子曰：必也正名乎。……」說縱橫家引「孔子曰：誦詩三百，使于四方，……」說農家引「孔子曰：「所重民食」」，說小說家引「孔子曰：雖小道，必有可觀者焉」，他的總結論幷說：「今異家者各務所長，窮知究慮，以明其指，雖有蔽短，合其要歸，亦六藝之支與流裔。足見班固最後也還是承認諸子爲儒家之支流的。四庫提要說：按古者庠序之教，胥天下而從事六德六行六藝，無異學也，周衰而後百氏興，名家稱出於禮官，然堅石白馬之辨，無所謂禮，縱橫家稱出於行人之官，然傾危變詐，古行人無是辭命，墨家稱出於淸廟之守，倂不解其爲何語，實皆儒家之失其本原者，各以私智變爲雜學而已。」章學誠詩教上說：「戰國之文，其源皆出於六藝，………老子說本陰陽，莊列寓言假象，易教也；鄒衍侈言天地，關尹推衍五行，書教也；管商法制，義存政典，禮教也；申韓刑名，旨歸賞罰，春秋教也；其他楊墨尹文之言，蘇張孫吳之術，辨其源委，挹其旨趣，九流之所分部，七錄之所敍論，皆於物曲人官得其一致，而不自知為六典之一也。」都可說是發明莊子天下篇諸子出儒家的議論。惟章炳麟認儒墨名法皆出於道家，反對學者據天下篇認莊子獨尊儒家之見，他說：「俗儒又云莊子述天下篇，首列六經，明其尊仰儒術。六經者，周之史籍，道墨亦誦習之，豈專儒家之業？」章氏這段議論，真不通之至。六經為周之史籍，是公認的事實，但這些史籍，既雜亂無章，而且藏之官府，非普通人民所能隨便看到或置備得起，所以吳季札到魯國才能觀周樂，韓宣子到魯國才能見易象與魯春秋，孔子在齊，才能聞韶，經過孔子把這些雜亂與分散在各地的史料蒐集整編，刪繁就簡，用作教材，然後普通人都能讀到這些史籍，並且可以抄為己有。章氏在所著國故論衡明解故上說：「孔子錄詩，有四始雅頌，各得其所，刪尚書為百篇，而首堯典，亦善校者已。」又在同書原經中說：「令仲尼不次春秋，今雖欲觀定哀之世，求五伯之迹，尚荒忽如草昧，夫發金匱之藏，被之萌庶，令人不忘前王，自仲尼左丘明始。」據此，則章氏已自承認孔子有刪詩書修春秋之實了。莊子天運篇載：「孔子謂老聃曰：「丘治詩書易禮樂春秋六經。」六經之名，始見於此，治者理也，這裏明謂六經為孔子所治，是則孔子之前無所謂六經，其事至明。自孔子整編六經以教門弟子，六經之學遂風靡天下，章氏謂「道墨亦誦習之」，正是道墨受儒家之業的證明，不然，為甚麼無一語表白他們治理六經的功績，而獨讓儒家擅其美呢？如孟子滕文載墨者夷子曰：「儒者之道，古之人若保赤子，此言何謂也？」查「若保赤子」一語爲書康誥文，書爲六經之屬，夷子以書爲儒者之道，顯然墨家是以六經爲儒家的專業的。章氏一方面認定孔子刪述六經的事實，一方面却否認六經爲儒家的專業，眞不知所據何種辯證邏輯！馮友蘭也反對六藝爲儒家專業，他在所著中國哲學史中說：「以六藝教人，幷不始於孔子。」幷引國語所載士亹教楚太子之功課表中已即有詩、禮、樂、春秋、故志等目爲證。但這功課表中幷無書易二目，自不能認爲六藝的教程，而且士亹之教太子，乃楚莊王所命，莊王卒於魯宣公十八年，那時自不會有魯十二公的春秋，也就是說決不是莊子天下篇中所說的「道名分」的春秋。觀於晉國爲魯同姓之國，韓宣子爲晉上卿，且必須到魯國才能見到魯春秋，楚在當時，是周朝宗邦所鄙視的荊蠻，那能有魯春秋？所以章炳麟說士亹所教的春秋是楚之檮杌。因爲春秋在當時爲史書的泛名，楚國歷史以私名言爲檮杌，以類名言爲春秋，故士亹所教乃楚國國史，而非魯之春秋，準此以推，則所謂禮樂詩，都不過就楚國自有者而言，決不是儒家的六經。馮氏又說：「左傳國語中所載當時人物應答之辭，皆常引詩書。按左傳中所引詩書句子多有爲今本詩經中所無者，可見左傳中所引詩書皆係未經刪定之原始資料，也就是說非六經中之詩書，所以我們以詩書禮樂非儒家之專業可以，以六經非儒家之專業，就顯背事實了。

至於諸子對儒家反動的事實，可以用諸子的言論來證明。首先就道家說，因爲孔子曰：「不學禮無以立」，又曰「一日克己復禮，天下歸仁焉」。老子便斥爲「禮者忠信之薄，亂之首也。」因爲孔子曰：「仁者不憂，智者不惑。」又常把聖看爲至高的品德，如論語：「子貢曰：如有博施於民，而能濟衆，何如？可謂仁乎？子曰：何事於仁，必也聖乎，堯舜其猶病諸！」老子便反之說：「絕聖棄智，民利百倍；絕仁棄義，民復孝慈。」在春秋的時候，只有儒家推崇聖人，提倡仁義禮智，老子却偏偏攻擊這幾項，如果說老子之言不是爲反儒家而發，他便是無的放矢了。墨子之反對儒家，更是顯著，他著非儒一篇，把孔子罵得一錢不値，儒家重三年之喪，他却主短喪；儒家以禮樂爲教化之具，他便著非樂；儒家主親親而仁民，他却倡愛無差等；法家之反對儒家，以商鞅爲著，仲尼祖述堯舜，憲章文武，事必則古，孟子也說：「遵先王之法而過者，未之有也。」商鞅則說：「治世不一道，便國不法古。」「三代不同禮而王，五霸不同法而霸。」他又說「詩書禮樂善修仁廉辯慧十事，有之，則其國必弱。」陰陽家之反對儒家見於鹽鐵論，論鄒篇說：「鄒子疾晚世之儒墨，不知天地之弘……守一隅而欲知萬方。」農家之反對儒家，因爲孔子曰：「君子謀道不謀食。」又曰：「吾不如老農。」所以荷蓧丈人說：「四體不勤，五穀不分，孰爲夫子？」由於孔子之時，農民已有這種反儒家的思想，所以孟子時候的許行便提倡君臣幷耕而食了。根據上引這些明顯的證據看，所以說諸子學說出自儒家，絕不是阿私之論。

第一章　儒家

一、儒家之學及其領袖

儒家之儒字，據周禮太宰之職稱：「儒以道得民。」鄭注：「儒，諸侯保氏有六藝以教人者。」又大司徒之職云：「聯師儒。」鄭注：「師儒，鄉里教以道義者。」依此解釋，儒就是今日的教育家。論語中孔子自稱：「抑爲之不厭，誨人不倦。」正是教育家的態度。不過孔子雖以教育家自居，幷未曾以儒自命，大略儒爲周官之職，他旣未居官，自不敢冒用其名。他教子夏說：「女爲君子儒，毋爲小人儒。」意思是教他要學做君子之儒，不要學做小人之儒。亦係指德業言，幷不指職官言。大概是因爲周衰，官失其守，孔門教育的普及，無形中奪了官學的地位，所以墨子莊子尹文子都稱孔門爲儒家，孟子荀子也引以爲名。因爲孔門弟子人數多，份子雜，操業自然不能純一，所以莊子說：「儒者戴圜冠者知天時，履勾履者知地形，緩佩玦者事至而斷。」荀子也隨各種不同的情形而分之爲俗儒、雅儒、大儒三類，復又併之爲大儒小儒兩類，他說：「大儒者天子之三公也，小儒者諸侯大夫士也。」但這幷不是說三公便是大儒，大夫士便是小儒，而是說大儒之材堪爲三公，小儒之材只堪爲大夫士而已。在這解釋中荀子告訴了我們，儒家幷不單是教育之學，實在是經世之學，正與孔子因道不行，退而著述講學的生活相符。因此我們可以得出一個定義：儒家之學是進能安邦定國，退可化民成俗的。根據這個定義，儘管荀子在儒效篇，隱以周公爲一個大儒，而孔子在論語中也嘗以周公爲夢想中的人物，但周公在歷史的表現，只偏於事功一方面，幷未做過師儒之業，所以論儒家的建立者，當以孔子爲第一人，雖然孔子不自承有所創作，但子貢有若孟子都說是「自生民以來，未有孔子也。」也正是以爲孔子對世道人心貢獻之大，遠非二帝三王周公之所及，不肯以儒家領袖地位畀予第三者的意思。同時，反對儒家的墨家、道家、法家對儒家的攻擊也都以孔子爲目標，足見孔子已是儒家外內所公認的儒家領袖。

所以我們要討論儒家的學說思想就得以孔子的人格和學說思想為代表。

二、孔子的人格

說到孔子的人格，就得檢討他的生活言行，他的外形看起來好像是一點圭角都未有的，如論語載陽貨在路上招呼他說：「來，予與爾言！（陽貨）曰：懷其寶而迷其邦，可謂仁乎？（孔子）曰：不可。（陽貨）好從事，而亟失時，可謂智乎？（孔子）曰：不可。（陽貨）日月逝矣，歲不我與。孔子曰：諾，吾將仕矣。」他對陽貨那種教訓式的問話，只是諾諾連聲，好像毫無骨頭似的。因此，明儒郝京山以為兩個「不可」之詞，均是陽貨自答，非夫子之詞，所以記者於後面特加「孔子曰」三字以示區別，也就是說這一段問話裏孔子僅回答了他一句，并不是應聲蟲似的。清儒毛奇齡翟顥等也都附和此說。照語氣看來，這實在是一種曲解，我以為這段對話中的說話人應如括弧所示。我們知道孔子固然不是卑辱之流，但也不是禦人以口給的人，他除了對門弟子們的言行乖違之處，必痛加糾正外，對於其他一般人，從不妄辯。所以說「孔子於鄉黨，恂恂如也，似不能言者。」他對荷蕢者、長沮、桀溺、及荷蓧丈人的各種譏諷批評他的話，均無一言辯駁，史記載老子教訓他一頓，他也無言而退，難道這班人也有陽貨那種炙手可熱的威勢嗎？試看，當桓魋想殺他的時候，他說：「天生德於予，桓魋其如予何？」當匡人伐他的時候，他說：「天之未喪斯文也，匡人其如予何？」他的態度是多麼倔強！是多麼硬朗！史記列傳載他在夾谷之會，以大義斥責齊國，使景公反還了所侵魯汶陽鄆讙龜陰之田以謝過，那是何等的勇敢！何等的氣魄！他嘗說：「不可與言而與之言，失言。」他之所以唯唯諾諾對陽貨者，乃因陽貨一心想拉攏他，他覺得與這種不義之人講道理，未免失言，而且徒增糾纏，所以順其意敷衍數句，好早離開。他輕視一個色厲而內荏的人，所以他的爲人是色荏而內厲的。如以此疑他無骨氣，那就是不明他的爲人了。論語中所載於孔子人格最生問題者有二事：一爲公山佛擾與佛肸兩叛人召孔子，孔子欲往，一爲子見南子，子路不悅。關於前一件事那昺於集疏中已將其不符事實之處詳爲說明，茲姑捨史實，而就文論事，我以爲孔子既是一個三月無君則皇皇如也的事業心重的人，在那無用武之地的時候，忽然有人邀請他去參加政治工作，一時心動，也是人之常情，但他會不會只求達到目的，不擇手段呢？也許有人會以爲如不是子路反對，他可能就接受那邀請了。這一疑問，在正面是不容易解答的，但我們從他拒絕陽貨邀請的側面例子來看，他是不會接受那邀請的，何以見得呢？陽貨爲季桓子家臣，季氏掌握魯國大權，齊人歸女樂，季桓子受之，季氏旅於泰山，季氏八佾舞於庭，季氏將伐顓頊，眞可說是權傾一時，陽貨因季桓子之後，奪取了季桓子所握的魯國大權，陽貨欲見孔子就是想請他出來合作，假使孔子眞是不擇手段的人，以陽貨所據大權，當然不是那費和中牟區區一城一地的勢力所可同日而語，孔子以陽貨這樣大的政治憑藉不利用，却去利用那彈丸之地的力量，豈不等於辭十萬而受萬了嗎？如果我們不相信孔子是這樣的一個笨瓜，則孔子之終會接受公山佛擾等的邀請的疑問，便可渙然冰釋了。在這裏我可以舉一件名人的軼事爲喻，趙抃爲宋代賢相，平生律己很嚴，有一次他在旅館中看見一個跑客棧爲人補綴衣履的女子（此類女子多兼賣淫）生得很美，他便命令僕人去把那女子叫來，僕人應命而出，他又想到此事的不當，於是拍案自呼道：「趙抃不得無禮！」急忙趕出房門去喚那僕人回來，當他出房門時，却見那僕人立在門外若有所待，幷未去召那女人，他便叫進僕人問道：「你可曾叫那女人？」僕人反問道：「相公是否眞要叫？」他說：「我因不要叫她，所以趕出來喚你。」那僕人道：「我早知相公是一時的情感衝動，不會眞的這樣做，所以我立在門外，等候第二次吩咐。」可惜子路未有這僕人的試探工夫，假使他不立刻發出反對的言論，而能在旁觀察究竟，這「子欲往」的疑問便會像「子欲居九疑」一樣，感歎一聲就完了，不致形成這樣嚴重。關於子見南子的問題，至今疑雲不釋，當國民政府完成北伐的初期，曲阜師範學校曾排演「子見南子」一劇，以爲推翻孔子偶像的運動，所以這一問題對孔子個人人格的關係尤大，從來注釋這一段書的人，多曲爲解說，以爲夫子洗刷，如王弼便以「如所否者」之否讀爲「否泰」之否，認夫子幷非對子路發誓，乃告子路，「我之所以不得行其志於世者，乃由上天厭棄使然。」朱熹的解釋說：「孔子至衛，南子請見，孔子辭謝，不得已而見之。蓋古者仕於其國，有見其小君之禮，而子路以夫子見此淫亂之人爲辱，故不悅。……否、謂不合於禮，不由其道也，厭棄絕也。」王弼的解釋，使本文前後兩截，意各不屬，而且抹殺了矢之曰的矢字，牽強之迹顯然；朱熹的解釋比較近情，他下一辱字，輕輕地將子路的不悅轉到身份上去，以爲子路所不悅者乃因孔子見此淫亂之人有失身份，語意尤爲冠冕，但如僅爲身份問題，孔子何至發誓？所以朱熹仍未能自圓其說。我以爲最自然的解釋是繆播所云：「應物而不擇者道也，兼濟而不辭者聖也，靈公無道，蒸庶困窮，鍾救於天子，物困不可以不救，理鍾不可以不應，應救之道，必明有路，路由南子，故尼父見之。涅而不淄，則處汙不染，無可無不可，故兼濟而不辭。以道觀之，未有可猜也。」不過他這裏所說的「靈公無道，蒸庶困窮」，好像夫子止是爲了解救衛國人民而向南子尋出路，但夫子嘗謂「如有用我者，吾其爲東周乎！」他之尋找出路，意蓋在恢復周初文治，在他的心目中，當時可供利用的國家，莫過於魯衛，魯爲周公之後，故家遺俗，流風善政，猶有存者，推行起來，較之其他國家爲容易，而衛國爲康叔之後，周公康叔爲兄弟之親，二國的民情政教大致相同，故孔子曰：「魯衛之政，兄弟也。」孔子於魯國之外，最嚮往的政治舞臺便是衛國，所以子路問他「衛君待子而爲政，子將奚先？」說苑載：『魯哀公問於孔子曰：「當今之時，君子誰賢？」對曰：「衛靈公。」公曰：「吾聞之……………其閨門之內，姑姊妹無別。」對曰：「觀於朝廷，未觀於堂陛之間也。靈公之弟曰公子牟，其智足以治千乘之國，其信足以守之，而靈公愛之；又有士曰王林，國有賢人必進而任之，無不達也，不能達，則退而分與其祿，而靈公尊之；又有士曰慶足，國有大事，則進而治之，無不濟也。而靈公悅之，史鰌去衛，靈公邸舍三月，琴瑟不御，待史鰌之入也而後入，臣是以知其賢也。』論語載孔子答康子論靈公說：「仲叔圉治賓客，祝鮀治宗廟，王孫賈治軍旅，夫如是，奚其喪？」意略同此。衛靈公雖帷薄不修，實有尊賢禮士之度，孔子既想利用衛國的政治來貫徹自己的主義，自不便得罪於靈公的寵姬，所以南子請見，孔子也只好趨謁，子路是一個心直口快，胸無城府的人，以爲孔子不當見此淫婦，怒形於色，孔子因病時，子路請禱，知他迷信鬼神，便針對他的個性回答他說：「假使我見南子，有或不純的動機，上帝不容我！上帝不容我！」所謂「中人以上不可以語上也。」要使子路釋疑，非如此不可。至孔子是否為政治關係而見南子，固未易測斷，但孔子之不願因拒見南子而斷了這一條政治路線，則是可以斷言的。佛說：「我不入地獄，誰入地獄？」孔子為了實現他的濟世宏願，也應當有這種不計毀譽的勇氣，何況他還以一般人的可與立未可與權為歎呢？卽使這一行為是孔子的過失，孔子不是說過「丘也幸，苟有過，人必知之」嗎？他自己旣以過為人知為幸，門弟子又毫不隱飾的將當時情況記錄下來，後人又何必為之曲解呢？子曰：「觀過斯知仁矣。」要認識孔子的人格，應當先從他的可疑之處入手，這樣才能對他得到眞正了解，也才能使對他懷疑的人心服，曲為解說，是徒足以增加懷疑者的反感的。

三、仁的含義

孔子對於為人的品德，分題了各種不同的名目，最高而最理想者為仁，他說：「民之於仁也，甚於水火；水火吾見蹈而死者矣，未見蹈仁而死者也。」他答樊遲問仁說：「居處恭，執事敬，與人忠，雖之夷狄，不可棄也，」他在論語中親口說出的仁字有七十六個，解答而未直說其名的仁有三個，他之以仁為人立身之本，正如同老子之以柔為人立身之本一樣，從他為子張解答行仁的五事——恭、寬、信、敏、惠——看來，這仁的性質也好像有些近乎柔，但實際上他是與柔相反的，老子的柔道是偏於術的軟工夫，孔子的仁道是剛的，是偏於誠的，他說：「剛毅木訥近仁。」又說：「仁者必有勇。」又說「志士仁人，無求生以害仁，有殺身以成仁。」所以他的仁裏面實包含有孟子說的至大至剛之氣，而與老子葆眞全生的柔道絕異其趣。孔子雖常把仁義禮智信五德並舉，但從他所示的仁的含義，實包含了五德全部，如說「志士仁人無求生以害仁」，就是孟子所說的舍生取義，仁實爲義之本；如說「克己復禮，天下歸仁焉。」又說：「人而不知仁如禮何？人而不仁如樂何？」仁實爲禮之本，如說：「知及之，仁不能守之，雖得之必失之。」仁實爲智之本；如說：「仁者其言也訒，爲之難，言之得無訒乎！」仁實爲信之本。此外它又包含了忠孝及其它眞善美一切人類的美德，如孔子評「微子去之，箕子爲之奴，比干諫而死。」說「殷有三仁焉」，仁實爲忠之本；如斥宰我欲短喪說：「予之不仁也」，仁實爲孝之本；如說「欲仁而得仁，又焉貪？」仁實爲廉潔之本；如說「惟仁者能好人，能惡人」，仁實爲公道之本；如解答仲弓問仁說「出門如見大賓，使民如承大祭，己所不欲，勿施於人」，仁實爲恕道之本；如答樊遲問仁說「愛人」，仁實爲慈祥之本；如說「巧言令色，鮮矣仁」，仁實爲眞之本；如說「苟志於仁，無惡也」，仁實爲善之本；如說「里仁爲美」，仁實爲美之本。因爲仁的德性是這樣完備，所以孔子從不肯輕以仁許人，就是對他最得意的弟子顏回也只許「其心三月不違仁」，對其餘的由、求、赤都只許其有政治才幹，而不許其有仁，評令尹子文忠，而不許其仁，評陳文子清也不許其仁，連對他自己也說「若聖與仁，則吾豈敢？」仁的標準是這樣的高，他提出這一標準不是故意作難人嗎？但他又說：「仁遠乎哉？我欲仁，斯仁至矣。」「有能一日用其力於仁矣乎？吾未見力不足者。」就是一念爲善，便可成佛的意思。他所以把仁估計的特高者，就是要人念茲在茲。

四、政治思想

孔子所標的政治思想，是世界大同，他認爲政治到達了這境界的時候，天下就爲公了，這時候的官吏都是被選舉的賢能之士；這時候的人民都能相親相愛，不獨親其親，子其子，這時候的人民都能急公好義，貨惡其棄於地也，不必藏於己，力惡其不出於身也，不必爲己。對於社會的財富，他說：「不患寡而患不均，不患貧而患不安。」對於國防，他說：「足食足兵，民信之矣。」對於法律，他主張感化重於報復，故說：「道之以政，齊之以刑，民免而無恥；道之以德，齊之以禮，有恥且格。」因爲他主用德化，所以他主張人治，他答季康子問政說：「政者正也，子率以正，孰敢不正？」又答患盜之問曰：「苟子之不欲，雖賞之不竊。」又曰：「君子之德風也，小人之德草也，草尙之風必偃。」他對於政治的基本條件，是先確定名分，所以當子路問他：「衛君待子而爲政，子將奚先？」他說：「必也正名乎，名不正則言不順，言不順則事不成，事不成則禮樂不興，禮樂不興則刑罰不中，刑罰不中則民無所措手足。」在齊景公問政的時候，他答以「君君臣臣，父父子子」，公曰：「善哉，信如君不君，臣不臣，父不父，子不子，雖有粟，吾得而食諸？」他因爲少正卯好作似是而非之論，淆亂名實，所以他爲司寇的第三日便誅了少正卯，以爲亂名之戒。後來他下野了，眼見當時諸侯僭竊名號，臣弑其君，子弑其父，自己無力裁判，便想出了修春秋以道名分，所以當時的亂臣賊子爲之恐懼。由於孔子這種的政治理想懸的太高，所以干七十餘君終不得用，但他的政治理想雖未實現，後世許多有爲的君主，如漢文帝唐太宗者都不敢以一時的小康爲滿足，就是有這一可望而不可及的目標爲他們的策勵，聖人立法，不爲一時，於此更信。

五、因人殊教

孔子的言教，往往因訓示的對象不同而異其趣，所以要了解他的教義所在，必須彼此對照，切忌斷章取義。如論語載：「子路問：聞斯行諸？子曰：有父兄在，如之何其聞斯行之也？冉有問：聞斯行諸？子曰：聞斯行之。」到公西華對這矛盾的答案提出詢問，他說：「求也退，故進之；由也兼人，故退之。」這才令人釋然。又如子曰：「人而不仁，疾之已甚亂也。」似乎有教人寬容小人之嫌，但他爲魯司寇，一上臺便誅少正卯，他又因「季氏富於周公，而求也爲之聚歛而富益之」，便宣言於門弟子曰：「求、非吾徒也，小子鳴鼓而攻之可也。」可見他對於不仁之人的容忍是有限度的。又如他說：「事君數，斯辱矣。」似乎在教人臣將順君意以免辱，但他答子路事君之道說：「毋欺也，而犯之。」并不全主服從。又如他說：「父母在，不遠遊，遊必有方。」又說：「父母惟其疾之憂。」似在教人珍惜自己的生命，免爲父母憂，但他又說：「士見危授命。」教人當犧牲時必犧牲。孔子稱自己「食不厭精，膾不厭細。」「狐貉之厚以居。」似乎他是一個極端享受主義者，但他又說：「士志於道，而恥惡衣惡食者，未足與議也。」可見他是要人「素富貴，則行乎富貴，素貧賤，則行乎貧賤」的。衛靈公問政，他說：「軍旅之事，未之學也。」他似乎是極端反戰者，但在陳恆弒其君時，他却在魯國奔走呼籲，請求出討，爲了正義，他是不惜作戰的。又如他不贊成葉公「其父攘羊，其子證之」的直道，而提出「父爲子隱，子爲父隱」的直道，似乎在獎勵父子狠狽爲奸，可是他在另一處却說：「事父母幾諫，諫志不從，又敬不違，勞而不怨。」可見他的主張是父子在外要相互掩飾，在內要相互勸勉。在論語中他曾說：「血氣方剛，戒之在鬥。」但在禮記中答子夏居父母之仇如之何的問話說：「寢苫枕戈，不仕，弗與共天下也，遇諸市朝，不反兵而鬥。」可見他的戒鬥也不是無範圍的。所以孔子的言教，常似自相矛盾，必須從正反兩方面的話去求其結論，才可免於誤會。

六、忠恕之道

孔子的哲學是現實的，曾子說：「夫子之道，忠恕而已矣。」所謂忠，就是踏實的意思，不管是做學問也好，從政也好，待人接物也好，他都是脚踏實地，不存絲毫苟且敷衍的；所謂恕，便是通人情，「己所不欲，勿施於人。」「克己復禮。」「老吾老以及人之老，幼吾幼以及人之幼。」「刑於寡妻，至於兄弟，以御於家邦。」都是恕道的表現。因爲他的哲學重現實，所以他罕談性與天道，不語怪力亂神。季路問事鬼神，他說：「未能事人，焉能事鬼？」又問死，他說：「未知生，焉知死？」家語載子貢問：「死者有知乎？將無知乎？」他說：「吾欲言死之有知，將恐孝子順孫妨生以送死，吾欲言死之無知，將恐不孝子孫棄其親而不葬。賜欲知死者有知與無知，非今之急，後自知之。」據此，則孔子之不談生死問題者，一方面是這些問題虛而無徵，一方面是防止思想上可能發生的流弊。他對於神鬼的觀念，只有天地與祖宗是在所必祭，但他說：

「祭如在，祭神如神在。」連下兩個如字，明示非眞有鬼神在，旣然明知無鬼神，爲甚麼還要祭呢？他說：「愼終追遠，民德歸厚矣。」因爲天的風日雨露，地的五穀六米，都是人賴以生活的，祖宗是人類的本源，爲了不忘恩，不背本，所以必須以時祭祀他們，與其說這種祭祀是爲了天地祖宗的尙饗，倒不如說是爲了培養生人知恩必報的德性更正確。所以他又說：「非其鬼而祭之諂也。」因爲祭與自己無關係的鬼神，便是迷信，便涉虛幻，所以他反對。近代一般研究哲學的人，每以儒家偏重現實，思想淺薄爲譏，不知他們所認爲超現實的哲學，都是哲學的末路。哲學之可貴的，乃在他能認識人生的意義，與解決人生的苦惱問題。試看哲學家們所津津樂道的東方印度哲學與西方希臘哲學的表現如何？印度哲學都在婆羅門與佛教教義中，這兩教最高的思想就是涅槃，即白話所謂毀滅。他們以功利爲人生之累，於是屏除民族國家的觀念，以情感爲人生之累，於是割絕父母妻子的恩緣，以有身爲人生之累，於是講涅槃，以毀滅生命爲達成解脫之手段，甚者不待生命之善終，自己用一種極殘酷的方法來毀滅自己的生命，以求昇到那不可知的極樂世界，如胡寅崇正辨所載：「釋寶崖於益州城西路，以白布裹左右五指燒之，幷燒二手，於是運柴於樓上，作乾麻小室，以油潤之，自以臂挾炬，麻燥油濃，赫然火合，於燃盛之中禮拜，比第二拜，身面焦坼，重復一拜，身踣炭上。」又金光明經載：「曩世有王摩訶羅陁，生三太子，小子名曰摩訶薩埵，出遊林野，見有一虎，饑餓欲絕，故臥虎前，虎無能爲力，求刀不及，即以乾竹刺頭出血，於高山上投身虎前，於時大地六種震動，是虎即舐王子身血，噉食其肉。」是多麼殘忍的行爲！但印度教中人却認爲這是最高的修行成果，換言之，他們是以愈殘忍愈見工夫的。

一個人對自己尚如此殘忍，你能希望他對人類發生同情嗎？雖然佛教以大慈大悲爲口號，但據黑格爾歷史哲學所載：印度人走路怕踩死了螞蟻，對於凍餓垂斃的人毫不動心；印度的牲畜醫院到處都是，但老弱貧病的人却得不到治療之所。且據佛典所傳：當佛陀至摩碣陀國首府王舍城傳教時，歸佛出家之人漸多，王舍城寡婦孤兒日增，從事產業者日漸減少，當地之人對於佛陀遂大懷不平云。佛教哲學下的社會情形是如此；再看希臘哲學情形如何？黑格爾在歷史哲學中評道：「斯多噶派，伊壁鳩魯派，懷疑派，雖在他們的共同場合裏不能相容，却具有同樣的普遍目標，就是要使心靈漠不關心於實際世界所提供的一切，……所以懷疑派之不動心，即以無目的作爲「意志」之目的，這一派哲學甚麼都不知道，只知道一切被假定爲實在者之否定性，而對於凡事凡物皆不穩定的世界，恰是一種絕望的鼓勵。」而蘇格拉底的大弟子即犬儒派的領袖人物安第斯散尼斯提倡的苦行哲學，以爲人惟有身習於貧困，而心始能富有，於是他用種種極端殘忍的生活方式虐待自己，結果把自己變成了一個病痛叢生的廢人，後來他的弟子狄吉尼斯因不忍看他長期在病痛中哀吟的慘狀，便送了他一把利刀，諷他自殺。像這樣毀滅人類的哲學思想，試問人類何須乎要提倡它？柏格森說：「其他科學皆順知識之本性而前進，其逾進乃愈有事功，足以助長人生，惟哲學則逆知識之本性而倒退，故其所得止爲窺見本體，非有何種用途也。」黑格爾是德國的大哲學家，柏格森是法國的大哲學家，他們并不是哲學的門外漢，他們爲甚麼要這樣反對超現實的哲學？原因是那些超現實的哲學家把哲學領向了人生眞空地帶，所以他們大聲急呼的希望把哲學的思想重行召回到現實的人生領域來。他們這種思想，就是孔子的現實主義，所不同的是他們在哲學思想已入魔道之後，才從背後召喚，而孔子則是事前在哲學的魔道口上掛了一塊此路不通的牌子。這就是孔子之所以超凡入聖的地方。只看他編訂的那一套六經教本，範鑄成了中國的政治制度，社會風習，民族道德，歷三千年之久，而且不假政治力量，不作宗教式的宣傳，使太平洋區域將近半數的國家，約全世界人口總數的三分之一的人口衷心悅服的依照他的倫理而生活，這是淺薄的思想所能做到的嗎？

七、教育宗旨及態度

孔子最大的成就在教育，儒家的中心思想也在教育，所以孔子的教學思想及態度也是研究儒家學說所不可忽略的。孔子的教育宗旨，是要培植上致君下澤民的君子或者說是士，所以他的教學重點偏於人格的陶冶，他要使他的學生得志則可措斯民於衽席之上，不得志也可以師儒的身份德化一鄉。因此，他不贊成子貢的貨殖，也不喜歡樊遲的學稼。他說：「君子不器。」他對於弟子的德業訓練，是博學於文，約之以禮。」他的教學注重啓發，不採注入式，故說：「不憤不啓，不悱不發。」如果「舉一隅不以三隅反，則不復也。」因此，他最喜歡學生的問難，顏回理解力強，對他的教訓不大發問，他便說：「回也非助我者也，於吾言無所不悅。」他不重視天才，他說他自己：「我非生而知之者，好古敏以求之者。」他以「學而時習之」勉勵學生，故柴也愚，參也魯，也都能有成。他平時對學生的態度很和藹，論語載子路，曾皙、冉有、公西華侍坐，他叫他們各自發表自己的抱負，子路不客氣的搶先發言，他只笑笑，曾皙當他與另三人談話時，獨自在一旁鼓瑟，不加理睬，直到孔子叫到他的名子，他才放下瑟作答，而所說：「浴乎沂，風乎舞雩，詠而歸」，也有些答非所問，但孔子却說「吾與點也。」可是當學生有不對的時候，他却聲色俱厲的斥責他們，如說：「野哉由也！」「小人哉樊遲也。」謂宰予「朽木不可雕也」，謂冉求「非吾徒也」。絲毫不肯寬假。同時，他自己有被學生指謫的言行，他也不惜委婉的解釋，或直接認錯。毫不作文過飾非的強辯。他在教育之外，對於學生的生活也非常關切，原憲家貧，他用之爲宰，并與之粟九百，且不許推辭；伯牛有疾，他自牖執其手而問之；顏淵死，他哭之慟；子路死，他爲之覆醢。顏淵死，顏路請子之車以爲之槨，他說：「鯉也死，有棺而無槨。」意謂顏淵也不當有槨。後來門人欲厚葬顏淵，夫子不肯，但門人厚葬之。所以孔子歎曰：「回也視予猶父也，予不得視其猶子也。」的確，他看待弟子都是如同自己兒子的。當他晚年生活安定下來的時候，感到門弟子或仕或喪，不能像昔時的朝夕相聚，患難不離，便慨歎的說：「從我於陳蔡者，皆不及門也。」由於他待弟子之厚，弟子無賢不肖，在患難危險中未有一個背叛他的，他死後，門弟子廬墓心喪三年，然後散歸，子貢獨守墓六年，當門弟子們與子貢作別時，大家相向而哭，這哭并不是爲了朋友的分散，而是悲痛那永失的夫子的音容。由於這種無法排除的哀思，故論語有子張等以有若似夫子，欲以有若作夫子的象徵的提議。世人常以釋迦耶穌與孔子并稱，可是耶穌的門弟子怎樣？猶太出賣了老師，彼得於耶穌被捕後三次否認他是耶穌的門徒；釋迦呢？當他在雪山修行的時候，先是父族的三比丘不能與他共苦逃走了，後是母族的三比丘疑他信行退轉，遺棄他而去。這就可以證明人格教育與宗教教育間感化力的孰優孰劣了。

八、儒家的派系

韓非子顯學篇說：「自孔子之死也，有子張之儒，有子思之儒，有顏氏之儒，有孟氏之儒，有漆雕氏之儒，有仲良氏之儒，有孫氏之儒，有樂正氏之儒，……儒分爲八。」按學術的分派，無論古今中外，應不出兩個原則；一爲科目的，一爲思想的。如就科目說，論語所載四科——德行、政事、言語、文學——應該是分派的標準，但這裏只有四科中的顏氏一人，子夏設帳西河爲孔子後儒家的大師，反不見列，顏淵死在孔子之前，幷無若何學術上的特別傳授，怎能說孔子之死也，有顏氏之儒？如就思想說，孟子與子思一脈相承，幷無相反之處，怎將二人分列？惟孫氏之儒，顧廣圻以爲係孫卿，果爾，則孟子孫卿確是孔子之後的儒家兩大思想上的派系。今卽就孟子孫卿兩家思想一加論述，其它諸派，概從省略。

九、孟子的思想學說

孟子的生平已在經學編中說過，他那時候，道墨名法農縱橫家勢力都很盛，儒家之不爲這些反動派打倒，實得孟子衛道之力。他週遊各國，也同孔子一樣，所遇輒左，可是在傳播儒家的思想一點來說，他所收的功效幷不下於孔子週遊列國時傳佈的六經教育的功效。他的思想絕對忠於孔子，但在學說上，他却把孔子所不講的心性氣命問題都提出了。不過他講這些問題時，仍採孔子的現實態度，各給以具體積極的論斷，幷不像宋儒把孔子的思想混入釋老思想，以至演成明儒暗佛之局。他論盡心知性，提出殀壽不貳，修身以俟之作結；他講知命，說不立乎巖墻之下；他論養氣，是配義與道；論勇是自反而不縮，雖褐寬博，吾不惴焉，自反而縮，雖千萬人吾往矣；論養心說是莫善於寡欲。他以心性氣命爲集義存仁的手段，而不是像宋儒以集義存仁爲心性氣命的手段。他對於儒家學說最大的貢獻，是性善之說。因爲一個教育家所最感棘手的，不是愚笨或者頑皮的學生，而是一種有自卑感的人，這類人在內心中存着一種自暴自棄的念頭，最無法使之上進，論語載冉求對孔子說：「非不悅子之道，力不足也。」子曰：「力不足者，中道而廢，今女畫。」所以孔子也只有用這種消極的話去答覆他。孟子見戰國時人類上進心整箇破產，所以他感慨的說：「自暴者不可與有言也；自棄者不可與有爲也。言非禮義謂之自暴也，吾身不能居仁由義，謂之自棄也。仁，人之安宅也，義，人之正路也，曠安宅而弗居，舍正路而不由，哀哉！」要挽救這自暴自棄的人心，惟有恢復人類的自尊心，於是他便提出了性善這個口號，更舉例說明道：「今人乍見孺子將入於井，皆有怵惕惻隱之心，非所以納交於孺子之父母也，非所以要譽於鄉黨朋友也，非惡其聲而然也。由是觀之，無惻隱之心非人也，無羞惡之心非人也，無辭讓之心非人也，無是非之心非人也。惻隱之心仁之端也，羞惡之心義之端也，辭讓之心禮之端也，是非之心智之端也，人之有是四端也，猶其有四體也，有是四端，而自謂不能者，自賊者也，謂其君不能者，賊其君者也，凡有四端於我者，知皆擴而充之矣，若火之始然，泉之始達，苟能充之，足以保四海，苟不充之，不足以事父母。」他又引顏淵的話說：「舜何人也？予何人也？有爲者亦若是。」朱熹說：「孟子之言性善…………而詳具於告子之篇，然默識而旁通之，則七篇之中，無非此理。」他又下大丈夫的定義說：「居天下之廣居，立天下之正位，行天下之大道，得志與民由之，不得志，獨行其道，富貴不能淫，貧賤不能移，威武不能屈，此之謂大丈夫。」這不僅、表現了儒家教人向上教育精神，同時也標舉出了儒家所應備的人格，數千年來歷史上所載的忠貞節義之士，多部份可說得力於這一段話的鼓勵。儒家的理論原則是孔子所建立，但發揮而光大之，壓倒百家之說的，實有賴於孟子。所以後人之論儒家者，必以孔孟幷稱。

十、荀子的思想學說

荀卿名況，戰國趙人，漢避宣帝諱，故劉向校錄稱爲孫卿。他在年輩上較孟子稍晚，大約孟子盛時，他還在童年，孟子卒後，他才出名。所以孟子未提到他，他則攻擊孟子。孟子在齊位止客卿，他則三爲祭酒，這是他比孟子爲得意的地方，也是他身價不如孟子的地方。他在發揮光大孔子的思想和學說上遠不及孟子，但在傳經一方面，功却在孟子之上，孟子七篇無一語及易，於禮則一再言不得其詳，劉向序錄言「孫卿善爲詩禮易春秋」，近人且有因其言禮多與周官合，疑周官一書出其門人之手者。劉向雖未言荀卿善樂，但他書中的樂記一篇實爲禮記、家語、史記等書言樂之所本。故劉恭冕與劉伯山書謂：「荀子亦傳孔門之學，徧治羣經，西漢之學皆荀子一派之傳。」近人以孟子爲大儒，荀卿爲經師，確有所見。荀卿在對人性的善惡觀點上與孟子立異，在對自然的觀念上與孔子不同，孔子主張則天，并有「畏天命」之言，荀卿則說：「大天而思之，孰與物畜而裁之，從天而頌之，孰與制天命而用之？」他這議論的出發點，究竟是爲了駁斥孟子的性善與良知良能之說，還是爲了要打破當時社會上盛行的天人感應觀念呢？很難確定。要之，他的思想認人定勝天，反對順應自然，則是可斷言的。他的性惡論，以人的天性都是惡的，世之所以有善人，乃出於後天的教育使然。他說孟子以爲人性皆善，其有不善者，乃失其本性之故，實在是未明白先天之性與後天之作爲的分別，他說天然之性是不能學與不可學到的，如耳能聽，目能視，那才是天性，聽覺和視覺，不是人力所能學得來的，一切由人力學得來的，都是人爲的，不是天性，所以人能學爲善，正是人性天然不善的證明。他批評孟子說性善無辨合符驗，於是在性惡篇中一共列舉了九個符驗以爲論證。不過他說「塗之人可以爲禹則然，塗之人能爲禹未必然也；雖不能爲禹，無害可以爲禹，足可以徧行天下，然而未嘗有能徧行天下者也。」這段話實在有些自打耳光，塗之人既都可以爲禹，是塗之人都有禹一樣的善性，至於塗之人未必能爲禹，那正是後天的各種影響，孟子所說的「知皆擴而充之矣」，正是教塗之人擴充他們所天賦的同禹一樣的善性去做到同禹一樣的事功，在孟子認爲塗之人所以不能做到如禹一樣的事功，正是他們不能擴而充之的緣故，所以他說：「苟不充之，不足以事父母。」荀子這段議論實不啻爲孟子性善之說張目。考荀子所以陷於此種矛盾者，乃因荀子性惡說的目的在強調教育的重要，他以爲人性本惡，必須經過教育的矯正，然後能爲善，所以他說：「其善者僞（同爲）也。」孟子則說人性本善，如能好自發揮，不自暴自棄，便人皆可以爲堯舜。因爲他們對這一問題的出發點，都本之於孔子的「性相近也習相遠也」的教義，所以葉落歸根，都殊途同歸的落到教育的功用上。荀子爲了強調教育的重要，所以他又著勸學篇，在勸學篇中他說：「學惡乎始？惡乎終。其數則始乎誦經，終乎讀禮，其義則始乎爲士，終乎爲聖人，眞積力久則入，學至乎沒而後止也。故學數有終，若其義則不可須臾舍也；爲之人也，舍之禽獸也。」

荀子書三十二篇，表現其思想一貫的，爲天論、性惡、勸學三篇，因爲他否認天德是完備的，所以他說人性本是惡的，由於天生之性本惡，所以必須用學加以矯正。其餘各篇都是爲學而設。後儒因他這種思想導致李斯輩的殘酷寡恩，所以對他有大醇小疵的批評，貶之在孟子下。

第二章　道家

一、老子與孔子爲同時人

道家的領袖爲老聃，但其遠祖有追溯到黃帝的，所以道家又有黃老之稱，其實這是後人無謂的攀附。黃帝是中國歷史上最多事的一個人，中國民族的華夷之分，就是由他征剿蚩尤開始，中國的衣服舟車文字蠶桑指南針的發明，都由於他。他那有道家那種淸虛靜寂無爲的人生觀。至於黃帝以下的呂尙管仲等人更不是道家人物，所以道家的創立者，無論就思想或是著作說，都當以老聃爲第一人。老聃的歷史，惟一可據者爲史記列傳，它說：「老子者姓李名耳，字伯陽，謚曰聃，周守藏室之史也。」這是司馬遷認爲比較可信的，但他幷不敢以此爲信史，所以他在篇後又說：「或曰：老萊子亦楚人也，著書十五篇，言道家之用，與孔子同時。」又說：「自孔子死之後百二十九年，而史記周太史儋見秦獻公曰：「始秦與周合而離，離五百歲而復合，合七十歲而霸王出焉，或曰：儋卽老子，或曰：非也。」因爲這篇列傳中有三個「或曰」，一個「或言」，一個「莫知」，一個「吾不能知」，便把老子形成了一個神出鬼沒的人，道教之奉他爲教祖，與這一篇傳實有很大的關係。同時老子之爲孔子同時抑爲孔子以後人，也因此起了許多疑問，認老子爲孔子以後人者，有汪中、（汪氏謂孔子所從問禮之老子爲聃，著五千言之書者爲太史儋）崔東壁、梁啓超諸人，他們的證據：（一）文子精誠篇引老子曰：「秦楚燕魏之歌，異傳而皆樂。」魏之建國，上距孔子之卒凡七十五年，老子旣及見魏國，其年代自當在孔子後；（二）孔子問禮於老聃，一般以此爲孔老同時之證，但老子說：「禮者忠信之薄，亂之首也」，是老子爲鄙棄禮之人，孔子如何去問他？此事當不可信，或所問者，幷非老子；（三）據史記所敍孔老二人後嗣年代推算，孔子之十二代孫孔安國爲漢武帝博士，老子之八代孫解爲膠西王卬太傅，當景帝之世，景帝卽位後十六年卽爲漢武元年，是老子之八代孫與孔子之十二代孫幷世，如由安國與解的時代逆推上去，老子必當生孔子後三四代；（四）司馬談論六家要旨說：「道家使人精神專一，因陰陽之大順，采儒墨之善，撮名法之要。」道家旣采儒墨之善，則老子自當在孔墨後，（五）老子之文爲簡明之經體，而非問答體，故應在論語孟子後。但這些疑點，都經不起推敲，如（一）文字一書，漢志自注云「似依託者也」，其書旣爲後人依託，則其所涉時代，卽可能爲依託者之時代，故秦楚燕魏一語不能視爲直出老子之口。關於（二）問禮一節，按禮有二類：一爲形而上的理論，如論語「或問禘之說」者是；一爲形而下的法物儀式，如荀子宥坐篇載孔子參觀魯桓公之廟，見欹器，問守廟者此爲何器便是，論語載：「子入太廟，每事問，或曰：孰謂鄹人之子知禮乎？入太廟，每事問。子聞之曰：是禮也。」

同樣也是屬於形而下的禮。老子爲周之守藏室史，其所職掌的祭祀用物，前面已引述過，則孔子之問禮於老子，可能同於問太廟的執事人與魯桓公廟的守廟人情形一樣，問禮一事，莊子、禮記、史記都有記載，當非全屬子虛，且據禮記曾子問載，老子告孔子之言乃葬禮的儀節，則孔老問答既屬形而下的，則與老子所鄙棄形而上的禮自不發生關係，孔子隨所見而問，老子就所知作答，又有何不可能之處？史記所載老子教孔子之言，不見先秦書的記載，恐爲道家自高身價之言，未足以爲證。關於（三）孔子後嗣年代問題，要知，人之壽命有長短，結婚生子有遲早，孔子年七十其子伯魚先卒，伯魚之死，年已近五十，是孔子之得子才二十多歲，若老子如商瞿子木年四十後始生子，則老子之子便將與孔子之孫子思同年了。（據史記稱老子之子宗爲魏將，則老子之子且晚於子思。）也就是老子兩代人已是孔子三代人。如以此例往下推，三四百年中相差四代，何足爲奇？關於（四）司馬談說道家采儒墨之善，老子既與墨子同時，而其著書在墨子之後，則其采儒家之善，自不成問題，墨子後於孔子多少年，無詳細數字可據，但莊子天運篇也有老聃答子貢「儒墨皆起，其作始有倫」的話，列子黃帝篇載：「楊朱南之沛，老子西遊於秦，邀於郊，至梁而過老子，老子中道仰天歎曰：「始以女爲可教，今不可教也。」如果這兩記載可信，則老子或及見墨子，也自難言。春秋戰國，多以儒墨并稱，要不然就是司馬談爲行文順便，因儒家而連帶墨家了，正如禮玉藻篇「大夫不得造車馬」之句，馬不當言造，因車馬習慣上多連用，故不以爲嫌，古文中此類語法甚多，不可死看。其「撮名法之要」一語，可能是兼莊子說，因他的主辭是道家學派名稱，而不是老子個人。關於（五）老子的文體，乃完全與他的思想一同襲自易經，故其文體近周易而不近論語，周易爲論語之前作品，論語中曾引其恆卦九三爻辭，故以老子文體不同於論語，便判定其爲戰國時作品，是無理由的。而且老子文體之不同於論語者，僅非問答而已，它那種全書不分層次，千言萬語，始終不脫陰柔之用，正與論語不分層次，說去說來，總是仁義禮智一樣。戰國的著作，如孟子墨子莊子都是章次分得很淸楚，絕不同老子那樣的混合籠統，章炳麟胡適認儒墨均出於道家的意見，我固不敢苟同，要說老子必非孔子同時人，我也認爲證據不足。公平的看法，老子應當是孔子同時人，其年則大於孔子，其壽則長於孔子。胡適以爲老或者是字，或者是姓，其姓字史記既已明白列舉，胡氏之言殊爲無據。我以爲老子之指壽正如殤子之稱夭，因爲老子壽命特長，故時人以老稱之，現在報紙上所載世人之長壽亦有達一百六十歲以上者，更據醫學家就人類生理發育時期研究人的正壽應當爲一百二十歲，老子以一個淸靜無爲善於攝生的人，史記稱他活到一百六十歲，或二百餘歲，後者不敢說，前面的一個數字，不能說絕無可能，如老子活一百六十歲，則見魏之建國，便無甚可怪了。史記說他見周之衰而去，按周之衰在平王東遷之後，以三家分晉爲一最顯著階段。則老子去周，當在三家分晉時，其爲關令尹著書也卽在此時，正與孔子以前無私人著作之史實相符，老子之死，史記未說到，莊子曾言其死，就上述情形推斷，其死期，當在去周著書後不久，年約一百六十歲左右。胡適說：「老子卽享高壽，至多不過活了九十歲罷了。」按漢之伏勝，隋之曹憲，均不以老稱，而史稱伏生九十餘教授尙書，曹憲年一百五歲卒，而謂老子這一歷史上幾乎近於神話的長壽老人，最多不過活九十歲，未免武斷。

二、老子襲易

老子文體之近易，前節已述及，文體之外，老子的思想也襲自易經，所以歷來研究老子的學者，無不將其與周易牽在一起，四庫提要說：「晉人清談，實合老莊與易爲一，王弼以老子解易，人人能言之，卽三語掾之故實，亦非僻事也。」這裏就其形式及思想方面襲易之顯而易見者略爲列舉，以證所論之非誣。屬於形式者，如易之乾、坤，剝、復，損、益，鼎、革，否、泰等卦，都是以相對爲名，故老子中如牝、牡，堅強、柔弱，貴、賤，有、無，生、死，動、靜，虛、實一類相對名辭，處處皆是；易經卦爻諸詞，多半用叶韻，老子亦多叶韻，易經卦爻詞多三四言句，凡說明之句多用也字收尾，老子句法亦然。像老子中之「不用常，妄作，凶」的句法，與易經「師出以律，否藏，凶」的句子置於一處，幾無以辨。其屬於思想者，如乾卦小象「亢龍有悔，盈不可久也。」老子則說：「持而盈之，不如其已，揣而銳之，不可長保，金玉滿堂，莫之能守，富貴而驕，自遺其咎。」坤卦「元亨利牝馬之貞。」老子則說：「谷神不死，是謂玄牝，玄牝之門，是爲天地根。」豫卦「介于石，不俟終日。」老子則說：「其安易持，其未兆易謀，其脆易判，其微易散，爲之於未有，治之於未亂。」坎卦彖「習坎，重險也，水流而不盈，行險而不失其信，維心亨，乃以剛中也，行有尙，往有功也。」老子則說：「上善若水，水善利萬物而不爭，處衆人之所惡，故幾于道，居善地，心善淵，與善仁，言善信，政善治，事善能，動善時，夫唯不爭，故無尤。」屯卦初九象「以貴下賤，大得民也。」老子則說：「江海所以能爲百谷王者，以其善下之，故能爲百谷王，是以聖人欲上人，以其言下之，欲先人，以其身後之，是以處上而人不重，處前而人不害，是以天下樂推而不厭，以其不爭，故天下莫能與之爭。」艮卦彖「艮、止也，時止則止，時行則行，動靜不失其時，其道光明。」老子則說：「知止所以不殆，譬道之在天下，猶川谷之於江海。」諸如此類顯而易見的襲取之迹，眞不勝枚舉，擁護老子的人，謂易爲漢人編撰，乃易襲老，非老襲易。但易恆卦爻辭「不恆其德，或承之羞。」見引於論語，師卦爻辭「師出以律，否臧，凶。」見引於左傳，這可以作漢人編撰的證據嗎？日人渡邊秀方乃謂：「是周易引用老子，而非老子引用周易，殆可斷言。」眞荒唐之至。他又說史記所舉的易學傳授者如商瞿子木、馯臂子弘（漢書作弓）那些人差不多都是齊魯之士，其姓氏率不慣聞於中國。按史記僅云「商瞿傳易，六世至齊人田何。」幷未列舉馯臂子弘等人之名，漢書乃云商瞿子木授橋庇子庸，子庸授馯臂子弓以下諸人。夫儒家傳習以齊魯爲盛，則傳習者多齊魯之人乃理所當然，有何可怪？韓愈以荀子常以子弓與仲尼並稱，謂子弓爲荀子之師，卽傳易之馯臂子弓，故荀子尊之同於孔子。是其人亦非不經見者。至諸人姓氏，商瞿之姓，至今仍多，不過以雙姓易爲單姓而已。橋姓原爲黃帝之後，因橋山而得姓，今之喬姓卽由其出。馯臂可能起於其生理原因，如春秋之重耳、黑臂、皆以生理現象而得名，舜父瞽瞍與馯臂子弓之稱極類似，瞽幷非姓，馯臂可能亦本非姓，漢之英布以受黥而稱爲黥布，中國古代姓名稱謂原多變相，卽如唐人多有名龜者，今則呼人爲龜，卽屬侮辱，能據今人之習以疑唐人嗎？一知半解，殊爲可笑。他又說由孔子到司馬談四百餘年，易經的師承僅八代，也不無疑點。幷謂此書的作者以鄒衍爲最可能。按史記敍老子八代孫解爲膠西王太傅，正與司馬談同時，傳易的八代有何可疑？至於以鄒衍爲可能的作者，不過因鄒衍治陰陽五行之學，尤爲皮相淺薄。惟老子在文字思想上雖多因襲易經，但在用神上，則與易經完全相反，易經以陽爲君子，以陰爲小人，故貴陽而賤陰，遇陽則扶持保護之，遇陰則戒愼懲創之，所以乾卦六爻，無一爻是凶的，大象讚之曰：「天行健，君子以自彊不息。」老子以陰爲用神，所以他主柔賓剛，重術而不重誠，全是陰險小人的行爲。如上所擧老子襲取易經的語義，完全是易經中的戒愼的一面，至於易經中讚美剛健中正的一面，全被揚棄，正如同佛教本從優婆尼沙曇哲學之唯心主義出，但它却於該哲學所立我幻二義，唯取幻之一義以爲因緣生法，而否定有我的情形一樣。這是道家與儒家主要觀點不同所在，也是老子雖襲取易經而幷無損於其獨立的學術地位與人格的所在。胡適說：「孔子把他的心得做成了六十四條卦象傳，三百八十四條爻象傳，六十四條彖辭，後人又把他的雜說纂輯成書，便是繫辭傳文言，這兩種之中已有許多後人胡亂加入的，如文言中論四德的一段，此外還有雜卦、序卦、說卦更靠不住了。」胡氏這段話本極接近事實，但他却又說孔子在易經中說的「一陰一陽之謂道。」是受了老子的影響，並且在自注中說：『孔子受老子的影響最明顯的證據，如論語極端推崇「無爲而治」；又如或曰：「以德報怨。」亦是老子的學說。』按所謂影響，必須是思想主張爲之左右，論語「或曰：以德報怨，何如？」孔子立卽駁道：「何以報德？」這怎能作爲孔子受老子影響的證據？至於孔子推崇堯舜的無爲而治，是說他們能任賢使能，故得垂拱而天下治，孟子說：「堯以不得舜爲己憂，舜以不得禹皐陶爲己憂，堯舜之治天下，豈無所用其心哉？」堯舜的無爲之治，豈是如老子所說的「

剖斗折衡」，「絕聖棄智」，「不尙賢，使民不爭」的無爲之治？不從事實行爲上作全面的衡量，徒採一二偶同的名辭爲論據，無怪乎其謬以千里的了！

三、老學的體系

老子哲學的根本觀點與儒家不同，而其所用方法則是一致的，儒家是求人格的完美的，在人類人格之最完美者是聖人，但是聖人也幷不是全美的，所以他說：「堯舜其猶病諸。」那麼，最完美無缺的人格，勢必要向超人中去尋求了。於是孔子便以天爲這一完美無缺的人格的代表，他說：「惟天爲大，惟堯則之。」又說：「天何言哉？四時行焉，百物生焉。」要使人尊重這一標準人格，所以他把一切宇宙的事功歸到天的身上去。他以爲天生烝民，作之君，作之師，故人民應當服從君師，君師應當仰體天意爲人民造福。這是儒家法天思想所自來。老子是以消極爲用的，消極到了最後，便是甚麼都無，所以他以「無」爲宗，他開宗明義便說：「無名天地之始，有名萬之母。」那意思就是說天地也是從無中生出，無旣是宇宙萬物的來源，人便當以無爲法，所以他的宗雖與儒家不同，而法則與儒家相同。但無之一辭，在學術上用起來不大順，所以他說「有物混成，先天地生，寂兮寥兮，獨立而不改，周行而不殆，可以爲天下母，吾不知其名，字之曰道。」他這一道字就是無的代名詞，易繫詞說太極生兩儀，兩儀生四象，四象生八卦。老子說：「道生一，一生二，二生三，三生萬物。」陳搏的太極圖謂「無極生太極」，便是以老子的「一」作易經的太極，以老子的道作無極，表示道家的本體溯源比儒家更深了一層。因爲道是代表無的，所以老子說「道常無名。」又說「道之出口，淡乎其無味，視之不足見，聽之不足聞，用之不可既。」但是「無」不能始終是「無」，既說「道生一」，就是無變爲有了，爲了有與無相對成詞，道亦不可無相對之詞，於是他便以「德」爲有的代名詞，他說：「道生之，德畜之。」莊子天地篇說：「物得以生謂之德。」韓非子解老篇說：「德者得身也，凡德者以無爲集。」都是解釋德字的意義的。當無進而爲有之後，無的本身就消失了，所以他說「失道而後德。」又說「孔德之容，唯道是從。」但無如果眞的進化爲有，老子的學說體系，就不能繼續下去了。他在這裏演譯出了他的人生觀—消極主義。他說：「道生一，一生二，二生三，三生萬物，萬物負陰而抱陽，冲氣以爲和。人之所惡，惟孤寡不穀，而王公以爲稱，故物或損之而益，或益之而損，人之所教，我亦教之，強梁者不得其死，吾將以爲教父。」他的意思是無雖化生了萬物，萬物的形體雖屬於有，但萬物的神則仍屬於無。他句中的陽是代表有的，陰是代表無的，爲了不使有與無脫節—即讓無歸於消失，於是他便用冲氣以爲兩者間的調和。冲氣就是冲虛柔弱之氣，也就是消極的別名。（老學道德一辭的含義也就是在此。）接着，他說明消極的作用：人事上有許多因益而又遭損的，因損而反獲益的，如王公以孤寡不穀自稱，便是前人主消極的教訓，前人既有這種教義，我也要採這種教義，因爲強梁的人多不得其死，所以我要以柔弱爲根本的教義。這一段文字可算老字思意體系的說明。根據上面的討論，老子中的道與德就是無與有，虛靜柔弱就是消極，由於無和有是衝突的，不得不用消極爲調和。消極不止是無和有的調和者，簡直是無和有的化身。他以事理說明消極的妙用道：「天下之至柔，馳騁天下之至堅，無有入於無間，吾是以知無爲之有益，不言之教，無爲之益，天下希及之。」他又從事功說明消極的作用道：「爲學日益，爲道日損，損之又損之，以至於無爲，無爲而無不爲矣。故取天下常以無事，及其有事，不足以取天下。」他又從教化說明消極的作用道：「我無爲而民自化，我好靜而民自正，我無事而民自富，我無欲而民自樸。」他又用水爲喻說：「天下莫柔弱於水，而攻堅強者莫之能先，以其無以應之也。故柔之勝剛，弱之勝強，天下莫不知，莫能行，是以聖人云：受國之垢，是謂社稷主，受國之不祥，是謂天下王。他針對儒家的大同理想，提出他的小國寡民政見道：「小國寡民，使有什百之器而不用，使民重死而不遠徙，雖有舟車，無所乘之，雖有甲兵，無所陳之，使民復結繩而用之，甘其食，美其服，安其居，樂其業，鄰國相望，鷄犬之聲相聞，民至老死不相往來。」從上述老子的思想體系來看，道家蓋無處不和儒家相反，儒家重現實，他卻主虛無；儒家教人要剛健篤實，不惜殺身成仁，他卻教人消極應付，和光同塵以全生葆眞；儒家教人老吾老以及人之老，幼吾幼以及人之幼，他卻教人至老死不相往來。這幷不是他故意的歪曲，而是他思想體系中必然的結論。

四、老學的流弊

因爲老子的學說重點在術，所以其末流之失，是無可避免的。淸魏源批評老學道：「老子與儒合乎？曰：否，否，天地之道，一陰一陽，而儒者之道，恆以扶陽抑陰爲事，其學無欲則剛，是以乾道純陽，剛健中正，而後足以綱維三才，主張皇極。老子主柔賓剛，而取牝取雌，取母取水之善下，其體用皆出乎陰，陰之道雖柔，而其機則殺，故學之善者，則清靜慈祥，不善者，則深刻堅忍，而兵謀權術宗之，雖非其本眞，而亦勢所必至也。」這段批評的態度是極超然的，但我以爲他於老子思想的認識尚未達一間，清虛靜寂的工夫，幷非老子學說的目的，乃是其達到一切目的之手段，所以他說學之善者則清靜慈祥，是欠正確的。說苑載：「宋司城子罕謂宋君曰：慶賞賜與，民之所喜也，君自行之；殺戮誅罰，民之所惡也，臣請當之。宋君曰：諾。於是出威令，誅大臣，君曰：問子罕也。於是大臣畏之，細民歸之，處期年，子罕殺宋君而奪其政。」最後引老子作結論說：「魚不可脫於淵，國之利器，不可以借人。」這就是說，宋君不懂老子哲學，司城子罕却利用了它，所以我認爲學老子之善者，便如楊朱拔一毛而利天下不爲也，學之不善者，便如司城子罕的殺人越貨。他的思想既一切以個人爲前提，所以他的政治，也是高度的愚民政治，他說：「古之善爲道者，非以明民，將以愚之，民之難治，以其智多，故以智治國，國之賊，不以智治國，國之福。」爲他辯護的人說：老子的目的乃在引人民同歸於樸素，幷不是惟塗人之耳目，而實自還其私智。不知世界是進化的，踵事增華，是人類的天性，一個高明的政治家，應該因勢利導，啓發民智，誘而之善，世界史上幾曾見有愚民的理想國？如果國民愚昧便是一國之福，那麼，近代史上的黑人和紅種人的遭遇，應當作何解釋呢？當他們閉關自守，不和白種人打交道的時候，豈不是老子「至老死不相往來」的政治哲學的實踐嗎？可是他們儘管想和外界隔絕，而外界卻不讓他們「甘其食，美其服」，結果是頑強的遭了屠殺，怯懦的做了牛馬，人類遭遇之慘，還有甚於此的嗎？即使我們丟開近代史的例子不說，假定古代眞有這樣的理想國，但一國之民均愚昧無知，飽吃躺睡，蠢如鹿豕，充其量也只能算是一個動物園，黑格爾說：「上帝的樂園，只有禽獸才能住。」老子的理想國卽使能實現，也不過是上帝的樂園而已，人類何貴乎有它？章炳麟力爲老子辯護，他在原道中說，老聃所以言術，將以擿前王之隱慝，使人人戶知其術，則術敗，正如駔儈欺騙外行，而不敢欺騙同行，因爲同行皆知其詐術，所以他便不敢欺詐。姑無論此非老子本意，卽退一步言，老子的本意確實如比，也好比怕人民不知防盜，先敎人民偸竊之術，這是有益於世道人心的學說嗎？我怕它之敗壞人心又將十百倍於愚民政策了。章氏又辯護「不尙賢」的主義說：「老子之言賢者，謂名譽談說才氣也。」按老子中的賢字明爲針對儒家所推崇的聖智而言，所以他於「不尙賢，使民不爭之外」，又說「絕聖棄智，民利百倍。」五千言中何曾見有以名譽談說才氣解賢的？莊子天地篇說：「至德之世，不尙賢，不使能，上如標枝，民如野鹿。」才是老子「不尙賢」一語的眞正注脚，章氏於此又將何說呢？他又說老子的「法令滋章，盜賊多有」，乃是爲法令數更，妨民害事，幷非反對法。如果老子不反對法，請問「剖斗折衡」是爲的甚麼？按「法令滋章」一語的本意，乃謂法律規定得愈明白，人民知道了逃避法律的方法，犯法的更多，如後世殺人滅迹，栽贓陷害的案情，往往使司法當局無所措手足，便是老子此語的根據，老子這兩句話的用意幷不惡，但社會上玩法以僥倖的人究竟比守法畏法人的爲少，兩利相權取其重，這就是幷世各國，無不各有成文的法律的原因。這裏的章字乃作明白解，滋字作愈是解，滋章二字幷無數更之義。韓非子解老篇說國家政令數更，會生妨民害事的流弊，乃注「治大國若烹小鮮」，意謂烹小鮮，不可像抄菜一樣的翻攪，烹魚翻攪太多，魚就會亂的不成個，主國政，早一個命令，晚一個命令，政令太煩，人民將無法安身。章氏把韓非子「注大國若烹小鮮」的注解用來解「法令滋章」未免張冠李戴，不合頭寸。章氏國故論衡原道三篇都是爲老子辯解的，但無一語可令人心服。批評老學最精當的，要算四庫提要，它說：「蓋儒書如培補榮衛之藥，其性中和，可以常餌；老子如清補煩熱之劑，其性偏勝，當其對症，亦復有功。」

五、莊子的思想及學說

漢書藝文志所列老子之後的道家，有文子、關尹子、列子、老成子、長盧子、公子牟、田子、老萊子、黔婁子、鶡冠子、鄭長者、莊子、亢倉子多人，但除莊子外，諸人於道家的思想學說都無所發明，故本章於道家的傳統人物只就莊子一加申論。據成玄英疏，莊子姓莊名周，字子休，戰國時宋蒙人，師長桑公子。莊子與老子的關係，史無明文，他似不曾私淑老子，惟老子爲陳苦縣人，陳與宋均爲今河南省地，這當是他受老子學說思想的影響的可能因素。莊子雖是道家的核心人物，但莊子書中推尊儒家之說，除最顯著之天下篇已見前引外，其它各篇就正面或反面借孔子顏回以重其言者，不一而足，所以蘇軾說他於孔子實予而文不予，又謂尊孔子者無如莊子。韓愈說莊子是子夏的門人，固未可信，莊子濡染儒家學說之深，要當爲不爭之事實，也許就因他受儒家的感染很深，所以他於老子的學說能盡到去僞存誠之力，在他的著作中，老子那種權謀術數的言論與思想都被一掃而光，只就老子清虛靜寂的一面加以發揚光大。他的思想以自然爲主，既不贊成禮法的社會，也不提倡愚民政治。他稱自然爲天，不自然爲人，他對於天與人的界說是：「天在內，人在外，牛馬四足是謂天，落馬首，穿牛鼻，是謂人。」章炳麟說：「莊子的根本主義，就是自由、平等。」可稱見道之言。但他的自由平等是以順應自然，不加人工爲第一義。這種思意在他的每一篇著作裏都流露的有，但比較具體而有力的是在逍遙遊與齊物論兩篇中。齊物論是論平等的，他引泰山與秋毫爲例說：「天下莫大於秋毫之末，而泰山爲小，莫壽乎殤子，而彭祖爲夭。」這就是說秋毫之末雖然比起外物來爲小，但在它天然應具的形體說，它已是世間最大的了，泰山在中國爲五嶽之尊，比起秋毫來，眞大得無可形容，但這種大只是就與秋毫的比例說，若以泰山與地球的大小相比，它就不啻滄海之一粟了，若再和地球以外的空間來比，那簡直一粟的地位都要發生動搖。彭祖活到八百歲，殤子才活到數歲，以殤子與彭祖相比，自然是殤子命短，但如以殤子和那不知春秋的蟪蛄相比，則殤子便是長壽的了，若再和那不知晦朔的朝菌相比，其壽則更長了。彭祖和殤子相比，可算高壽了，但大椿以八千歲爲一季節，下視彭祖之壽，又連蟪蛄對朝菌都不如了。所以世間無絕對的平等，也無絕對的不平等，如果徒在外形上講求平等，增加秋毫的體積，使與泰山齊高，或者是削減泰山的體積，使與秋毫同小，那樣在形體上雖做到了平等，在道理上却失了公平。他對平等的認識可算深透極了。逍遙遊的自由論，一是要革除自是心，一是要屏絕依賴性。人一有自是之心，便不得安靜，如斥鷃之笑鯤鵬，鯤鵬又何嘗不笑斥鷃？彼此互相非笑，則心爲自是之見所拘束，便不得自由自在了。同樣，人一有依賴性，便遇事不能自主，如列子御風而行，無待舟車，可稱自由了，但這種自由只是依賴物體的不同而已，如果無風，列子便無法飛行了，所以有待的自由，便不是眞自由。秋水篇載：「莊子釣於濮水，楚王使大夫二人往先焉，曰：願以境內累矣，莊子持竿不顧曰：吾聞楚有神龜，死已三千歲矣，王巾笥而藏之廟堂之上，此龜者寧其死爲留骨而貴乎？寧其生而曳尾於塗中乎？二大夫曰：寧生而曳尾塗中。莊子曰：往矣，吾將曳尾於塗中。」所以莊子的自由是要無是己非人之心，無依賴或相待的行爲，無利祿虛榮的觀念。他的自由平等完全建築在清虛寂靜的心靈上，如不能保有高度的清虛靜寂的心，就無法獲得眞正自由平等。這種思想和理論，不論就今日的科學抑或古代的宗教來說，都是顚撲不破的。朱熹說莊子庚桑楚全是禪語，章炳麟說全是佛法。在諸子之中，他眞可說是一個特出的思想家。

第三章　墨家

一、名稱辨解

墨家之學，啓後人爭論的，首先是這個學派名，因爲儒、道、名、法、農諸學派名都是代表其學術的，墨家之墨從墨翟之姓名而來，應當是代表學派的領袖人，而不是代表學術的。但周亮工因樹屋書影引元伊世珍瑯嬛記之說，謂墨子姓翟名烏，其母夢日中赤烏入室，驚覺生烏，遂名之。因以墨爲道，故世稱之曰墨子。江瑔讀子卮言也以爲墨非姓氏之稱，乃學術之稱。錢穆以墨爲古代刑法之一，刑徒乃奴役之流，因爲墨子貴義篇中穆賀曾說墨子之道乃「賤人之所爲」，馮友蘭也說：「墨子所主張者爲賤人之所爲，此其所以見稱爲墨道也。」并說墨子卽樂以墨名其學派，猶之乎希臘安提斯散尼斯之學之見稱爲犬學，而安氏亦樂以名其學。關於墨子姓翟一說，因樹屋書影引自瑯嬛記，瑯嬛記引自賈子說林，孫詒讓在墨子緒聞中注稱「其說謬妄，不足辯，說林古亦無是書，蓋卽世珍所肊撰也。」而且魯問篇載墨子謂公尙過曰：「子觀越王之志何若？意越王將聽吾言，用我道，則翟將往。」以翟自呼，則翟之非姓，已無待辯，翟旣非姓，墨非其姓而何？錢穆以墨爲刑名，按伊訓傳：「臣不正君，服墨刑，鑿其額，涅以墨。」古人原有以刑爲名者，如六國時之孫臏及漢之黥布均是其例，但墨子僅曾一度被囚於宋，並無受墨刑之證，且墨之爲姓，由來甚古，潛夫論引「故志曰：……………禹師墨如。」尙友錄謂伯夷叔齊之父爲墨台氏，則墨之爲姓，顯非出於刑名。至於以墨子爲賤役之學，此不過因墨子倡儉而起，但墨子雖貴儉，他自己幷未如賤役一般生活，渚宮舊事稱他止楚攻宋時，以千金予公輸般請爲殺人，這雖是他對公輸般的一種譏諷行爲，則他手面之大，於此可見。耕柱篇載：「子墨子游耕柱子於楚，二三子過之，食之三升，客之不厚。二三子復於子墨子曰：耕柱子處楚無益矣，二三子過之，食之三升，客之不厚。」旣以不厚爲怨，則墨子弟子平日生活之非寒儉如賤役可知。又據魯問篇載墨子答其徒魏越曰：「國家貧則語之節用節葬。」可知對不貧之國，他們是不會提倡儉的，呂氏春秋貴因篇載：「墨子見荊王，錦衣吹笙。」更足以與魯問篇所載相印證。故以墨爲賤役之道，實是斷章取義之見，不合事實，故孫詒讓墨子傳逕言：「墨子名翟，姓墨氏。」至於墨家一名，幷非墨子自定，乃是時人稱呼出來的，因當時除了儒家外，稱諸子都是以人爲代表的，此可於莊子天下篇，荀子非十二子篇中見之。後來各家學派漸盛，便以學術爲名了，而墨子學術標目甚多，難得一適當名稱，剛好其主義又與楊朱對立，所以楊墨幷稱，遂習而不改了。觀於楊朱之姓楊，便可以證墨翟之姓墨，毫無疑問。

二、墨子的生年和籍貫

墨翟的生年和籍貫，也是一個多疑的問題，史記孟荀列傳稱「墨翟，宋大夫，或曰並孔子時，或曰在孔子後。」史記索隱引劉向別錄之說，謂在七十子後，漢書藝文志注稱：「墨翟爲宋大夫，在孔子後。」就時間說，根據孔墨兩家的著述看，墨子應當在孔子後，因爲論語及其它有關孔子的著作中都未有提到孔子涉及墨子的言論，而墨子非儒一篇，則指孔子之名加以攻擊，此其一證；非樂篇說齊康公興樂萬，按康公死在周安王二十三年，孔子卒在周敬王四十一年，前後距離將及百年，又耕柱篇載有子夏之徒與墨子辯君子有鬬無鬬之言，正與劉向別錄所說在七十子後之言相符，此其證二。故孫詒讓墨子年表定墨子生於周定王之初年，卒於周安王之季，胡適認孫氏之考證未確，謂墨子生時約當孔子五十歲六十歲之間，換言之，墨子僅小孔子五十餘歲，按孔子弟子曾子小孔子四十六歲，是墨子小曾子至多不過十歲，論語記事下及曾子之死，墨子攻擊孔子的言論，應該爲曾子所及聞，何以論語中竟無絲毫記載及之？故墨子之生於七十子後，應當是毫無問題的，胡氏此說，殊不足據。惟關於孫氏所說墨子死於吳起之後一節，胡適以吳起死時，孟勝已爲鉅子，孟勝死時，怕絕了墨家的傳統，派弟子以鉅子之職傳給在宋的田襄子，顯然墨子死在吳起之前。這一理由很充分，所以梁啓超改定墨子之死在安王中世，約當孟子出生前十餘年。經這一修正，孫氏所作墨子年表便可無問題了。關於墨子的籍貫，由於史記漢書都只說他是宋大夫，未標明國籍，所以後來的記述，如葛洪神仙傳說：「墨子者名翟，宋人也，仕宋爲大夫。」荀子楊倞注說：「墨翟宋人，號墨子。」元和姓纂曰：「宋人墨翟，著書號墨子。」都認墨子是宋人。按史記既未言其爲何地人，自不得以其所仕之國爲其本有國籍，春秋戰國之時，出仕異國的學者，所在都是，如孟子爲卿於齊，荀卿爲楚蘭陵令，都是其最著者。墨子之國籍，在墨子書中有許多指示，如公輸篇言「子墨子歸過宋」，旣言歸國過宋，則宋之非其本國已可知。呂氏春秋愼大覽高誘注說：「墨子名翟，魯人也。」此說本自可信，但畢阮武億則以爲高說之魯卽魯陽，春秋時屬楚，古人於地名之兩字或單舉其一字，故注稱魯人。這是把魯問篇中的魯陽與魯國之魯誤會了。因爲魯問篇時而稱魯陽君，時而單稱魯君，他們遂以爲單稱之魯爲魯陽之省稱，不知此篇原爲墨子弟子雜記，根本不是一篇單純的記事，其中凡稱魯陽文君者，均指楚國之屬地魯陽而言，單稱魯者均指魯國而言，稱齊太王者則指齊國言，餘如吳慮、公尙過、魏越、曹公子、孟山、公輸子均非同一地區之人事。篇中墨子和魯陽文君的談話，都是勸他不要侵略他國，而魯君與墨子的談話，則是怕大國侵略他，國勢之強弱，分別得很清楚，尤足以爲魯非魯陽之證。況渚宮舊事載：「魯陽文君言於王曰：墨子北方賢聖人，君王不見，又不爲禮，毋乃失士！乃使文君追墨子，以書社五里封之，不受而去。」呂氏春秋愛類篇也稱墨子見荆王曰：「臣北方之鄙人也。」正與渚宮舊事所記相符，則墨子之非荆楚的魯陽人，證據確然。孫詒讓斷定墨子爲魯國人，並舉墨子貴義篇所載「墨子自魯卽齊」，魯問篇所載「越王爲公尙過束車五十乘以迎墨子於魯」，呂氏春秋愛類篇所載：「墨子聞之，自魯往見荆王」，淮南修務訓所載「自魯趨而往」以實其說。參觀互證，則墨子之爲魯國人，正與墨子之姓墨同一可成定案。

三、墨子學說所自出

莊子天下篇評墨學說：「不侈於後世，不靡於萬物，不暉於數度，以繩墨自矯，而備世之急，古之道術有在於是者，墨翟禽滑釐聞其風而悅之。」只是含糊的說古代有此主義，墨翟禽滑釐起而效之，並未說明古代何人抱此主義。呂氏春秋當染篇說墨子學於史角之後。漢書藝文志因謂墨家出於淸廟之守，並以尹佚二篇列於墨子之首，（孫詒讓謂史角疑卽尹佚之後也。）顯然漢志是從呂氏春秋之說的。列子楊朱篇載墨子之徒禽子與楊朱之徒孟孫陽辯論說：「以吾言問大禹墨翟，則吾言當矣。」孫星衍引爲墨子夏敎之證。淮南要略說：「墨子學儒者之業」，認墨子爲儒家之反動派。諸說不一。關於墨子出淸廟之守一說，已在緒論中駁之，惟汪中深信之，並謂史佚之書至漢具存。我們現在雖無從見到史佚的原書，考左傳中五引史佚之言，無一合於墨子思想者，尤其成公十四年季文子以魯公欲求成於楚而叛晉，戒之曰：「史佚之志有之：非我族類，其心必異。」這完全是儒家內諸夏而外夷狄的思想，與墨子愛無差等之說完全不合，故王應麟說：「左傳晉語均引史逸，其言合於儒術，志入墨家者，意其以爲太史出於淸廟之守，故從其朔而言之。」顯然班固收史佚二篇於墨家，是一種錯誤，汪中信之，實在欠考。關於墨用夏敎一說，莊子天下篇也微露此意，因爲夏禹治水，奔波勞苦，過門不暇入，生子不遑顧，親擔橐耜，腓無胈，脛無毛，宮殿是土階茅茨，人民則死於陵者葬於陵，死於谷者葬於谷，此爲現實境遇所迫，不得不如此，禹幷未訂立此種教義，或者頒爲法令。墨子偶引夏時社會生活以爲自己的主義張目，安得便據以爲墨用夏教？如以墨引禹事爲例便認墨出於禹，則墨子在兼愛下所說：「卽此文王兼也，雖子墨子之所兼者，於文王取法焉。」豈不可爲墨用周教之證？孟子與墨子時代相接，而且闢墨子最力，則其對墨家思想之來源，必有所知，試看滕文公中孟子這段言論：「閑先聖之道，距楊墨，放淫辭，邪說者不得作；作於其心，害於其事，作於其事，害於其政，聖人復起，不易吾言矣。昔者禹抑洪水而天下平，周公兼夷狄，驅猛獸，而百姓寧，孔子成春秋而亂臣賊子懼，詩云：戎狄是膺，荆舒是懲，則莫我敢承。無父無君，是周公所膺也。我亦欲正人心，息邪說，距詖行，放淫辭，以承三聖者，豈好辯哉？予不得已也。能言距楊墨者聖人之徒也。」這裏把禹和周公孔子列成一系，說他距楊墨乃是繼承三聖之道，足見孟子是不以墨家自夏禹出的。雖然公孟篇中墨子駁公孟說：「且子法周而未法夏也，子之古非古。」似在薄周而親夏，其實這是辯論上的意氣話，原意只是說你法古，周幷不算古，夏比周更古呢。也幷不是在自詡法夏。一般主墨子用夏教者，都未曾就墨子的思想與夏禹的政治細加推勘，徒從皮毛判斷，遂致謬誤相承，不可收拾。我們從墨子的極端讚美堯舜禹湯文武的仁政，反桀紂幽厲的暴政，以及強調仁義的重要諸言論推究，墨子的學說根柢實出自儒家，只因他不滿儒家末流之失，遂憤而提出一種過正的主張，期以矯儒家之枉。自不得因其反儒便抹殺一切的事實。

四、學說的得失

墨子的學說和主義，見於魯問篇答魏越的話：「凡入國，必擇務而從事焉，國家昏亂，則語之尚賢尚同，國家貧則語之節用節葬，國家憙音湛湎，則語之非樂非命，國家淫僻無禮，則語之尊天事鬼，國家務奪侵凌，則語之兼愛非攻。」這段話，列舉了他全部學說，如果只就這辭而來評論他的思想和學說，的確是對症下藥，救世的良方，可是從他闡釋這些主張的著作推敲，就不免時陷矛盾了。在墨子書中說明尚賢的，有親士、尚賢諸篇，說明尚同的有尚同篇，說明節用的則有七患、辭過、節用諸篇，說明節葬的，則有節葬篇，非命的則有非命篇，尊天的則有法儀、天志諸篇，事鬼的則有明鬼篇，說明兼愛非攻的，則有兼愛非攻諸篇。以上這些論著，在親士尚賢篇中以任賢使能爲國家富強之本，與儒家思想正同，無可非議；在尚同篇就有問題了，他的標題是尚同，但文中均用上同，上是官長侯王，同是服從，上同就是服從在上位者，他說：「上同而不下比者，此上之所賞，……下比不能上同者，此上之所罰。……上以此爲賞罰，甚明察以審信。」他以爲里長、鄉長、國君、天子都是仁人，所以說「天子之所是，皆是之；天子之所非，皆非之，去若不善言，學天子之善言，去若不善行，學天子之善行，則天下何說以亂哉？如果在上位者眞都是全能全德的人格，那麼人民絕對服從，自然有百利而無一害。但事實上在位的人是否都如此呢？我們不必取證於中外歷史的事實，就以墨子自己的意見來說，他在法儀篇中說：「天下之爲君者衆，而仁者寡，若皆法其君，此法不仁也。法不仁，不可以爲法。」既然在上之仁者寡。那麼上同豈不是法不仁了嗎？古今中外的暴君專政，都是要人民上同的，所以論語載孔子答定公一言而可以喪邦的問話說：「唯其言而莫予違也，若其善，而莫之違也，不亦善乎！如不善而莫之達也，不幾乎一言而喪邦乎！」這是墨子尙同篇的破綻。節用一說，節用篇中以「諸加費，不加民利者，聖王弗爲」爲原則，如果就這一原則去解釋他的主張，完全是對的。可是他對利字的看法太現實，太短淺，有許多屬於形而上的利，以及屬於後世的利，都被他否定了。這是他節用學說的缺點。節葬本屬節用之一種，乃針對儒家厚葬久喪的主張而發，但儒家的厚葬久喪，也不是絕對的，論語載：「鯉也死，有棺而無槨」，「顏淵死，門人欲厚葬之，子曰：不可。」孔子所主張的厚葬，也是稱家之有無，不取妨生以送死的。所以孟子之後喪踰前喪，乃前以士後以大夫，幷非對父母有厚薄之分，孔子主張三年之喪，乃稱情之輕重，所以他答宰我欲短喪的意見說：「子生三年，然後免於父母之懷，……予也有三年之愛於其父母乎？」換言之，父母在子女嬰兒期中所受的辛若達三年之久，故爲子女的應當爲父母服三年之喪，才是人情之常，至於國有大事，如周武王於喪中伐紂，孔子幷未譏其不孝，儒家厚葬久喪，實爲篤親與仁的民風而設，墨子主薄葬短喪，適足以見其不知培養善良風俗的重要。音樂的作用，在陶冶人性，移風易俗，墨子非樂篇中則說其不能興天下之利，除天下之害，所以欲治天下，非禁樂不可。不知天下利害繫於治亂，治亂之機繫於人性之善惡，如果人性和善，人類就可減少戰禍，如果人性殘暴，人類便會增加戰爭，墨子只知道仁愛爲天下之利，戰爭爲天下之害，而不知道仁愛與戰爭的動機何在，在三辯中程繁曾以堯舜禹湯文武周公皆有樂駁他聖王無樂之說，他的答辯只是「今聖有樂而少，此亦無也。」根據他這答辯是他自己已承認樂非不可有，只是不可好之太過罷了。論語：「齊人歸女樂，季桓子受之，三日不朝，孔子行。」儒家又何嘗贊成憙音沉湎呢？所以墨子的非樂論實已由他自己否決了。墨子的非命，在反對守窮任運之見，他說：「以上說（同悅）王公大人，下以駔（同阻）百姓之從事，故執有命者不仁。」他這裏的不仁，無疑是指孔子的，因爲孔子曾說：「不知命，無以爲君子。」其實孔子所說的命，正如孔安國的注解，是指窮達之分的，幷不是教人一味聽天由命，孟子說：「知命者不立乎巖牆之下。」又說「殀壽不貳，修身以俟之。」都是對命字下的注脚，學者因不知窮達之分，於是「邦有道，穀，邦無道，穀。」如歷仕五代的馮道公然以長樂老自命，恬不知恥，皆由不知命之過。要說孔子所說的命是阻百姓之從事，他自己爲甚麼遍干諸侯，席不暇暖呢？墨子教人不要安於命，正是儒家自彊不息的教義，在思想本身極爲正確，但於孔子所說的知命之義，似未達一間。墨子的尊天事鬼思想的本意，是教人體天地好生之德，實行博愛，這種觀念，儒家也有，中庸稱孔子「上律天時，下襲水土，譬如天地之無不持載，無不覆幬。」便是法天之意，同書又稱「質諸鬼神而無疑。」也同墨子明鬼的意見。不過儒家法天，只是仰體其好生之德，幷不認人生禍福眞由天地鬼神主宰，而墨子則把人生禍福之權悉操在鬼神之手，陷入深度的迷信。墨家最重要的學說是兼愛，爲了維持人類的和平與互助，這一主義是無可非議的。所成問題的，是他要用「兼」推翻儒家的「別」，他說：「天下惡人而賊人者，兼與？別與？卽必曰：別也。」因爲儒家主張親親而仁民，仁民而愛物。於汎愛中寓有親疏遠近之別，於是他指其害說：「是故別士之言曰：吾豈能爲吾友之身，若爲吾身？爲吾友之親，若爲吾親？是故退睹其友飢卽不食，寒卽不衣，疾病不侍養，死喪不葬埋。別士之言若此，行若此。」按論語載孔子「朋友死，無所歸，曰：於我殯。」儒家的別何嘗是不顧友情的！他們是老吾老以及人之老，幼吾幼以及人之幼的，換言之，在我供養父母之外，還有餘力的話，我當兼養親友的父母，在我撫育自己的子女之外，還有餘力的話，我當兼育親友的子女。如果自己的力量僅足以養活自己的父母子女，就不能讓自己的父母子女忍飢挨凍，去養別人的父母子女，大而言之，一個國君也決不可以為了救濟鄰國的饑荒，而陷本國人於饑餓。如果這樣做的話，那就是從井救人，是違反人情。因為墨子的兼愛主義有些近於這類情形，所以孟子罵他「無父」。儒家之別親疏，是根據人情的，西漢第五倫以公正見稱，有一朋友問他有過私心未有，他說有，幷舉例道：「當我的兒子病時，我終夜不一起視，但始終無法安眠；當我的侄子病時，我一夜數次起視，返床則入寐，這不是私心是甚麼？」可知親疏之情，原乎天性，非可勉強消除。但墨子却說，如果一國的政治領袖肯提倡的話，國民的風氣便會隨之轉移，他幷引楚王好細腰，士飯不踰乎一，越王好勇，士伏水火而死的故事來證明實現其主張的可能性，他却不知道違反人情的事，卽使勉強於一時，也決無持久之理，不然，楚越的那種風氣為甚麼都不待易世卽歸消滅呢？所以莊子批評墨子說：「其道大觳，使人憂，使人悲，其行難為也，恐其不可以為聖人之道；反天下之心，天下不堪，墨子雖獨能任，奈天下何？離於天下，其去王也遠矣。」故墨家之道，大部份是違反人情，不合王道的。非攻的主張是墨子健全學說之一，因為戰爭總是損傷的，所以在非攻上篇中他連當時的所謂義戰一併加以反對說：「今小為非，則知而非之，大為非攻國，則不知非，從而譽之，謂之義，此可謂知義與不義之辯乎？是以知天下之君子也，辯義與不義之亂也。」但他在非攻下篇答禹征有苗，湯伐桀，武王伐紂的問難說：「彼非所謂攻，謂誅也。」很明顯的，他所反對的是春秋戰國諸侯互爭雄長的戰爭，像三代弔民伐罪的戰爭，他却不反對。他在反戰一方面，不止形之於言辭，也見之於行動，他曾勸止齊國攻魯以及魯陽文君攻鄭，又曾折服楚王攻宋的企圖，說到便做到，這是墨子難能可貴的地方。以上是墨子功利思想的大概，此外，他還有名學與兵學，兵學都是些戰術上的問題，無關學說，這裏略而不論，以下就他的名學加以論述。

五、墨經與墨辯

墨子名學的主要著作是墨經，按之墨子篇目，有經上經下，經說上經說下，就名目上來分析，應當是經上經下爲本經，經說上經說下爲解釋經的作品，事實上兩類內容也確是這樣的。晉人魯勝因經與說各自成篇，硏讀不便，乃將經說分隸於經文之下，統名之曰墨辯，於是墨經一名概括了經及說二類。汪中墨子序說：「經上下至小取六篇，當時謂之墨經。」他這裏的當時是指墨子著書之時，還是指魯勝以說附經之時，殊不明白。查墨子篇目，經名之曰經，說名之曰說，大取小取的篇目上無經字，是墨子著書當時並不以六篇爲經，魯勝以說附經，未涉大小取，是魯勝亦未嘗以六篇爲經。故汪中之說，恐怕是他個人的意見。胡適綜合魯勝汪中兩家的意見，以經上下、經說上下，及大小取六篇合稱之爲墨辯。如果我們從各篇內容去分辨它的身份，經上下二篇是墨子手著的本經同於儒家的春秋或禮經，經說上下二篇爲墨子後學解說經義之作，同於春秋的三傳，大取小取是門弟子所記墨子口授論理學的筆記，同於大小戴禮記。嚴格的說來，惟有經上下篇才是墨學之經，若據儒書十三經之例來說，則汪中以六篇爲經也勉強可通。惟魯勝胡適改墨經之稱爲墨辯，則大有商榷餘地。孫星衍墨子注後敍說：「經上下略似爾雅釋詁文。」幷不言其辯，洽與魯胡兩家之說相反。今按墨經體例，上下篇各別，經上如「譽、明善也，非、明惡也，賞、上報下之功也，罰、上報下之罪也。」正如孫氏所說，是爾雅釋詁文體，稍有例外的是「名：達、類、私。」「謂：命、舉、加。」等條，乃就其形式上的類別加以列舉，未作字義的解釋。經下篇則全是辯論體，如「五行無常勝，說在宜。」「損而不害，說在餘。」它的上一語是論辯的斷案，下一語是所據以判斷的理由。」別人說五行相剋有一定，墨子却說五行相剋未有一定。怎見得五行相剋無一定呢？他得舉出理由來，「說在」便是「理由是」。就五行相剋說，水本剋火，但一杯之水不能勝一車薪之火，所以他說無常勝。（關於這一條，後人又謂五行爲鄒衍之學，以此證墨經非墨子手著，當是鄒衍以後的人所著，實則鄒衍之說在以五行生剋之理推帝德終始的循環，五行相勝之說，實鄒衍之前所本有，如孟子便說：「仁之勝不仁也，猶水之勝火。」孟子生在鄒衍前，其說當非抄襲鄒衍，孟子既在鄒衍前有五行相勝之說，則墨子在孟子前有五行相勝之說，自不足怪。）損於物體本是有害的，墨子却斷定損而不害，這是甚麼理由呢？他的理由是，物體各有一定限量，在限量之外的物體是多餘的，如把這多餘的物體損去，就會有益無害。如人的盲腸，當它發炎時，留之反足以爲害，如果將它割掉，就可免去這一病害。經下篇除了兩條脫去「說在」外，全是這種體例，所以稱之爲辯是對的，但若連經上一併稱之爲辯，其弊就與孫星衍所說墨經是釋詁體相同了。故以墨辯稱墨經，論名論實，都未見其是，我的看法，經上下，經說上下，大小取六篇是墨子的名學，但它們的名稱，則以尊重其舊爲妥，妄加更改，固生紛擾，亦爲對作者之不敬。

六、經非別墨所著

墨子之著墨經，並不是爲了純名學的目的，主要的是訓練墨家後學辨名實的知識以及和他家辯論的技巧。所以墨經兩篇可說是墨家的基本教程。他爲什麼採用釋詁的形式？這因當時很流行這種文體，如易經的需卦「彖曰：需、須也。」夬卦「彖曰：夬、決也。」姤卦「彖曰：姤、遇也。」革卦「彖曰：革、水火相息，二女同居，其志不相得曰革。」論語載孔子答季康子問政說：「政者正也。」又答子張問達說：「夫達也者，質直而好義，察言而觀色，慮以下人，在邦必達，在家必達；夫聞也者，色取仁而行違，居之不疑，在邦必聞，在家必聞。」老子：「視之不見名曰夷，聽之不聞名曰希，搏之不得名曰微。」以及孟子的「分人以財謂之惠，教人以善謂之忠，爲天下得仁謂之仁。」「洚水者洪水也。」「畜君者好君也。」都是用釋詁式作教義說明的。墨子生在這時代，要建立自己的學說，自然也得採用這種流行體式。因爲他的學說以功利爲主，所以他釋利說：「利，所得而喜也。」「功，利民也。」「義，利也」「忠，利君也。」「孝，利親也，」他講兼愛，所以他釋仁說：「仁，體愛也。」他重實踐，所以他釋信說：「信，言合於意也。」他主張摩頂放踵以利天下，所以他釋任說：「任，士損己而益所爲也。」除了這一部份直接有關他的思想學說的文義解釋外，他還有許多涉及科學上光學力學數學的原理的論釋，這或者就是他能在摩擬戰中擊敗中國古代最有名的建築師公輸般的憑藉。至於那些論辯的斷案，也大半是對當時流行的許多問題而發，冀以片言解紛。像這樣精湛而有目的的論著，非墨子不能作。由於莊子天下篇說：「相里勤之弟子五侯之徒，南方之墨者苦獲已齒鄧陵子之屬，俱誦墨經，而倍譎不同，相謂別墨，以堅白同異之辯相訾，以觭偶不仵之辭相應。」魯勝墨辯序遂謂墨子作辯經以立名本，惠施公孫龍祖其說以正刑名。」孫詒讓遂進一步疑其爲墨家別傳之學，不盡墨子之本恉。胡適更變本加厲竟謂墨經爲墨家的別派——即惠施公孫龍等——所著，非出墨子之手。這顯然是爲天下篇中的堅白同異之辯，觭偶不仵之辭所惑，實在是一種錯誤。要解決這誤會，第一點，我們當記取前面所說的，經爲墨子手著，說爲墨子弟子解經之作，非墨子所著，不得因說而疑及經。第二點，莊子這段記述中已列舉了別墨的人物爲相里勤之弟子五侯一派，南方之墨者苦獲、已齒、鄧陵子之屬一派。第三點，惠施公孫龍之不屬別墨，不惟莊子別墨中未有列舉他們的名字可爲正面的證據，而莊子在列舉各主要學派人物時，已將惠施公孫龍與道墨兩派領袖並舉，且特別摘引惠施的歷物十事，以作介紹。均是惠施公孫龍非別惠的側面證據。第四點，文中既說這兩派別墨「俱誦墨經」，顯見墨經是在別墨之前早已有的，並非別墨所著。至於堅白之辯，誠爲公孫龍等的中心學說，但堅曰之名並不創始於公孫龍等，最初引用堅白之喻的是孔子，論語載孔子答子路說：「然，有是言也，不曰堅乎，磨而不磷？不曰白乎，涅而不緇？」這裏的「不曰」兩字應當譯爲「不是有此一說嗎？」所謂「磨而不磷」，正指石頭解。故堅白之喻，應當是當時的一種流行語，不惟非公孫龍等之創說，也不是墨子之創說。且墨經中言及堅白者，僅經上一條，經下二條，按之經上的體例，都是先標一名辭，然後下解，經上「堅白，不相外也」以二名並舉，與餘條體例不合，所以梁啓超墨經校釋說「白不」二字乃妄人所加，並非原文。予以刪除。證以此條的經說並無白字，更覺梁氏之說不爲無見。經下一條爲「不堅白，說在」，一條爲「無久與宇，堅白，說在因。」這兩條歷來研究墨經者都認爲譌脫太多，義不可解。故原文是否有「堅白」二字，大成問題，至於經說的「撫堅得白，必相盈也。」一條，確與公孫龍的口吻近似，但經說既爲墨子後學所作，則襲取名家之說，自極可能，莊子說兩派別墨以堅白之辯相訾，觭偶不仵之辭相應，可能就是指他們學名家的一套辭令而言。研究諸子之學，首當明白，百家爭鳴的時候，雖然在主見上互相水火，在立證及借喻上有可共用者，往往不忌雷同，如湯誥有「天道福善禍淫」之句，老子亦有「天道無親，常與善人」之句，墨經上的「義，利也。」正是論語「見利思義」的意思，又「禮，敬也。」正是孟子「有禮者敬人」的意思，韓愈所謂孔墨必相爲用者，正指此等處而言。若徒因墨經有堅白二字便認定墨經爲名家作品，且以名家卽爲別墨，那麼，如上舉例，則道德經和墨經也同樣可認爲是儒家的作品了，這樣推論下去，諸子作品的界限將永遠劃分不清了。（張惠言書墨子經說解後：「今觀墨子之書，經說大小取盡同異堅白之術，蓋縱橫名法家惠施公孫龍申韓之屬皆出焉。」這是不明經說爲墨子後學所著，故多引縱橫名法之言。）故以經說是別墨的作品，有其可能，若說墨經是別墨的作品，實不通之論。

七、墨學能顯的原因

從前面所論墨子思想學說的得失的情形看來，墨子學說之可取者都是與儒家相同的，其與儒家立異諸說，無不自陷矛盾，弊害百出。照理他應該在儒家面前無立足之地，但事實上他却竟與儒家對立，成爲一代顯學，使得孟子比之於洪水猛獸的可畏，這是甚麼原因？蓋墨家有一特出之點，就是他有如今日政黨一樣的嚴密組織，墨家之外的學派，儒家比較有系統，但那只是師承上的關係，如孔子曰：「文王旣沒，文不在茲乎？」是孔子以文王的道統自任，並不是文王以來一代一代有形式的傳給他。孟子以孔子沒後的道統自任，韓愈以孟子以後的道統自任，都出於個人自告奮勇的擔負起一種道統上的責任，並無縱的或橫的組織。道家的老子和莊子連師承二字都談不上，名家的惠施和公孫龍，法家的商鞅申不害韓非以及縱橫家的蘇秦張儀，他們雖生在同時，思想主張相同，但不惟無橫的組織，反而在某些枝節上互相非難。墨家則不然，莊子說他們「以巨子爲聖人，皆願爲之尸，冀得爲其後。就是說墨家的領袖名巨子，凡是墨家這一派的學者，都尊敬他們的領袖，并希望自己能作領袖的繼承人。呂氏春秋載墨家巨子孟勝在準備爲陽城君殉城時，命二弟子以巨子的頭銜往授在宋國的田襄子，以免中斷了墨家的傳統，可見他們的領袖是由一代一代相傳的，并非自任。同時墨子對於他的門徒負有推薦工作的義務，如耕柱篇載墨子游荆根柱子於楚，游高石子於衛，魯問篇載墨子游公尚過於越，又出曹公子於宋，又使勝綽事項子牛，都是其證。他不惟能爲門徒找出路，同時還能罷免他們，如魯問篇載勝綽三從項子牛侵魯地，違犯了他的非攻教義，他使高孫子請而退之，便是其證。他的門徒不止有享受推薦工作的權利，另一方面也有向老師捐納的義務，如耕柱篇載耕柱子獻十金於墨子，便是其證。墨子爲了招徠門徒計，又常以利祿誘人入門，如公孟篇稱有一身體強良，思慮徇通的人游於墨子之門，墨子使誘他說：「姑學乎，吾將仕子。」一年之後，那人便責仕於墨子。其它如門徒因工作的待遇不能滿足，及爲善不能得福，回來向墨子質問的，書中也時有所見。又如前引呂氏春秋載墨子見荊王時，錦衣吹笙，尤足以見其枉道以干進的精神，這些都是墨家所以能成爲顯學，威脅儒家的因素。張惠言書墨子經說解後謂：「墨子之言誖于理，而逆于人心者，莫如非命、非樂、節葬，此三言者，偶識之士，可以立折，而孟子不及者，非墨之本也。墨之本在兼愛，而兼愛者，墨之所以自固而不可破，兼愛之言曰：「愛人者人亦愛之，利人者人亦利之，仁君使天下聰明耳目相爲視聽，股肱畢強相爲動宰，此其與聖人所以治天下者復何以異？故凡墨氏之所托於堯禹者兼愛也。尊天、明鬼、尙同、節用者，其支流也；非命、非樂、節葬，激而不得不然者也。天下之人唯惑其兼愛之說，故雖誖于理，不安于心，皆從而和之，不以爲疑。孟子不攻其流，而攻其本，不誅其說，而誅其心，斷然被之以無父之罪，而其說始無以自立。………孟子曰：我知言，嗚呼，此其驗矣！」這段議論解釋了我們對孟子攻墨家爲何只集中兼愛一點的疑問，同時也揭露了墨家能成爲顯學的祕密的一斑。

第四章　名家

一、諸子各有名學

名學就是今日的論理學，因爲一切的論辯，都不能不以名理爲依據，名的辯析當否，常是結論的正確與否的關鍵，故孔子曰：「名不正，則言不順。」由於名爲論辯的依據，所以名學又有辯學之稱。春秋戰國各派學者爲了健全各自的學說，莫不於名三致其意，孔子固有正名之說，而老子開篇便說：「道可道，非常道，名可名，非常名。」把名與道并舉。楊朱篇以名實引發其爲我主義，墨子著經上下篇以立名本。不過他們這幾家的名學只是他們闡發自己學說的工具，換言之，他們并不以名學爲一種獨立專門的學術。因此，他們於名的觀點，也各不相同，儒家的名是名分，就是每一個名都有它的分際，越過了名所應有的分際，就是悖亂，就是非法。論語載齊景公問政，孔子的回答是：「君君臣臣，父父子子。」所謂君君臣臣者，就是君守君的名分，臣守臣的名分，如果君臣各不安分，勢必如孟子所說的「不奪不厭」，「上下交征利，而國危矣。」莊子說：「春秋以道名分」，孟子說：「孔子成春秋，而亂臣賊子懼。」這是儒家正名的功效。道家的名是形名，他認爲名與形是併生的，所以說：「無名天地之始，有名萬物之母。」但隨文化的發展，不僅有形之物須賦以名，即抽象的事理，也得賦之以名，使其同於有形之物，以便應用。所以他又說：「道常無名，……始制有名，名亦既有，夫亦將知止。」又說：「自古及今，其名不去，以閱衆甫，吾何以知衆甫之然哉？以此。」鄒衍所說的「別殊類，序異端」，正是形名之學的功用。楊朱的名學是名實，他的名爲名譽，實爲實利，他說：「凡爲名者必廉，廉斯貧；爲名者必讓，讓斯賤。」故其結論說：「實無名，名無實。」因爲楊朱的主張是爲我的，是自私的，是儒墨所攻擊的不道德行爲，所以他爲了穩定自己的學說，要駁斥那些爲了仁義博愛的虛名，而犧牲個人實際利益的主張。這種理論全以個人爲基點，於學術上殊無價値之可言。墨家的名學，類似字典學，雖然他都是依據自己主義下解，但幷無楊朱的矯激之論，所以日人有擬之於科學辭典的。很顯然的，以上諸家的名學，都是各自思想的附着物，都不是一種專門的獨立學說。

二、名家非別墨

名學之成爲專門之學，實始於惠施公孫龍。公孫龍子迹府篇載有公孫龍云「龍之所以爲名者」一語，是「名」用作學名之始，但惠施公孫龍幷未以名家自命。故莊子也只稱他們是辯者，荀子正名一篇是治名學的作品，篇中有些話確係指惠施公孫龍等的，但幷未標出二人姓名，在非十二子中標出了惠施鄧析之名，却又未提出名家這一學派名。惟尹文子大道篇有「名法儒墨」之稱，爲名家學派名之初見，但我們不必爲這一名稱的適用與不適用而有所懷疑，因爲在戰國時期，除了儒家外，各學派的稱謂都是以其領袖人爲代表的，如道家一名便很少見引用，評論其學說者都以老聃爲名，便是一例。胡適說：『在當時沒有什麼「名家」，不過墨家的後進如公孫龍之流，在這一方面研究的比別家稍爲高深一些罷了，不料到了漢代，學者如司馬談劉向劉歆班固之流，只曉得周秦諸子的一點皮毛糟粕，却不明諸子的治學方法，於是凡有他們不能懂的學說，都稱爲「名家」，却不知道他們叫作「名家」的人，在當日都是墨家的別派。』按惠施公孫龍之非別墨，前已論及，在其它哲學史書辨之者也不乏人。而尹文子大道上旣兩稱「名法儒墨」，而莊子徐無鬼篇亦兩以惠施與「儒墨楊秉」幷舉，呂氏春秋不屈篇首記白圭與惠施之論難，次記公孫龍說燕昭王以偃兵，後又記司馬喜難墨者師於中山王前以非攻。是在戰國之時無人不以惠施公孫龍爲與墨家對立的學派，而且每當他們提到墨家人物，必標一「墨者」於首，以顯其身份，如孟子的「墨者夷之」，呂氏春秋的「墨者鉅子孟勝」都是其例。而稱惠施公孫龍者從無加以墨者之銜的，則二人之非別墨，自無可疑。胡氏不加深察，反譏漢人不懂，眞所謂「闇於自見，謂已爲賢」了。

三、名家領袖

名家的核心人物，據莊子天下篇所載，應當是惠施，桓譚，公孫龍三人，荀子非十二子篇以惠施鄧析並舉，不及桓譚公孫龍，漢書藝文志錄名家著作，以鄧析子二篇冠首，顯欲以鄧析爲名家領袖人物。按鄧析的年輩先於孔子，列子力命篇說他「操兩可之說，設無窮之辭。」呂氏春秋精諭篇說：「鄧析與民之有獄者約；大獄一衣，小獄襦袴，民之獻衣襦袴而學訟者，不可勝數，以非爲是，以是爲非，是非無度，而可與不可日變，所欲勝者因勝，所欲罪者因罪。」又說：「洧水甚大，鄭之富人有溺者，人得其死者，富人請贖之，其人求金甚多，以告鄧析，鄧析曰安之，人必莫之賣矣；得死者患之，以告鄧析，鄧析又答之曰：安之，此必無所更買矣。」又說：「鄭國多相懸以書者，子產令無懸書，鄧析致之；子產令無致書，鄧析倚之；令無窮，則鄧析應之亦無窮矣。」照此看來，鄧析只是一個刁惡訟棍。呂氏春秋及列子都說他爲子產所殺，但左傳定公九年載「鄭駟歂殺鄧析，而用其竹刑。」似以左氏爲可信。鄧析子二篇：一名無厚，一名轉辭。劉向序錄說其言與公孫龍同類，韓非子說：「堅白無厚之詞章，而憲令之法息。」大約其所論近於白馬非馬鷄三足之類。但我們要知道，白馬非馬之論，只是一種狡辯奇辭，并不是名家學說的本旨，名家學說本旨在認識名物，并不全取狡辯，且鄧析之辯均偏於獄訟，證以左氏「用其竹刑」一說，則鄧實爲法家之流。荀子中兩舉二人之名，均以惠施序前，鄧析序後，是荀子固以鄧析處惠施附從地位，而不認其爲名家核心人物至明。所以確定名家領袖人物，應當以莊子所載爲據，荀子游移之見，實不足採。故本章以惠施爲名家領袖人物，公孫龍貳之，鄧析不在討論之列。

四、惠施與公孫龍

惠施姓惠名施，呂氏春秋離謂篇高誘注云：「惠子，惠施，宋人也，仕魏爲魏惠王相也。」魏惠王即梁惠王，故惠施應爲孟子同時人。據呂氏春秋所載，他在魏國任內的政績并不理想，說他「當惠王之時，五十戰而二十敗。」又說他「圍邯鄲三年而弗能取，士民罷潞（同露），國家空虛。」由此看來，他也是一位好戰的侵略者，實與墨子非攻的教義不符，是以爲其非別墨之旁證。漢志載有惠子一篇，隋唐經籍志都無著錄，他的學說之可考者，僅有莊子天下篇所載的歷物十事。公孫龍字子秉，史記孟荀列傳說他是趙人。莊子秋水篇載有他和莊子論辯後與魏牟的商榷言論，列子仲尼篇亦載有魏公子牟悅趙人公孫龍的事。莊子徐無鬼篇載：「惠子曰：今夫儒墨楊秉且方與我以辯，相拂以辭，相鎮以聲。」很顯然的，他與惠莊都接觸過。惟戰國策載有公孫龍勸平原君不受封地之事，時在周赧王五十八年，上距惠子去魏已五十三年，則他見莊子惠施時年紀當很輕，至多不能超過三十歲。（胡適以惠施大約死於紀元前三百年，以公孫龍大約生於紀元前三百二十五年，是公孫龍與惠施也有二十五年的共世時間）胡氏竟謂公孫龍絕不能與惠施辯論，認天下篇的記載，乃後人亂造，他幷說天下篇「桓譚公孫龍辯者之徒」一語的徒字當作門徒解，卽言桓譚公孫龍是辯者的門徒，說與惠施辯者是公孫龍的前輩。這說話不僅是武斷，而且自相矛盾。如果說天下篇是亂造的，亂造者的意思是認惠施公孫龍爲同時人的，他所下的這一徒字決不會作門徒解，以自打耳光，如果這一徒字眞如胡氏的解釋，那這亂造的話就可信了嗎？如果胡氏不是狡辯的話，卽使天下篇明說桓譚公孫龍爲惠施的門徒，也應當認它是亂造不可信的，不當以與自己意見牽扯得上時便認它是眞的，牽扯不上時便指它是假的。足以證明公孫龍可能與莊惠接觸到的作品，在莊子中除了天下篇外，還有徐無鬼及秋水篇，在莊子外的有列子仲尼篇，如果說天下篇爲後人所亂造，那麼秋水徐無鬼及列子仲尼篇是否也爲同一人所亂造呢？不然，各篇的記載何以能若合符節？把以上這些篇的記載彼此參照，「辯者之徒」的徒字實當作「流輩」解，指桓譚公孫龍乃惠施一流人物。故公孫龍可以說是惠施的晚輩，但不能說不是惠施同一時代的人。桓譚在列子仲尼篇中作韓檀，張湛的注認爲卽係一人。故天下篇所舉的名家三人是確乎可信的，惟桓譚既無著作，又無特別言論，大概只是惠施公孫龍名下的附庸人物。

五、名學本旨

名學之所以能由諸子學說的附屬工具而成爲獨立專門之學者，乃由惠施公孫龍把它由論理學變成了一種鑒別學，他家用名，只是同醫生用成藥一樣，奎寧可治瘧疾，凡患瘧疾者便給奎寧丸服；名家如同藥物檢驗師，他們不信任每種成藥適應疾病的正確性，他們要把這些成藥拿來加以化驗，看它所含的成份是否眞正適合它所主治的病症，然後確定它的應用範圍。故就名家學說的本旨說，它是一種鑒別學或認識論，只因名家學者爲強調其學說，喜歡玩奇辭以勝人，所以當時學說界不稱之爲名家，而稱之爲辯者。實際上辯術只是名學中的一小部份。

六、惠施與公孫龍所治各異

由於名家的學說如前所引荀子所說的「不法先王，不是禮義」，乃是自我作古的，所以惠施公孫龍重認識的本旨雖同，但在理論和方法上，則各有自己的一套，不惟不相統攝，且常有互相間的非難。惠施的認識論是混同的，卽所謂合同異是；公孫龍的認識論是分析的，卽所謂離堅白是。惠施的歷物十事見於莊子天下篇，章炳麟把它約爲四類：

第一類：

1. 至大無外，謂之大一；至小無內，謂之小一。
2. 無厚不可積也，其大千里。

3.天與地卑，山與澤平。
6.南方無窮而有窮。
8.連環可解也。
9.我知天下之中央，燕之北，越之南是也。
第二類：
4.日方中方睨，物方生方死。
7.今日適越而昔來。
第三類：
5.大同而與小同異，此之謂小同異；萬物畢同畢異，此之謂大同異。
第四類：
10氾愛萬物，天地一體也。

章氏對這分類的說明是；第一類爲「無方」，卽論世俗對空間的劃分，幷未得其眞；第二類爲「無時」，卽論世俗對時間的劃分，幷未得其眞。第三類爲「無形」，卽論世俗對物相的區分，幷未得其眞。第四類「天地一體」，原可併入第三類以爲形相之論，但因有「氾愛萬物」一語，又似乎是一條獨立的結論。所以章氏說：「本事有十，約之則四，四又爲三。」因爲惠施十事在否定一切時間空間形相上的劃分，所以說他的認識理論是混同的，是合同異的。雖然莊子德充符篇有莊子謂惠子曰：「子以堅白鳴」，及齊物論中有「惠子之據梧也，…………故以堅白之昧終」諸語，但并未見惠施的堅白論。竊疑「堅白同異」已成當時名家的代名，莊子中有關惠施的堅白之說，應作學派名稱看，不當作理論看，否則，莊子必不會歷舉其同異的十事，而不一及其堅白之論。離堅白是公孫龍的認識鑒別術，公孫龍子的理論不僅於堅白論是分析的，其它各篇論著也是分析的，莊子所載公孫龍與惠施立異的問題，可能就是離堅白，因離堅白與合同異，正是對立的方法。莊子天下篇雖另舉了辯者的二十一事，但大體與惠施的十事無甚出入，所以要了解公孫龍的思想學說，惟有從他個人的著作中去論究。

七、白馬論

現本公孫龍子六篇：一為迹府，二為白馬論，三為指物論，四為通變論，五為堅白論，六為名實論。迹府所記乃公孫龍個人事迹，乃後人所編之小傳。白馬論是公孫龍的得意之作，他說白以命色，馬以名形，所以白馬非馬。他又舉例解釋道；如求馬，黃馬黑馬白馬都可應，若求白馬，則黃黑馬便不可應了，所以白馬非馬。宋謝希聲在注文中有一段引就政治的話說：「去黃取白，則衆馬各守其色，自殊而去，故惟白馬獨應矣。王者黨其所私，而疎天下，則天下各守其疎，自殊而叛矣。天下俱叛，誰當應君命哉？其唯所私乎。所私獨應命，適足增禍，不能靖亂也。」從這種寓意來看，主旨的確是純正的，但因他發揮這類議論時，單在名辭上和人爭辯，不肯直截了當說出他的本意，所以招致許多反感。迹府篇稱：「龍與孔穿會趙平原君家，穿曰：素聞先生高誼，願為弟子久，但不取先生以白馬為非馬耳。請去此術，則穿請為弟子。龍曰：先生之言悖，龍之所以爲名者，乃以白馬之論耳，今使龍去之，則無以教焉。」他又引孔子爲例說：楚王亡弓，左右請求之，楚王曰：楚王遺弓，楚人得之，又何求乎？仲尼聞之曰：楚王仁義而未遂也；亦曰人亡弓，人得之而已，何必楚？如此看來，孔子是不以楚人爲人的。你不以孔子這種言論爲非，而反對我的白馬非馬，實在是偏見。的確，他的白馬非馬正同孔子的楚人非人，但人所以不非孔子的，孔子是就事論事，言下卽解，而他則捨事而辯名，苛察繳繞，使人不得其意。史載他與孔穿論臧三耳於平原君家，「龍甚辯析，穿弗應，平原君問之，穿曰：幾能令臧三耳矣，然謂三耳甚難，而實非也，謂兩耳甚易，而實是也，不知君將從易而是乎？其亦從難而非者乎？平原君謂龍曰：公無復與孔子高辯事也，其人理勝于辭，公辭勝于理，辭勝于理，終必受詘。」果然，後來鄒衍向平原君指出龍的「煩文以相假，巧譬以相移」的內情後，平原君便疏遠之了。

八、指物論

他的指物論是糾纏最甚，解釋最難的一篇文字。全篇都是指與物，非與無四字在繞圈子。胡適說這篇文字有許多脫誤。這可能就是它難讀的原因所在。但我以爲這篇文義的重點，就在頭四句，明白了頭四句，下面的文義就可迎刃而解了，雖然它有脫誤，幷無大礙。它的頭四句是「物莫非指，而指非指，天下無指，物無可以謂物。」這裏的物，指具形的事物言，這裏的指，指事物的特性言。每一件物都有它本身的名子，這名子便是它的特性的表示，如我們聽說跑，便知是快，聽說鹽太多，便知是鹹，跑的特性是快，鹽的特性是鹹、「物莫非指」之物乃兼名而言，意思是說「未有一個物名不是它本身的特性表示。」「而指非指」的解釋，是說「特性之中不再含特性」，如快就是快，鹹就是鹹，再不含其它的特性，這道理很像英文文法所說的形容詞（Adjec-tiv）不能形容（MOdify）形容詞一樣。「天下無指，物無可以謂物。」就是說「天下事物之名如不代表那事物的特性，就無一事物之名可以代表那事物。」如跑無快的特性，則跑與走將無從分辨，鹽無鹹的特性，則鹽與糖也將無從分辨，換言之，不快就不成其爲跑，不鹹就不成其爲鹽。本篇意旨似在告訴我們，每一事物之名都是它的特性表示，但特性本身則無形可見，完全附物以見。就物之用言，性與形是相依的，就物之體言，性與形是對立的。本篇的寓言，我以爲是爲官職與權能而設，官職爲物，權能爲指，無官職，權能無所托，無權能，官職無所用，某一種權能，就是某一種官職的特性。

九、通變論

這是分析權變的道理的一篇議論，篇中「其有君臣之於國焉，故強壽矣。」二句是點題的。其餘的名色都是寓言，「左右」以喻君臣名位，「雞」以喻小人，「馬」以喻君子，「白」以喻君，「青」以喻臣，「黃」以喻國家，「碧」與「驪」喻亂，「兩明」喻二尊。開篇說：「二有一乎？曰：二無一。」二就是君臣二名，他設問說：君臣二名有混一之理嗎？答說：君臣二名不能混一——單稱君爲臣或單呼臣爲君。下面的「二無右」，「二無左」，「右不可爲二」，「左不可爲二」，都是「二無一」一語的變形，（即所謂繳繞之論）語意是相同的。「曰：左與右可謂二乎？曰：可。」他設問說：君與臣可算兩種名位嗎？答：可以算兩種名位。（意思是劃分開君臣的名分）「曰：謂變非不變，可乎？曰：可。曰：右有與，可謂變乎？曰：可。」他設問說：「君臣之職分，有變通的可能嗎？答：可以變通，但是這種變通，應該如右手幫助左手工作，右手雖可以移到左邊來，但右手終是右手，右手不可以變成左手。（意思是宰相可以攝政，但不能取君位而代之。）「曰：二苟無左，又無右，二者左與右奈何？」他設問說：「假使君臣的職權，到無法劃分的時候，——如帝王居喪，不能理事，——這時當如何處理呢？下文所舉的羊牛雞馬，便是代表百官的資材的，意思是說君主就當在百官中愼選才德兼具的來攝行政事。在這選擇中牛羊落選了，唯雞與馬可以稱意，但雞爲小人，（卽有才無德）馬爲君子，這時候就當選用馬——君子，不可用雞——小人。假如雞馬幷用，那就是君子小人不分，便成爲狂悖昏亂的措施。在「他辭」以下，全講的是正道，不是權變，意思說，君君臣臣，便可國強君壽。依禮，應該是君尊臣卑，但有時臣反制君，形成國有二尊，國有二尊，便名分亂了，名分一亂，國將不國，全篇的本意是辨名分以防篡竊的。

十、堅白論

從上數篇的解釋看，公孫龍的學說全注重於認識，但他的認識論的本論則是堅白論。堅白是石的質性，一提石，人們就本能的想到它的色是白的質是堅的，如果依此立論，那是經驗論，而不是認識論了。認識論是分析我們認識事物的過程，如石的白，是顯露在外的，我們一望而知，但石的堅，無形相可察，非視覺所能辨，非藉助於觸覺，便無法知道。由於堅與白的認識非一感官之功，所以堅白離了。胡適說古來解這段的人都把「離」字解錯了，本書明說「離也者藏也」，離字當如日月麗于天的麗字解釋，爲連屬之意。其實，胡氏自己才是眞錯，書中說「見與不見離，不見離，一一不相盈，故離。離也者藏也。」分明指示出離的原因，由於一可見，一不可見，二者各不相攝，所以說它是離。藏作隱藏解，白是外現的，堅是內藏的，因爲堅內藏，所以與白隔離了。蓋堅白兩性，決不能互攝，如果它們能互攝，就不能說「目不能堅，手不能白」了，應該是撫堅得白，視白得堅了。而且堅白兩性並不屬石專有，如雪，我們就只能見其白，而不能見其堅，如石炭，我們就只能得其堅，不能見其白。因爲一般人在感覺上以堅白石連而爲一，故公孫龍要離堅白，使人知堅白各不相攝。如何知堅白之相離？那就是白由視覺所得，堅由觸覺所得，論中說：「堅白域於石，惡乎離？」域字作附屬解，這兩句話，是假設世人反駁之辭，意思是說「堅白都附石而見，怎能把它們離開？」上面的域字是反駁下面的離字的。如果離字作連解，便與域字同義了，那還成辭嗎？這一篇的本旨，可能是以貌取人的世俗之見的一種訓戒，石性之堅白，正如人性之善惡，一個見石卽斷定其堅白，不加分析的人，正如同一個人，見人向之親善，便說那人是善良的一樣，不知人的外貌和內心之一致與否非一望可知，正如同石之堅白非僅憑視覺可得，以貌取人，便會如孔子的失之子羽了。所以我們對人事的認識，必須從分析入手，才不致陷於錯誤。

十一、名實論

名實論是公孫龍子中的一篇總結論，在這篇裏未玩奇辭，雖間有繳繞之處，也無其它各篇之甚，他以為名者所以表實，如名不符實，無論是過或不及，都是亂階，所謂正名，便當正實，實正則名便正了。實與名的正不正，繫乎人對名實的認識淸不淸，有了這一篇，前數篇的認識理論才有了着落。

第五章　法家

一、為政治思想革命者

法家之非法律學家，在緒論中已論過，這一派的主張是以嚴刑峻罰來推行政治，來富國強兵。如前所論，諸子的學說都是屬於政治性的，但他們的主張都太偏於理想，迂緩而不濟於事。所以儒道名墨學說雖盛，徒衆雖多，但終未有一家能實現他們的主張的，因為他們所講的先王之制，仁義之行，到了戰國不惟不起刺激作用，反使人聽了厭惡，故從事於政治活動的學者，非改弦易轍，在這時候，就難得進身。這就是縱橫家與法家所以與起，並都能在政治舞台上表演得有聲有色的原因。法家與縱橫家所不同的，縱橫家的重點，在外交的運用，內政非所在意，法家的重點則在內政方面，他們所講求的是霸術，但他們這霸術並不是五霸的假仁假義一套面具政策，他們是乾脆不用而具的，他們對內是硬性逼使人民為國家犧牲，對外是以武力征服敵人。他們的一切思想和行動都是以現實為依據，不滲入絲毫理想的。因此，他們的近功小利，見效極速，刻薄寡恩，令無不行。這一派可以說是中國古代政治思想的革命者，班固名之為法家，并說他們出於理官，實在是小視了他們。不過我這裏稱他們是政治思想革命者，并不是讚美他們在政治思想上有或改良與進步，而是說他們盡廢以前的政治理論不用，獨行其是。因為他們所行的是一套霸術——類似現代的法西斯主義，所以四庫提要說：「其術為聖世所不取。」

二、代表人物

法家人物，漢書藝文志所錄篇目，以李悝居首，晉書刑法志謂律文起自李悝，其律始於盜賊，盜賊須劾捕，故著網捕一篇，又為防止輕狡，越城，博戲，假借不廉、淫侈踰制，則為雜律一篇，又為量刑之輕重，依律具其加減。由這些著作看，李悝實為現代之刑事法學家，而不是政治家。漢志說他「相魏文侯，富國強兵」，似乎他在政治上也有辦法，但他在法治方面的政論，不見流傳，故他不能算法家的核心人物。法家思想之最先被稱述者，當以慎到為首，莊子天下篇說：「故慎到棄知去己，而緣不得已，冷汰於物，以為道理。……夫無知之物，無建己之患，無用知之累，動靜不離於理，是以終身無譽。」荀子非十二子篇說他：「尚法而無法，下脩而好作，上則取聽於上，下則取從於俗，終日言成文典，反紃察之，則倜然無所歸宿，不可以經國定分。」同書解蔽篇又說：「慎子蔽於法而不知賢。」從這兩種記述看，慎到是根據老子的不尚賢而主張尚法的，他幷非純法家。天下篇的批評幷未以之作法家看。所以論法家代表人物，必推申不害、商鞅、韓非三人。申商兩人莊子天下篇未提到，荀子解蔽篇說「申子蔽於勢，而不知知。」也未提到商鞅，到韓非子定法篇才把商鞅申不害相提幷論，韓非子在諸子中最爲晚輩，所以諸子中無人提到他。

三、愼到的思想學說

愼到名到，史記說是趙人，在年輩上，班固說：先於申韓，申韓稱之。」高誘呂氏春秋注同。但胡適說：「此言甚謬，愼子在申子後。」胡氏的根據是申不害曾爲韓昭侯相，昭侯在位的時代可能早於莊子，但他却未注意到莊子記述愼到的思想，是愼到的思想早經成熟傳佈，則愼到必早於莊子，今不從愼到本身去尋究，而從引其說者去尋究？何足徵信？根據天下篇所記愼到思想看，則愼子當在申子前。愼到的學說思想胎原於道家，在天下篇及解蔽篇中所記甚明白。韓非子難勢篇引他乘勢篇的話說：「飛龍乘雲，騰蛇遊霧，雲罷霧霽，而龍蛇與螾螘同矣，則失所乘也。賢人而詘於不肖者，則權輕位卑也，不肖而能服於賢者，則權重位尊也。……由此觀之，賢智未足以服衆，勢而位，足以任賢者也。」這種思想完全本之於老子的「魚不可脫於深淵」，前引莊子說他「棄知去己」的主張，也是老子「不自見故明，不自是故彰」的思想。但法家與道家是有別的，道家的無爲之治，是專講心術，不具形迹，使人無從揣度其意向，衡量其輕重的，而法家則主用制度以代心術，用心術仍是人治，不免人存政舉，人亡政息之患，有了制度，則上智之君，固可節省勤勞，下愚之主也可善守而不致遽失。而且有了成文法令及制度，一切賞罰黜陟，依法執行，則受賞者不嫌賞輕，受罰者不嫌罰重，可以顯上之公，塞下之怨。故愼到舉例說：「夫投鉤以分財，投策以分馬，非鉤策爲均也，使得美者不知所以美，得惡者不知所以惡，此所以塞怨望也。」故法家制度思想實乃道家權術思想之昇華。四庫提要說：「道德之爲刑名，此其權輿。」可謂善論古者。愼子的著述，漢志所載爲四十二篇，王應麟說已亡三十七篇，僅剩五篇。又因他只是一個處士，未曾從事工作的推行，所以他只能算法家思想的開荒者，而不是法家學說制度的建立人。

四、申不害的思想學說

史記列傳說申不害是京人，故鄭之賤臣。京爲鄭之邑名，故高誘呂氏春秋注說：「申不害，鄭之京人。」列傳說他學術以干韓昭侯，昭侯用爲相，內修政教，外應諸侯，十五年，終申子之身，國治兵強，無侵韓者，可見他是一個很有才能的政治家。他的著作，史記說是二篇，漢志說是六篇，今都不傳，韓非子外儲說右上載他的六愼說：「上明見，人備之；其不明見，人惑之；其知見，人飾之，其不知見，人匿之：其無欲見，人伺之、其有欲見，人餌之。故曰：吾無從知之，惟無爲可以規之。」同篇又載他的話說：「獨視者謂明，獨聽者謂聰，獨斷者故可以爲天下主。都是講的做領袖的權術，而不是講的法制。惟外儲說左上載他對韓昭侯說：「法者見功而與賞，因能而受官，今君設法度，而聽左右之請，此所以難行也。」這也是重法制的言論，並未說到法制本身，韓非子定法篇說：「申不害言術。」確係事實。他的思想與愼到相同，愼到主張君主不可失勢，他則主張君主不可失權。愼到的勢出於老子的「魚不可脫於深淵，」申子的權則出於老子的「國之利器不可以假人。」

五、商鞅的思想學說

商鞅是李悝的學生，他雖是政治家，而是學法律出身的，所以他於法令制度的頒訂，都極具體而縝密。他認爲法令的推行。首得見信於民，所以他的施政，從徙木示信做起，使人民知道他令無虛下，他認爲法律之前，應該人人平等，不許有例外，他說：「法之不行，自上犯之。」秦太子犯法，因係君嗣，不便施刑，乃劓其傅公子虔，黥其師公子賈。他的法律思想是惟刑可以止刑，人民之所以多犯法者，乃因刑輕，所以他主張輕罪重罰，後世法家每多武健嚴酷，實由他作其俑。在他的定分篇中，對於法令的維護與推行，有極具體的擬議，他說，爲了使天下的吏民皆知法奉法，如一而無私，應當置官置吏，使誠樸而深明法令之旨的人充任，這類法官的員額，中央政府置三員：一置於天子殿中，一置於丞相府，一置於御史衙門，御史衙門并附置法吏。在地方諸侯及郡縣政府，各爲置一法官一法吏，郡縣首長及諸侯都要向所在法官學習法令。普通的官吏及人民對法令有不明之處，可問主管法令之吏，主管法令之吏，應當就所問分別解釋，對於這種法令的解答，應當登記在一尺六寸長的符上，記明年月日時，及所問辭令，這種符分左右二券，以左券給問者收執，以右券封存於檔案室，以備將來發生問題時查對。主管法令的官吏如不盡解答法令之責，即爲犯罪，應受刑罰。法令原文分數處保管，一本保存天子殿中，即於殿中設禁室，有鋋鑰爲禁而以封之；另一本保管於專設的禁室中，封以禁印，有隨便撕揭禁室封條，進入禁室偷窺法令，以及刪定法令，損益一字以上者，罪皆死不赦。他說在這制度下，天下的吏民，便無不明白法令了。人民有不明白的法令，去問法吏，法吏爲之解釋後，人民可以根據法吏的解釋，向地方官陳述他們的意見，地方官吏知道人民明白法令，便也就不敢違法處分人民了。地方官旣不敢違法，人民又不敢犯法，故智詐賢能者皆作而爲善，皆務自治奉公，他的結論說：故聖人立天下而無死刑者，非不刑殺也，行法令明白易知，爲置法官吏爲師以道之，使萬民皆知所避就，避禍就福，而皆以自治也。故明主因治而終治之，故天下大治也。」他在農戰內外兩篇中主張抑制工商及游學之士，使民務耕稼，以富國強兵，在開塞篇中說明聖人不法古，不修今，法古則後於時，修今則塞於勢，一是以法治爲主，在修禮篇中說：「君好法，則臣以法事君，君好言，則臣以言事君。」「是故明王任法去私，而國無隙蠹矣。」綜觀他的一生，可以說是信法最切，執法最嚴了，雖然他終於作法自斃，却爲秦國養成了統一天下的實力。

六、韓非的思想學說

韓非是集法家思想之大成的學者，史記說：「韓非者，韓之諸公子也，喜刑名法術之學，而其歸本於黃老。」因爲他的著作中有解老喻老二篇，故又有稱之爲道家的。史記又說他「與李斯俱事荀卿。」蓋他於法家之外，實兼治衆說，所以他善著書。在他的著述中，於愼到、申不害、商鞅三人的學說都有所發明和補充，如愼到認君主不可失勢，韓非便說：「君執柄以處勢，故令行禁止。柄者殺生之制也，勢者勝衆之資也。……故聽言不參，則權分乎姦，智術不用，則君窮乎臣。」（八經）申不害說人君應用六愼以防臣下窺伺，韓非則作主道（八經），以六亂二因之術敎君主，他說：「亂之所生，六也：主母、后姬、子姓、兄弟、大臣、顯賢。」治這六亂之術是：「任吏責臣，主母不放；禮施異等，后姬不疑；分勢不貳，庶嫡不爭；權籍不失，兄弟不侵；下不一門，大臣不擁；禁賞必行，顯賢不亂。」又說：「臣有二因，謂外內也，外曰畏，內曰愛，所畏之求得，所愛之言聽，此亂臣之所因也。」這裏的因字作憑藉解，意思是說，臣下的作亂，有兩種憑藉；一爲恃強國作外援，一爲恃親寵作內線。如果恃外援者有求則得，恃親寵者有言則入，這便是禍亂之因，防止這二因之術是：「外國之置諸吏者，誅其親匿重帑，則外不籍矣；爵祿循功，請者俱罪，則內不因矣。外不籍，內不因，則姦宄塞矣。」商鞅說：「治世不一道，便國不法古。」韓非因在五蠹篇中引上古中古近古各帝王因事制宜之例，說：「今有構木鑽燧於夏后之世者，必爲鯀禹笑矣，有決瀆於殷周之世者，必爲湯武笑矣，然則今有美堯舜湯武禹之道於當今之世者，必爲新聖笑矣。是以聖人不期修古，不法常行，論世之事，因爲之備。」他把那法先王的思想比作守株待兔。對於富國之道，商鞅主重農，抑工商游說之士，韓非未倡抑制，唯反對賞游說之士，他說：「夫吏之所稅，耕者也，而上之所養，學士也，耕者則重稅，學士則多賞，而索民之疾作而少言談，不可得也。」他於農政方面，反對扶助貧農，主張自由競爭，說：今之語治者，多曰與貧窮地，以實無資。今夫與人相善也，無豐年旁入之利，而獨以完給者，非力則儉也；與人相善也，無饑饉疾疢禍罪之殃，獨以貧窮者，非侈則墮也。侈而墮者貧，而力而儉者富，今上徵斂於富人，以布施於貧家，是奪力儉而與侈墮也，而欲索民之疾作而節用，不可得也。」

韓非雖未曾從事於實際的政治工作，但他思慮的縝密，言辭的鋒利，實爲法家諸子之冠，在韓非子一書中，他不僅非難了各異派的學說，就是同派的申商，他也看他們不起，說：「申子未盡於術，商君未盡於法。」當他的書傳到秦國，秦始皇見了太息說：「寡人得見此人，與之同游，死不恨矣。」人都知道秦朝的焚書坑儒，出於李斯之議，而不知實際上都是韓非的意見，李斯不過付之執行罷了。他在問辯篇中說：「或問曰：辯安生乎？對曰：生於上之不明也。問者曰：上之不明，因生辯也，何哉？對曰：明主之國，令者言之最貴者也，法者事之最適者也。言無二貴，法不兩適，故言行之不軌於法令，必禁。……亂世則不然，主上有令，而民以文學非之，官府有法，民以私行矯之，人主顧漸其法令，而尊學者之智行，此世之所以多文學也。……是以儒服帶劍者衆，而耕戰之士寡，堅白無厚之詞章，而憲令之法息。故曰：上不明，則辯生焉。」這段議論說明了儒生於國家之有害無益，於是在五蠹篇中他又說：「人主不除此五蠹之民，不養耿介之士，則海內雖有破亡之國，削滅之朝，亦勿怪矣。」這是他坑儒的主張。在同篇中他又說：「故明主之國，無書簡之文，以法爲教，無先王之語，以吏爲師。」這是他焚書的主張，秦焚書令中說「若有欲學法令，以吏爲師。」正是引用他的話。蘇轍韓非論說：「及韓非之學，幷取申商，而兼任法術，法之所止，雖有聖智不用也；術之所操，雖有父子不信也，使人君據法術之自然，而無所復爲，此申韓所謂老子之道，而實非也；彼申商各行其說耳，然秦韓之治，行於一時，而其害見於久遠，使非不幸獲用於世，其害將有不可勝言者矣。」

第六章　農家

一、一般的重農思想

農家是重農的主義，這種主義，在中國尚古已極盛行，根據歷史的記載，大舜是舉自畎畮的天子，周之先祖后稷也是以農起家，所以古禮天子有親耕籍田的儀式，但降至戰國，諸侯以力爲雄長，戰禍相續，游說之風大盛，農民之樸實者多爲戰爭而犧牲，其狡黠者不爲游俠，便作政客，蘇秦說：「使我有洛陽負郭二頃之田，安能佩六國相印乎！」便是顯例。這種農村破產所造成的社會不安，當時有識之士，無不引以爲憂，孔子的足食，孟子的不違農時，固是重視農業的呼籲，老子的至治之世，「鷄鳴犬吠之聲相聞，」也是農村安定的希望，商鞅在農戰內外兩篇中更是具體的提出抑制工商游說之風以繁榮農村的意見。不過這些意見都同爲安定農村而發，幷未有變更社會通功易事的制度的意思。

二、許行的幷耕說

要了解一種生活的痛苦，惟有實際加入那種生活才能透徹，痛苦的了解愈透徹，則改革與消除那痛苦的方法必愈精，推行必愈徹底，像孔孟老商那種呼籲，實等於隔靴搔癢，永解救不了農民的痛苦。這就是許行幷耕說之所以產生的原因。他以爲不從制度上作根本解决，是無法達到安定和繁榮農村的目的的，所以他提出「君臣幷耕而食，饔飧而治」的制度，在這制度下既可消除農民所負的捐稅重擔，也可提高農民在社會的地位。本來在許行之前的農民對貴族階級的剝削及分享其成，早有反感，如詩的「不稼不穡，胡取禾三百廛兮，不狩不獵，胡瞻爾有懸貆兮。」論語的「四體不勤，五穀不分，孰爲夫子？」都是農民的不平之鳴，許行主張不問君臣，一律自耕自食，不過是把農民對貴族階級的反感具體化而已。所以往消極方面說，許行的主張只是對孔孟老商思想的修正，往積極方面說，乃是對貴族階級的革命。孔孟老商的說話立場是超然的，許行說話的立場是敵對的，故眞正農家領袖人物應該是許行。但漢書藝文志所載農家著作，首神農二十篇，次野老十七篇，再次宰氏十七篇，這幾部著作，班固自注也弄不淸它們的眞僞。根據散見古籍中的徵引，這都是些農藝方面的記載，幷無農民思想的反映，實不足以代表農家。而同志對農家思想的介紹，也只說「及鄙者爲之，以爲無所事聖王，欲使君臣幷耕，悖上下之序。」未提出許行的名字，殊爲失態，無怪乎胡適指謫其荒謬的。

三、不顯的原因

要實現許行這一學說，不僅是要反納稅，反戰爭，而且要推翻封建的階級制度，改變通功易事的社會的制度。這在戰國那時代如何能行得通？農家在戰國政壇上無其他諸子顯赫的地位和聲望，而且除了孟子滕文公篇的一段記述外，其他子書中絕少提到他，這就是因這種思想與時代朝流太相反了，所以推展不開。許行的事迹，據孟子所載，他「自楚之滕，踵門而告文公曰：遠方之人，聞君行仁政，願受一廛而爲氓。文公與之處，其徒數十人，皆衣褐，捆屨織席，以爲食。」可能他是一個悃愊無華的實行家，所以當時不聞其言論，後世不見其著作。他的政治主張完全由那半途從學的弟子陳相說出，陳相之後，更不聞有傳人。在諸子中，這可說是最寂寞的一派了。

第七章　陰陽家

一、本天文測候之術

陰陽之學，本天文測候之術，對於農事兵事有很大的影響，歷代帝王無不重視，所以各代均設羲和之官，敬順昊天，歷象日月星辰，敬授民時。天象的變化，在天文學者的眼中，本是極科學的，但在外行看來，便覺其神奇不可思議了。古代人民知識簡單，畏天敬鬼的心理很深，見到星象及氣候上突發的變故，不得其解，便生恐懼，於是天文職業家便利用這種天文的變故，以爲儆戒專制君主的工具，周書洪範說：「我聞在昔，鯀陻洪水，汨陳其五行，帝乃震怒，不畀洪範九疇，彝倫攸斁，鯀則殛死；禹乃嗣興，天乃錫禹洪範九疇，彝倫攸敍。」便是這種用意。惟世降愈後，智僞日出，善良的測候官便以天變爲奬勸人主善行的工具，如呂氏春秋所載司星子韋對宋景公說的「君出三善言，熒惑宜有動」之語，便是其例；狡黠的測候官便用它來作逢迎人主歡心的工具，如晏子春秋載：柏常騫謂齊景公，他能爲公祈得長壽。齊景公問他有何爲驗。他說：

如所祈得允，必有地震相應。晏子聽了，便私召柏常騫說：我昨晚見維星絕，樞星散，這是地震之兆，你所說的，是否據此？柏常騫因祕密被揭破，也只好俯首承諾。這種風氣傳播到江湖上，便成了騙人的迷信之術。所以凡是用陰陽言災異吉凶的，都不是陰陽之學所固有。

二、鄒衍帝德轉移之說

史記稱：「騶衍睹有國者益淫侈，不能尙德，若大雅整之於身，施及黎庶矣。乃深觀陰陽消息，而作怪迂之變，終始大聖之篇，十餘萬言，其語閎大不經，必先驗小物，推而大之，至於無垠，……稱引天地剖判以來，五德轉移，治各有宜而符應若茲。」史記所說的動機，是無據的，說他利用陰陽消息作怪迂之變，可算點到眼了。怪迂之變的結果，就產生了五德轉移。所謂五德，就是洪範的五行——金木水火土，這本是人類日常生活中所不可缺少的五種東西，這五種東西在應用上有相生相剋之理，這種理只是常識，并非神奇，如燧人氏鑽木取火，便是木生火的知識，詩的伐柯用斧，便是金剋木的知識，易卦的旣濟未濟便是水火爲用的知識，墨經說「五行無常勝，在宜」，這種常識，凡是懂得生活的人，都具備，其中不僅無絲毫迷信意味，而且也與陰陽學不生關係。騶衍爲了驚世駭俗，便把五行相剋的道理用到朝代興亡上去，李善注文選故安陸昭王碑文引有騶衍的「五德從所不勝：虞土，夏木，殷金，周火」之說，他以虞爲土德，夏爲木德，木剋土，故夏代虞而有天下；殷爲金德，金剋木，故殷代夏而有天下；周爲火德，火剋金，故周代殷而有天下。所謂五德轉移，就是五行相循環，治各有宜，就是帝王各有命，符應若茲，就是國家的興亡，與這種五行相應。後來江湖推算八字的說人屬火或屬水，就是把騶衍的帝德之說改爲人德。由此可見其說的驚世惑俗，影響之大。史記稱：「是以騶子重於齊，適梁，惠王郊迎，執賓主之禮，適趙，平原君側行襒席，如燕，昭王擁彗先驅，請列弟子之座而受業，築碣石宮，身親往師之。其游諸侯見尊禮如此。」五德轉移是他的歷史觀，史記又載有他的地理論，他「以爲儒者所謂中國者，於天下乃八十一分居其一分耳，中國名赤縣神州，赤縣神州內自有九州，禹之序九州是也，不得爲州數，中國外如赤縣神州者九，乃所謂九州也。於是有裨海環之，人民禽獸，莫能相通者，如一區中者乃爲一州。如此者九，乃有大瀛海環其外，天地之際焉。」這種議論，在當時看來，確是閎大不經的，但就今日的地理知識論，他實在是一位大膽的假設者。

第八章　縱橫家

縱橫一辭，是合縱連橫的簡稱，所謂合縱，用今日的術語說，就是統一陣線，所謂連橫，就是各個擊破。這是國際政客的一種捭闔之術，幷無關於學術思想，班固列之於九流，多少是有些不倫的。縱橫家是蘇秦，連橫家是張儀，但這也只是就他們已表現的事迹而言，在他們本身是幷不嚴守這種界限的，蘇秦先本以連橫說秦，因爲不成功，便轉身以合縱說六國諸侯，張儀原來是想在蘇秦名下爲他效力的，因受蘇秦之激，乃憤而去秦，推行連橫政策，二人的政策相反，而其確定的過程，則完全一樣。他們推行這種政策，完全是爲了滿足個人政治的野心，其他諸子所關心的世道人心，民生國計，都非所在意，他們所恃的就是三寸不爛之舌，危言聳聽。他們游說諸侯，并不用甚麼高深的理論，只是就國際現勢利害關係，加以渲染。這一派的著作，漢志載有蘇子三十一篇，張子十篇，今已不傳，隋志載鬼谷子三卷，王應麟說係東漢人本蘇張二書之言薈萃爲此，而託於鬼谷，四庫全書所收只一卷。

第九章　雜家

雜家之名的不合，在緒論中已說過，假使所謂雜家乃指一人的思想學術揉雜不純而言，則此名還可勉強通過，但據班氏漢志所錄之書，顯以呂氏春秋，淮南內外篇爲此派代表，按二書皆爲門客的集論，非出一手，再就呂不韋的人品說，他本是陽翟大賈，以投機居奇，得爲秦相國，號仲父，他之招致賓客，乃見當時魏信陵、楚春申、趙平原、齊孟嘗都喜養客，趨尙時髦之故。他之編呂氏春秋，又是見荀卿之徒，著書布天下，乃附庸風雅，令其客，人人著所聞而成，是其養客著書，均無目的，其懸之國門，徵有能易一字者予千金，仍是買賣作風，像這樣完全一附商人頭腦，那裏懂得「知國體之有此，見王治之無不貫」？班氏竟謂其出於議官，眞不知議官何辜？

第五編　文學

緒論

本編所用文學一名，與時下稱文藝作品的文學取義略有不同，此處的文與學是兩件事，文的取義，與前三篇的經、史、子是對立的，經學是有關經的學說，史學是有關歷史的學說，子學是有關諸子的學說，同樣文學是有關文字組織的學說。關於文這一字，古人有許多定義，并有所謂文筆之分，這裏爲減少糾纏起見，概不徵引，本編的所謂文，只是一種文字組織成章的作品，如傳一個人，記一件事，或是發表對某一問題的意見的文字組織，我們稱之爲文章；寄托個人情志於詠歎的文字組織，我們稱之爲詩歌；描寫一個故事的文字組織，我們稱之爲小說。故本編的文學就是討論文章、詩歌、小說的寫作之學。詩歌、小說，時人本以之列於文藝範圍，但發表意見，討論問題的文章，就爲文藝家所不取了，換言之，文藝一名，是不包括議論一類文章的，本編取義所以不同於文藝之文學者在此。基於上述的解釋，本編所討論的範圍，也就只限於文章、詩歌、小說三類，下面卽依照這項目分別論述。

第一章　文章

前言

文章的淵源，據顏之推家訓文章篇說：「夫文者，源出五經，詔命策檄，生於書者也；序述論議，生於易者也，歌詠賦頌，生於詩者也；祭祀哀誄，生於禮者也；書奏箴銘，生於春秋者也。」這是純就文章的類別說的，無關組織形式。韓愈在他的進學解中自敍其爲文說：「上規姚姒，渾渾無涯，周誥殷盤，佶屈聱牙，春秋謹嚴，左氏浮誇，易奇而法，詩正而葩；下逮莊騷，太史所錄，子雲相如，同工異曲。」柳宗光也自稱其爲文「本之書以求其質，本之詩以求其恆，本之禮以求其宜，本之春秋以求其斷，本之易以求其動，……參之穀梁氏以厲其氣，參之孟荀以暢其支，參之莊老以肆其端，參之國語以博其趣，參之離騷以致其幽，參之太史以著其潔。」這都是純就文章的取法說的，也無關於文章的組織形式，如不先確定文章的組織形式，則討論文章的淵源，便會畔岸不得其要領，考我國古文，原多散體，自東漢以來，已漸趨向駢偶，到六朝已臻其極，惟倘無入主出奴之爭，到梁蕭統選文，必錄其綜緝辭采，錯比文華者，於是駢文聲勢大盛，隋唐遂有倡復古以相反對者，自是以後，作者各尊所好，駢散遂有冰炭之勢。茲爲討論便利計，卽分散文駢文各別敍述。

一、散文

甲、散文非古文

散文是一種不拘對仗形式的文體，因爲經文——除詩經外——多半是單行不拘對仗的，所以散文又有古文之稱，其實唐宋八家，以及清代桐城派的文章，都各有其獨具的法則和義例，除了文以載道的宗旨本之經術外，并不是古文，劉向說尚書直言，王安石評春秋爲斷爛朝報，易經除十翼外，全是籤文，周禮儀禮純爲條文，除了詩經，五經中無可爲文章組織法則者。且古之一名，漫無邊際，春秋戰國以三墳五典爲古，漢以五經爲古，唐宋又以史漢爲古，明清又稱唐宋八家爲古，在標榜上每一時代的文章作者，無不自詡師承有自，實則一時代有一時代的言語，一時代有一時代的風尚，如典謨的都、俞、吁、咈，在左傳論孟中都見不到引用；尚書稱這用「茲」，論語稱這爲「斯」，孟子稱這爲「此」；漢人於文中稱人用字，唐人用排行，宋人用官職，無不各隨時宜，何古之有？國語國策不同五經之簡，史記漢書不同左國之浮，唐宋八家不同史漢之奇，明清各派不同唐宋之詭，所以用古文稱這種單行文體，實遠不如稱之爲散文的切當。

乙、文章類別

文章類別，姚鼐古文辭類纂分爲十三種，然就寫作方法言，實只三種，即所謂傳記文，議論文，敍事文。傳記文的程式，要有起伏照應，議論文的程式要有起承轉合，敍事文的程式，要有排比變化。這些程式在五經中是無法求得的，所以文章組織法則，應當向春秋戰國的作品中去尋求。如左傳鄭伯克段于鄢一文，雖不以傳記爲名，實際却爲一篇極好的鄭伯傳，史記世家列傳的筆調，頗多仿此，茲錄於下，以助說明：

初，鄭武公娶于申，曰武姜，生莊公及公叔段。（起）莊公寤生，驚姜氏，名曰寤生，遂惡之。（伏）愛公叔段欲立之，亟請於武公，公弗許。及莊公卽位，爲之請制，公曰：制，巖邑也，虢叔死焉，他邑唯命。請京，使居之，謂之京城太叔。祭仲曰：都城過百雉，國之害也，先王之制，大都不過三國之一，中五之一，小九之一，今京不度，非制也，君將不堪。公曰：姜氏欲之，焉避害？曰：姜氏何厭之有？不如早爲之所，無使滋蔓，蔓難圖也，蔓草猶不可圖，況君之寵弟乎？公曰：多行不義，必自斃，子姑待之。既而太叔命西鄙北鄙貳於己，公子呂曰：國不堪貳，君將若之何？欲與太叔，臣請事之，若弗與，則請除之，無生民心。公曰：無庸，將自及。太叔又收貳以爲己邑，至於廩延。子封曰：可矣，厚將得衆。公曰：不義不暱，厚將崩。太叔完聚，繕甲兵，具卒乘，將襲鄭，夫人將啓之。公聞其期，曰：可矣。命子封率車二百乘以伐京，京叛太叔段，段入于鄢。公伐諸鄢，是月辛丑，太叔出奔共。書曰：鄭伯克段于鄢。…………遂寘姜氏于城潁，而誓之曰：不及黃泉，無相見也。（照應遂惡之。）既而悔之。潁考叔爲潁谷封人，聞之，有獻于公。公賜之食，食舍肉。公問之，對曰：小人有母，皆嘗小人之食矣，未嘗君之羹，請以遺之。公曰爾有母遺，繄我獨無！潁考叔曰：敢問何謂也？公語之故，且告之悔。對曰：君何患焉，若闕地及泉，隧而相見，其誰曰不然？公從之，公入而賦：大隧之中，其樂也融融。姜出而賦：大隧之外

，其樂也洩洩。遂爲母子如初。（照應生莊公及公叔段）

議論文在左傳國語國策中亦有不少，惟均不及孟子見梁惠王一章的簡淨明白，茲錄孟子一節於下，以助說明：

孟子曰：王何必曰利？（起）亦有仁義而已矣。（承）王曰：何以利吾國？大夫曰：何以利吾家？士庶人曰：何以利吾身？上下交征利，而國危矣。萬乘之國，弒其君者必千乘之家，千乘之國，弒其君者必百乘之家。萬取千焉，千取百焉，不爲不多矣，苟爲後義而先利，不奪不饜。（轉）未有仁而遺其親者也，未有義而後其君者也。王亦曰仁義而已矣，何必曰利！」（合）

敍事文章法以論語所記子路曾晳冉有公西華侍坐一篇最爲精練，它對四人的答話及神態，排比得極有變化而富情致，把重點放在最後，也極合邏輯，沙士比亞的李耳王一劇，敍李耳與其三女問答的層次及口吻，以及重點所在，與本篇極相類似，足見文章法則，中外有不謀而合者，茲錄論語原文於下，以助說明：

子路曾晳冉有公西華侍坐。子曰：「以吾一日長乎爾？無吾以也。居則曰：不吾知也。如何知爾？則何以哉？」

子路率爾而對曰：「千乘之國，攝乎大國之間，加之以師旅，因之以饑饉，由也爲之，比及三年，可使有勇，且知方也。」

夫子哂之。「求，爾何如？」對曰：「方六七十，如五六十，求也爲也，比及三年，可使足民；如其禮樂，以俟君子。」

「赤，爾何如？」對曰：「非曰能之，願學焉，宗廟之事，如會同，端章甫，願爲小相焉。」

「點，爾何如？」鼓瑟希，鏗爾，舍瑟而作，對曰：「異乎三子者之撰。」子曰：「何傷乎？亦各言其志也。」曰：「莫春者，春服旣成，冠者五六人，童子六七人，浴乎沂，風乎舞雩，詠而歸。」

夫子喟然歎曰：「吾與點也。」

丙、春秋戰國至唐文章之變

春秋戰國，不僅是我國思想最發達的時代，也是我國文章鼎盛的時代，最爲後世所稱道的左孟莊騷四大奇書，都有一種汪洋恣肆的筆調，可算此期的代表作。西漢初期的文章作者，自當以賈誼鼂錯董仲舒爲巨擘，三人均以議論見長，惟賈鼂文略帶戰國策士氣習，董仲舒則經生氣味較重，眞能繼先秦文章風格，爲西漢散文之代表者，當推司馬遷，其史記行文，恢詭雄奇，鎔左孟莊騷於一爐，可謂集先秦文章之大成。東漢文章作者，自當以班固爲第一，他著漢書，存心與史遷爭一日之長，但氣勢旣弱，風格亦不及史記的蕭灑自如，漢末曹操父子雅好文學，又有建安七子爲之羽翼，文章之盛，直陵東漢而上之。因爲這班人都以詩賦鳴，文章中遂不覺的夾入了些詩賦的情調，所以魏晉文章如大家閨秀，薄施脂粉，淡掃娥眉，旣增其天然之美，復無妖冶之態，別具一種動人的風致。但後來作者踵事增華，專務駢偶，餖飣獺祭，堆砌滿紙，這種情形發展到梁朝，已登峯造極，於是反動者漸起，先是北周的蘇綽仿尚書作大誥，繼以隋代的王通用論語體作中說，而姚察姚思廉父子則仿史漢文筆修梁書陳書，只因駢文植根已深，這幾家的倡導，幷未發生何種影響，初唐四傑仍然以駢文雄視一時。隨後又有陳子昂張說蘇頲出來做復古的提倡，風氣才稍微有些轉變，到大曆貞元間，韓愈出而揭復古廢駢之大纛，柳宗元皇甫湜等從而附和，於是文起八代之衰的功業乃得完成。據舊唐書韓愈傳稱其爲古文的情形道：「大曆貞元間，文字多尚古學，故楊雄董仲舒之述作，獨孤及梁肅最稱淵奧，愈從其徒游，銳意鑽仰，欲自振於一代，舉進士，投文公卿間，故相鄭餘慶爲之延譽，由是知名。」從上列的事實看，倡爲古文的幷不始於韓愈，爲甚麼前人都無功，而韓愈獨著其效呢？這就是韓愈學古的技巧與以前諸人不同的緣故，在形式上學古，是最笨的方法，故楊雄仿易作太玄，仿論語作法言時，劉歆譏其覆瓿。蘇綽仿尚書作大誥，王通仿論語作中說，仍是蹈襲楊雄的覆轍，當然得不到廣大的同情，陳子昂倡議廢駢雖極出力，但他自己却不能建立一個取代的力量，獨孤及文雖淵奧，但未脫拘古之習。而韓愈的復古，是要發揮儒家的道統，他以孟子之後的儒家道統自任，師其意而不師其辭，所以他說：「當其取于心而注于手也，惟陳言之務去。」換言之：「他是用今人的言語，發揮古人的思想，而不是用古人的言語發揮今人的思想。李翺也稱愈文道：「其所爲未嘗效前人之言，而固與之幷。」這便是韓愈文章獨到之處，以及其所以能號召學者的條件。

丁、唐宋散文繼興

由於韓愈經術的造詣深，詞鋒銳，所以他的文章本固枝榮，無論大小題目，都能得心應手，游仍有餘。柳宗元雖是韓愈的有力羽翼，但二人作風却不一致，韓愈的文章以載道爲主，所以他說：「余之爲古文，豈獨取其句讀不類今者耶？思古人而不得見，學古道則欲兼通其辭，通其辭者，本志乎古道者也。」故韓愈的代表作是原道、師說一類大文章，柳宗元爲文以興會爲宗，他說：「吾雖少爲文，不能自雕斲，引筆行墨，快意纍纍，意盡便止，亦何所師法，立言狀物，未嘗求過人。」故柳宗元的代表作是梓人傳，永州八記之類的小品。就文藝性說，柳文比韓文爲勝，就文章的氣骨說，柳於韓，實瞠乎其後。柳氏之外的李翺張籍皇甫湜等，則况而愈下，所以蘇軾說：「汗流籍湜走且僵，滅沒倒影不能望。」因爲後勁不繼的緣故，所以韓沒後，散文又爲駢文所掩，直到北宋初年才有柳開、穆修、尹洙、蘇舜卿等人相繼以散文相號召，一方面因爲這班人的根柢不厚，一方面因爲北宋初年臺閣體勢力太大，所以初期的散文幷不能與駢文方軌。眞能光大韓柳的事業，奠定宋代散文根基的，全得力於歐陽修的崛起。歐陽修的才學是多方面的，他於政治文章詩詞都能卓然成家，而且氣象雍容，無論是接物行文都有一種從容不迫之致，所以能爲士林推重，一唱百和，扭轉散文之乾坤。清魏禧評他的文章「如秋山平遠，春谷晴麗，園林亭沼，悉可圖畫。」可謂深得其趣。他自己在書韓文後述其學作散文的經過道：「予少家漢東，有大姓李氏者，其子堯輔頗好學，予游其家，見其敝筐貯故書在壁間，發而視之，得唐昌黎先生文集六卷，脫落顚倒無次序，因乞以歸，讀之。是時，天下未有道韓文者，予亦方舉進士，以禮部詩賦爲事，後官於洛陽，而尹師魯之徒皆在，遂相與爲古文，因出所藏昌黎集補綴之，其後天下學者亦漸趨於古，韓文遂行於世。」不過歐陽修雖有倡導之功，但這一倡導能展開，且能持久不敞的，全得力於他的幾個羽翼人物，那就是三蘇父子及曾鞏王安石，蘇洵和他是平輩交，蘇軾蘇轍則是他的門生，曾鞏王安石都是他的同鄉，曾鞏是他的弟子，王安石則由曾鞏介紹而相識，由他的推獎而成名。五人的文章均極雄健，足以風靡一世，所謂唐宋八大散文家，宋代竟占了六個，這是他們能壓倒駢文的主要原因。另一於散文聲勢有助的，那就是程朱一派理學家，他們反對玩物喪志，駢文的浮詞麗藻，在他們的眼中，無疑是喪志之物，所以自周敦頤開始就加反對，宋以後的教育大權一直掌握在理學家手中，無形中給了駢文一個嚴重打擊。

戊、宋人重文法

宋朝的散文，雖是繼唐而起，但在文法方面，實比唐人爲考究，唐人文章，氣勢渾厚，不斤斤計較一句一字的得失，宋人於文，字斟句酌，絲毫不苟，歐陽修爲主試時，便常喜改塗試卷中不妥的字眼，其有大謬者輒加拉帛。容齋五筆說：『范文正守桐廬，始於釣台建嚴先生祠堂，自爲記，用屯之初九，蠱之上九，極論漢光武之大，先生之高，財二百字，其歌詞云：「雲山蒼蒼，江水泱泱，先生之德，山高水長。」既成，以示南豐李泰伯，泰伯讀之，三歎不已，起而言曰：「公之文一出，必將名世，某妄意輒易一字，以成盛美。」公瞿然握手扣之，答曰：「雲山江水之語，於義甚大，於詞甚薄，而德字承之，乃似趢趚，擬換作風字，如何？」公凝坐頷首，殆欲下拜。』由此可見宋人作文下字法度之一斑。在字眼之外，他們對於破題句法，尤爲重視，孫奕示兒編曰：『爲文有三難：命意上也，破題次也，遺辭又其次也。不善遺辭，則莫能敷暢其意，不善涵蓄題意，破題何自而道盡哉？則是破題尤難者也。嘗卽是而觀，古文第一句便道盡題意，而盡善盡美者，我國朝得三人焉：歐陽文忠公縱囚論曰：「信義行於君子，刑戮施於小人。」則一句道盡太宗求名之意矣；其後韓文公廟碑，蘇文忠有「匹夫而爲百世師，一言而爲天下法」，又一句道盡昌黎之道義矣；百有餘年，至周益公（必大）之三忠堂碑，其曰：文章天下之公器，萬世不得而私也；節義天下之大閑，萬世不得而踰也。」謂文忠歐陽以文鳴，忠襄楊公，忠簡胡公，俱以忠義鳴，故首句已道盡三公平生事實。』王安石主政時，爲了糾正科場文章亂雜無章之弊，特創立制藝，規定嗣後科考文章，必遵其式，實爲明清八股之濫觴。

己、元明摹擬之習

元代年命短促，學者寥寥，散文作家僅姚燧、虞集、揭奚斯、黃溍、柳貫數人而已，大抵規撫歐曾，不脫宋文的矩矱。明初，宋濂學於黃柳，方孝儒學於宋濂，出入在宋元之間，李東陽嫌其風格愈下，乃倡爲唐文，到李夢陽何景明宏治七子出，又進一步主張文學秦漢，反對唐宋之文，李謂：「宋儒興，而古之文廢。」何則謂：「古文之法亡於韓。」教學者勿讀唐以後文，一時聲勢甚壯，但王守仁偏以宋濂文章爲軌範，王愼中唐順之則全摹歐曾，與之相抗，茅坤幷刊行唐順之所選的唐宋八家文，以爲學者示範。於是李攀龍王世貞所謂嘉靖七子，復出而擁護前七子的主張，抨擊王唐。歸有光又出而主張唐宋，指斥王世貞爲庸妄，終有明一代，文章的爭辯，全在摹擬的對象上繞圈子，故明代的文章，就整個的文學說，實無貢獻之可言。不過在這些作家中比較可取的，要算歸有光，方苞評歸氏文章「不修飾而能情辭幷得，使覽者惻然有隱，其氣運蓋得之子長，故能取法歐曾，而少更其形貌耳。」

庚、淸初的散文作家

淸人的散文，雖然因時代相接，不能說絕無明人的影響，他們對明人那種以摹擬爲高的作風，却極不贊成，首先公開加以反對的是錢謙益，錢雖因身爲二臣，爲人所輕，然其詩文實爲淸初江南領袖，他對文人擬古之病，有極尖刻的批評，他說：「近代之僞爲古文者，其病有三：曰僦、曰剽、曰奴。寠人子賃居廊廡，主人翁之廣廈華屋，皆若其所有，問其所托處，求一茅蓋頭曾不可得，故曰僦也；椎埋之黨，銖兩之奸，夜動而晝伏，忘衣食之源而昧生理，韓子謂降而不能者類是，故曰剽也。傭其耳目，囚其心志，呻呼唫囈，一不自主，仰他人之鼻息，而承其餘氣，縱其有成，亦千古之隸人而已矣，故曰奴也。」在錢謙益之外的淸初三大散文作家爲侯方域、魏禧、汪琬，侯爲明末四公子之一，其爲文以才氣勝，他對於作文的方法，以爲當其間漫纖碎處，反宜動色而陳，使讀者見其關係，尋繹不倦，至大議論，人人能解者，不過數語發揮，便須控馭，歸於含蓄。因此，陳之問說他的文章「不脫小說家伎倆」。但黃宗羲論文管見說：「敍事須有風韻，不可擔板，今人見此，遂以爲小說伎倆，不觀晉書南北史列傳，每寫一二無關係之事，使其人之精神生動，此頰上三毫也，史遷伯夷孟子賈誼等傳，俱以風韻勝，其塡尙書國策者，稍覺擔板矣。」惟侯氏享年不永，所以其文才氣勝於工夫，相傳他自編文集，曾將其未備諸體，一夜撰成。金左祖批評他說：「朝宗已自成一家，惜得名差早，未暇鍊句耳。」可算的評。魏禧的文章得力於左國史漢及老蘇爲多，故其議論凌厲雄傑，敍事酣暢，四庫提要評其爲策士之文，至當不易。汪琬的文章，上承歸有光之衣鉢，下開桐城派之先河，在散文演進史上地位較之侯魏爲重要。他論學文的態度說：「前賢之學於古人者，非學其詞也，學其開闔呼應，操縱頓挫之法，而加變化焉，以成一家者是也。」這正是唐宋八家學古的竅妙。宋犖評他的文章說：「汪氏有不盡之意，含吐言表，譬之瀲湖不波，風日開麗，而帆檣容與。」可想見其風神之飄逸了。

辛、桐城派之盛

桐城派之開山者爲方苞，方氏近挹汪琬之風韻，遠襲歸有光之義法，喊出文章要有物有序，幷且規定文章的禁忌：一、不可入語錄中語，二、不可入魏晉六朝人藻麗俳語，三、不可入漢賦中板重字法，四、不可入詩歌中雋語，五、不可入南北史佻巧語。劉大櫆姚鼐繼起，益闡其說，姚又提出陰陽剛柔之說，幷以義理、詞章、考據爲文章之要件，因方苞、劉大櫆、姚鼐都是桐城人，歷城周永年遂有「天下文章，盡在桐城」之頌，從此桐城派之名大爲時重，姚鼐又選古文辭類纂，作爲文章範本，在這選集中，他於清人文章，僅收方苞劉大櫆二家，於汪琬亦不錄，故識者頗譏其門戶之見。於是又有以地域相頡頏的陽湖派產生。陽湖派以張惠言惲敬爲領袖，二人爲文亦以韓愈爲宗，與桐城派幷無多大差異，論者謂桐城派深於法，爲儒者之文，陽湖派長於才，爲策士之文。陽湖派既無大過桐城派處，而姚鼐晚年主講鍾山書院，所收門弟子甚衆，其中如管同、梅曾亮、方東樹、姚瑩等尤爲卓出，於是桐城派文章遂風靡一世，陽湖派暗然無光了。桐城派文章降至道光年間，漸流於空疏，已有日暮途窮之勢，這時又有湖南曾國藩出而振作之，曾氏功業既彪炳，文章又健實，而又非桐城人，無有地域成見，於是學者翕然從風，清末桐城派文章之盛，大有青出於藍之勢。曾氏之後，又有他的四大弟子——吳汝綸、張裕釗、黎庶昌、薛福成等爲之紹述，故民國成立，科考廢，學校興，學術上起了空前變化，但桐城派文章作者如嚴復林紓仍以翻譯西洋名著震爍文壇，直到五四運動，白話文倡導者喊出「打倒桐城派謬種」的口號，桐城派才在知識青年腦中失去其偶像作用，但部份學作散文者，迄今仍奉之爲圭臬，則其植基之深厚，可見一斑了。

二、駢文

甲、自然之駢

駢字之義，說文謂：「駢，駕二馬也，從馬幷聲。」故車之用二馬拖拉者謂駢，文之以對仗偶語表意者亦謂之駢。一車駕二馬，可減輕馬的負擔，增加車的速度；一層意思用對比的方式表達，可使原意因襯托比較的力量，更容易了解，更能深入人心。故尙書雖以直言著稱，其中駢辭儷語，已不一而足，如典謨中的「人心惟危，道心惟微」，「愼徽五典，五典克從；納于百揆，百揆時敍」，「流共工于幽州，放驩兜于崇山」，仲虺之誥的「佑賢輔德，顯忠遂良，兼弱攻昧，取亂侮亡」，「德日新，萬邦惟懷；志自滿，九族乃離」，甘誓的「威侮五行，怠棄三正」，武成的「歸馬于華山之陽，放牛于桃林之野」，都是極工整的駢句，不過這些句子都是信筆所至，正像黃河瀉水，於激盪處每起旋折，初非出於造飾。尙書之後，春秋戰國散文中亦多有夾帶駢語者，如左傳的「天而旣厭周德矣，吾其能與許爭乎？」「居則具一日之積，行則備一夕之衛。」戰國策的「見兔而顧犬，未爲晚也；亡羊而補牢，未爲遲也。」論語的「爾愛其羊，我愛其禮。」「學而不思則罔，思而不學則殆。」孟子的「饑者易爲食，渴者易爲飲。」「春省耕而補不足，秋省斂而助不給。」太史公史記爲西漢散文之代表，然其禮書中的「德厚者位尊，祿重者寵榮」之類的駢句亦復不少。不過這些都是與尚書同型的，不是爲駢而駢。

乙、造飾之駢

爲求文字之美而用駢的，肇始於詩經。詩重比興，故最適宜用駢；詩爲美文，惟有用駢，才能顯示其美。詩經中用駢的約可分爲四類：一屬句內的，如「黻衣繡裳」便是，一屬句外的，如「有來雝雝，至止肅肅」便是，一爲成聯的，如「昔我往矣，楊柳依依；今我來思，雨雪霏霏」便是，一爲成股的，如「投我以木瓜，報之以瓊琚，匪報也，永以爲好也；投我以木李，報之以瓊玖，匪報也，永以爲好也」便是，惟一不同的，是詩經中此類駢股，多爲三股，文章中則止限成對。在詩經之後，用心於駢儷的，是楚辭，其中駢句，如「余既滋蘭之九畹兮，又樹蕙之百畝」，「朝飲木蘭之墜露兮，夕餐秋菊之落英」，以及「製芰荷以爲衣兮，集芙蓉以爲裳」，都是經過錘鍊的。洪邁容齋隨筆說：「唐人詩文或於一句中自成對，謂之當句對，蓋起於楚辭蕙烝蘭藉，桂酒椒漿，桂櫂蘭枻，斲冰積雪，自齊梁以來，江文通、庾子山諸人亦如此，如王勃滕王閣序一篇皆然。」則楚辭所給與後來文章影響之大，可概見了。楚辭駢對的形式，約可分爲五類：一爲上下句相對，如「前望舒使先驅兮，後飛廉使奔屬」便是；二爲隔句對，如「彼堯舜之耿介兮，既遵道而得路；何桀紂之昌披兮，夫唯捷徑以窘步」便是；三爲當句對，如「屈心而抑志兮，忍尤而攘垢」便是；四爲雙聲的，如「忳鬱邑余侘傺兮」便是；五爲疊韻對，如「聊逍遙以相羊兮」便是。

丙、漢賦的駢

楚辭的發展，成爲漢賦，漢賦初期的作者，如賈誼枚乘都還有些楚辭的遺韻，到了司馬相如，漢賦的特質完具了，與楚辭截然兩式。漢賦的形式，首尾均用主客問答起結，中間舖張侈陳，不僅名物完全用駢，就是結構也採用駢股形式，劉勰評漢賦「草區禽獸，庶品雜類」，這固由於作者自炫博物使然，也是文體的形式不得不然。漢賦的形式，由司馬相如而楊雄，由楊雄而班固，而張衡，而馬融，最後到左思，完全以炫博爲主，以堆砌爲能。袁枚批評這種作風說：「古無類書，無志書，又無字彙，三都、兩京賦，言木則若干，言鳥則若干，必待搜輯羣書，廣採風土，然後成文，果能才藻富艷，便傾動一時，洛陽所以紙貴者，直是家置一本，當類書類志讀耳，故成之亦須十年五年，今類書字彙，無所不備，使左思生於今日，必不作此類賦，卽作之，不過翻摘故紙，一二日可成，而抄誦之者，亦無有也。今人作詩賦而好用難字僻韻，以多爲貴者，誤矣。」換言之，漢賦除了堆砌名物外，毫無作者情感可言，這是漢賦的短處，也就是駢文的胎毒。

丁、漢魏文的駢散兼施

漢賦是駢偶文孕育時期，也是駢偶從韻文過渡到文章的橋梁，故漢賦本身幷不是眞正的駢文。由於漢賦的影響，東漢班彪的王命論便已有許多駢句夾在散文中，到了建安時期，曹操曹丕曹植父子三人以作詩賦的筆調用於散文，形成了一種駢散兼施的文體，如曹操自明本志令，頭幾段都是散文，到收尾一段——

孤聞介推之避晉封，申胥之逃楚賞，未嘗不舍書而歎，有以自省也。奉國威靈，仗鉞征伐，推弱以克彊，處小而禽大，意之所圖，動無違事；心之所慮，何向不濟？遂蕩平天下，不辱使命，可謂天助漢室，非人力也，然封兼四縣，食戶三萬，何德堪之？江湖未靜，不可讓位；至於邑土，可得而辭。………

差不多全是駢文。曹丕典論論文的後一段——

蓋文章經國之大業，不朽之盛事，年壽有時而盡，榮樂止乎其身，二者必至之常期，未若文章之無窮。是以古之作者，寄身于翰墨，見意于篇籍，不假良史之辭，不託飛馳之勢，而聲名自傳於後，故西伯幽而演易，周旦顯而制禮，不以隱約而弗務，不以康樂而加思，夫然，則古人賤尺璧而重寸陰，懼乎時之過已。而人多不強力，貧賤則懾于飢寒，富貴則流于逸樂，遂營目前之務，而遺千載之功，日月逝于上，體貌衰于下，忽然與萬物遷化，斯志士之大痛也。

正和上引乃父之文同一模型。諸葛亮幷不多爲詩賦，但其上後主遺表中之——

伏願陛下清心寡慾，約己愛民，達孝道於先君，布仁心於寰宇，提拔逸隱，以進賢良；屏除奸讒，以厚風俗。

也和曹氏父子的風格不相上下，這些文章，句子雖駢，而明白曉暢，叮嚀周至，情文幷茂，反有淩駕單行的散文而上之之勢，漢魏之交的文章之可愛者在此。

戊、六朝文的全駢

由魏至晉，文人踵事增華，作品中已有全篇皆駢的，命句遣詞，已不似上節所述的自然圓轉了，像陸機的演連珠——

臣聞日薄星迴，穹天所以紀物；山盈川冲，后土所以播氣。五行錯而致用，四時違而成歲。是以百官恪居，以赴八音之離；明君執契，以要克諧之會。

這樣完全四六相錯的短章共五十首，實爲唐李商隱四六的藍本。所以晉代的作者，雖然潘岳與陸機幷稱，但就駢文的創作說，潘實遠不及陸，陸機除了各式駢文作品外，還有一篇專講文章理論的文賦。

陸機的演連珠出世以後，南北朝的駢文應該走向四六之路，但這時又有排賦產生，由於排賦得勢，四六遂被壓制了。所謂排賦，是刪除漢賦的首尾，全用其中間的排句形式，它以兩句爲一排，字數多少相等，句調相同，篇幅既不似漢賦的冗長，作者的感情也稍爲顯露，至於文詞倒不必實字對實字，虛字對虛字，十分工整，如江淹別賦中的

帳飲東都，送客金谷，琴羽張兮簫鼓陳，燕趙歌兮傷美人。

便是極顯著的例子。由於這種排賦的影響，同時的其它文體如哀祭一類文章，也多採用排句，如顏延年祭屈原文——

溫風怠時，飛霜急節，嬴芊遘紛，昭懷不端，謀折儀尙，貞茂椒蘭，身絕郢闕，迹徧湘干，比物荃蓀，連類龍鸞，聲溢金石，志華日月，如彼樹芳，實穎實發。

全是四言排句。到齊梁之際，沈約提倡四聲八病，排賦受其影響，一變而爲詩賦，字句的駢偶雖仍如舊，而語調則完全是古風，不像排賦句調的刻板，許璉說：「六朝小賦，每以五七言相雜成文，其品致疏越，自然遠俗，初唐四子，頗效此法。」同時因梁朝諸帝都好文學，而昭明太子更選屈原下至梁代的翰藻爲文選，以爲駢文的示範，故梁代的駢文淸麗婉轉，不似以前排句的硬板了。評者多謂此期文章萎靡，若就意境言，誠無可諱，然此乃由時勢使然，荒年無好語，亂世之音，自不同於盛世；若就文章技巧言，像庾信的小園賦，哀江南賦，四六錯綜，音節對仗，都比前代爲工整，在純文藝說，不能不算是進步。和庾信齊名且同時的駢文作者有徐陵，故世稱二人的作品爲徐庾體，這二人在駢文中的地位，正與散文的韓柳相埒。齊梁的駢文有兩點與漢魏不同的：一是漢魏的駢文每與散文相錯，爲體不純，齊梁的駢文，全係對仗，極少散句；二是漢魏的駢文只不過用對句而已，幷不講究使事用典，齊梁的駢文，幾無一字一句無來歷，像庾信小園賦中之——

若夫一枝之上，巢父得安巢之所；一壺之中，壺公有容身之地。况乎管寧藜床，雖穿而可坐；嵇康鍛竈，旣煗而堪眠。豈必連闥洞房，南陽樊崇之第，綠墀靑瑣，西漢王根之宅。

一句一個人名，已同於錄鬼簿。因爲使事用典太多，眞情實意，反爲之晦，如果說齊梁文體有可訾之處，這無疑是其致命傷。

己、隋唐駢文及律賦

梁代駢文之盛，已如上述，陳繼梁後，有名學人半屬梁代遺老，故駢文之盛，自是當然。惟梁代駢文已登峯造極，陳代只有因循，而無創作，故其流變轉下，漸爲人厭，到了隋開皇，遂有詔「天下公私文翰，幷宜實錄」，嚴禁浮艷。侍御史李諤幷上書請飭諸司，著加搜訪，凡有由輕薄之篇章，選充吏職的，具狀送臺。這可說是駢文聲勢太盛所激起的反動，但這種反動，只是對浮艷之文而發，幷不是無限制的對駢文加以禁止，這可從李諤論當官疏得其大概，其文謂：

世之喪道，極於周代，用人唯信其口，取士不觀其行，矜誇自大，便以幹濟蒙擢；謙恭靜退，多以恬嘿見遺。是以通表陳誠，先論己之功狀；承顏敷奏，亦道臣最用心。自衒自媒，都無慚恥之色；強干橫請，唯以乾沒爲能。

這篇文不僅是駢文，且多用四六句，只不過不像梁文的滿紙堆典而已。唐朝是反駢文運動最盛的時代，但很矛盾的駢文却以在唐朝最得寵。原因是反駢運動，只是幾個在野文人，而寵用駢文的却是官府。唐太宗是開國之主，其貞觀之政，也是歷史上罕見的盛世，但太宗的詔書，多半用駢文，尤其他所作的那篇聖教序，全用駢文，典麗瑰偉，成爲佛教的至寶。駱賓王爲徐敬業討武則天的檄文，對武則天極盡醜詆，但則天讀後，却歎惜「有此人才不用，宰相之過」。大唐諸帝愛好駢文，於此可見一斑了。由於唐室諸帝愛好駢文，所以唐代制誥悉用駢文，同時大臣的謝表，也都得用駢文，韓柳雖是廢駢運動的領袖，但韓愈爲韋相公及裴相公所作的兩篇讓官表，以及柳宗元所作賀親自祈雨有應及柳州賀破東平兩表，仍不得不用駢體，至於陸贄的駢文奏議，更是朝野所珍視的文章。因此，韓柳的廢駢運動，僅在二人生前起了些效用，二人身後，便又爲駢文所掩蓋了。到晚唐李商隱爲四六之文，段成式溫庭筠從而和之，因三人排行都是十二，時遂以三十六體稱之。此外，對駢文的發展有極大的幫助的，便是律賦，王銍四六話序說：「唐天寶十二載，始詔舉人策問外，試詩賦各一首，於時八韻律賦始盛。其後作者，如陸宣公裴晉公呂溫李程，猶未能極工，逮至晚唐，薛逢宋信及吳融，出於場屋，然後曲盡其妙。」這種律賦，既不同於漢賦，也不同於六朝的排賦和詩賦，完全是押韻的四六駢文，拿黃滔的「明皇囘駕經馬嵬賦」（以程及曉留，芳魂顧及爲韻）爲例來說：

長鯨入鼎兮中原，
六龍囘轡兮蜀門。
杳鸞闕而難尋艷質，
經馬嵬而空念香魂。——題韻
日慘風悲，到玉顏之死處；
花愁露泣，認朱臉之啼痕。」
莫不積恨綿綿，
傷心悄悄。
逝川東咽以無駐，
夜戶下扃而莫曉。——題韻
褒雲萬疊，斷腸新出於啼猿；
秦樹千層，比翼不如於飛鳥。」

初其漢殿如子，
　燕城若讎。
驅鐵馬以飛至，
觸金輿而出遊。
謀於劍外，
駐此原頭。
羽衛參差，擁翠華而不發；
天顏愴恨，覺紅袖以難留。——題韻」
鴛鷺相驚，
熊羆漸急。
千行之珠淚流下，
四面之霜蹄踐入。
神仙表態，忽零落以無歸；
雨露成波，已沾濡而不及。——題韻」
棧閣重處，
珠旒去程。——題韻
玉壘之雲山暫幸，

金城之煙景旋淸。
六馬歸秦，郤經過於此地；
九泉隔越，幾悽惻於平生。
釵飄彩鳳之蹤，
鬢脫玄蟬之迹。——題詞
茫茫而今日黃壤，
歷歷而當時綺陌。
雨鈴製曲，徒有感於宮商；
龍腦呈香，不可返其魂魄。」
空極宵夢，
寧逢曉粧。
輦路見梧桐半死，
煙空失鸞鳳雙翔。
鏡殿三春，莫問菱花之照耀；
驪山七夕，休瞻榆葉之芬芳——題詞」
大凡有國之尊，
罕或傾城之遇。

就言天寶之南面，
奚指坤維而西顧？——題韻
然則起兵自於青娥，
斯亦聖唐之數。」

除了尾二句末對外，其餘無句不駢，無字不對，而且無一聯的句調和字不與上下文異，題目所限的八韻，以一平一仄錯押，除略字韻以八句爲一節外，餘韻均以六句爲一節，分得十分勻整，駢文形式之美，以此爲極。這種賦體盛行到清朝末年，因科考制度廢除，才告壽終。

庚、南北宋駢文浮實之異

宋初文風，承襲晚唐，詩學李商隱的西崑體，駢文也是樊南甲集的四六，因爲這派作者楊億、錢惟寅、劉筠等人都是臺閣人物，所以當時稱之爲臺閣體，由於臺閣的提倡，所謂居高聲顯，一般讀書人爲了迎合當道的意旨，自然羣趨而效之，駢文又流入鋪張辭藻，內容空疏一途。於是而有石介作怪說加以抨擊，有眞宗下詔，禁止文體浮艷，後又有歐陽修出而倡爲韓文，以相抵制，文風才爲之一變。但這種變，止是學術界的變，至於朝廷制誥表奏，則仍沿唐代舊習，限用駢文，所以司馬光以不長於四六，便不敢知制誥。然而他雖自稱不長於四六，但他論保舉奏中的「若指瑕扼善，則朝無可用之人；苟隨器授任，則世無可棄之士。」仍是四六。歐陽修雖是復古派的領袖，但其謝觀文殿學士、刑部尚書，及入翰林諸表，仍是用的四六文，吳子良林下偶談幷謂「本朝四六，以歐公爲第一」。蘇軾也是復古派的健將，但他到黃州的謝表也是駢文，雲莊四六餘話說：「東坡手澤云：元豐六年十一月二十七日天欲明，敕吏持紙一幅，其上題云：請祭春牛文。。余取筆疾書云：「三陽既至，庶草將興，爰出土牛，以戒農事，衣被丹青之好，本出泥塗；成毀須臾之間，誰爲喜慍？」雖倉卒急就，而工整如此，足見其於駢文素養之深。故駢文雖因歐蘇諸人的反對，在學術界勢力稍殺，但由官府的需要，凡屬文人，不能不會，因此就是不作駢文的學者，也常於不自覺中受其影響，這種情形，雖歐蘇的散文亦不能免，如前章論散文中所述及的宋文破題，便是其明證，歐陽修縱囚論的破題——信義行於君子，刑戮施於小人，以及蘇軾韓文公廟碑的破題——匹夫而爲百世師，一言而爲天下法，完全是律賦的破題句法。但宋代散文雖受有駢文影響，同樣，宋代駢文也受有散文影響，所以它們的對仗，多半是流水式的，不像唐人的硬挺整肅。至於文章內容，北宋駢文既由臺閣倡導，所以臺閣氣息很重，內容空疏，警策者極少。南宋則因政局變化，民族意識的刺激，可歌可泣之事甚多，內容顯得有血有肉，充實多了。如汪藻爲元祐太后草告天下立康王詔文中之——

歷年二百，人不知兵；傳序九載，世無失德。雖舉族有北轅之釁，而敷天同左袒之心。乃眷賢王，越在近服，漢家之厄十世，宜光武之中興；獻公之子九人，惟重耳之尙在。茲乃天意，夫豈人謀！

典雅貼切，眞得未曾有。又如洪适所草親征詔中之——

歲星臨於吳分，冀成肥水之功，鬬士倍於晉師，當決韓原之戰。

以及陳剛中賀胡銓乞斬秦檜得貶的啓——

誰能屈大丈夫之志？寧忍爲小朝廷之謀？知無不言，願請尙方之劍；不遇故去，聊乘下澤之車。

是多麼足以鼓舞人心，至於胡銓遺表中的——

臣莫瞻九陛，卽行三泉，相如草封禪而貢諛，竊所不取；張巡爲厲鬼以殺賊，死亦不忘。

更是忠貫日月，氣壯山河。南宋像這樣以血淚寫成的駢文，它所表現的時代精神和民族大義，均十分強烈，誰說駢文是卑靡空疏的文體！

辛、元明駢文衰歇與八股文之興

元代是白話通俗文學盛行的時期，對於惟美的駢文非所措意，所以元代駢文無可言者。明代是復古摹擬的時期，但他們所摹擬的是散文，駢文不在摹擬之列，又加以明代的公文，幷不限用駢文，所以駢文在明代初葉，幷未受到重視，中葉以後，稍見抬頭，當時所盛行的傳奇，已有用駢文作賓白者，歸有光雖是明代散文傑出人物，但在作文時也間於無意中使用駢句，如其與殷徐陸三子書的結尾「豈捐軀之義，無取於當年；英烈之風，獨隆於往代耶！」便全是四六句法，然雖如此，駢文在明代文學地位終未能與散文相抗衡。惟明代駢文雖無地位，但由駢文蛻化出的八股文則是明代的科場寵兒。所謂八股就是八段，每股都用雙行議論，形同長聯，所不同於駢文對仗的，一是它不以使事用典爲工，二是它的句法全是散文化的。八股的細目是：破題、承題、起講、提比、虛比、中比、後比、大結。破題通常爲二句，道破題義；承題伸明破題之義，起講爲開講之處，說明題義原起；提比爲起講後入手之處；虛比又名爲虛股，承提比之後，爲文筆盪漾之處；中比又名中股爲一篇的核心；後比補發中比未盡之義；大結爲全文結論。這種格式，最早爲唐人應舉詩——卽律詩——所用，其名目爲破題、頷比、頸比、腹比、後比、結尾。其後用之於律賦，宋代王安石嫌科場文章程式太亂，乃用之以作制藝，著爲功令，凡考場文章必遵其制，元襲其舊，王充耘又造八比一法，名書義矜式，明與，重行釐訂其體式，更規定篇幅字數，八股才成定型，爲明清兩代登用人才的尺度。這一文體，似駢非駢，似散非散，於公私文書，社會應酬，都不用，只因它是政府掄材之具，讀書人爲求進身，非學習它不可，它本身的功用，完全同於敲門磚，門開之後，它便被棄掉，除了那般以教此爲業的塾師外，很少人去顧念它。因爲這種文體只是一種程式的習套，故學之者完全以前人已中的試卷作範本，當時稱之爲墨卷或闈墨，作這種文，并不用讀甚麼書，眞正有學問讀書的人，因爲作品不合程式，反而常遭黜額。在明清兩代科考制度之下，不知有多少才士學人的前程爲它所斷送，也不知有多少學者的精力與時光爲它所浪費，制義叢話載有取笑這種文體空疏庸濫的一聯：

天地乃宇宙之乾坤，吾心實中懷之在抱，久矣夫千百年來非一日矣！溯往事以追維，曷勿考記載，而誦詩書之典要；

元后卽帝王之天子，蒼生乃百姓之黎元，庶矣哉億兆民中非一人矣，思入時而用世，曷弗瞻黻座，而登廊廟之朝廷。

眞足令人絕到。這一文體，雖爲每一學者所厭惡，然桎梏學人歷明清兩代五百年之久，直到清末科考制度被廢，它才同歸於盡。

壬、清代駢文中興及以後駢文趨勢

清代一切學問都質實，駢文也不例外，一般都以爲清代文章以桐城派的散文爲盛，其實就作者的聲勢說，桐城派并不比駢文爲盛，就作品造詣說，駢文視桐城派的成就也毫無遜色。故清代可算是駢文的中興時期。開有清一代學術風氣的，首推顧炎武，顧炎武的文章，最得歸有光的神髓，他幷不以駢文名家，但他的名著日知錄，雖是考據文字，却常有使用駢偶的，如莠言自口一條之「執女手之言，發自臨喪之際；齧妃脣之詠，宣於侍宴之餘。于是搖頭而舞八風，連臂而歌萬歲」，以及清議條之「豈待菑川再遣，方收牧豕之儒；優孟陳言，始錄負薪之胤！」是多麼親切有味！可能就是由於這種影響，清代駢文作者，無不力爭上游，如初期三作家中之吳兆騫，力追漢魏，陳維崧則直逼徐庾，吳綺則專宗李商隱，各有其精到之處。至於乾嘉之際的駢文八大家——袁枚、邵齊燾、劉昌煒、吳錫麒、孔廣森、孫星衍、洪亮吉、曾燠——的作品，正如吳鼒所評：「採片石於抵鵲之山，挂隻鱗於游龍之淵。」蔚爲一代之盛。八家之外，更有汪中，以駢爲散，幾可亂六朝之眞，於清代四六駢體外，獨樹一幟。至於提倡駢文最力的，則當推陽湖派的李兆洛，他選駢體文鈔，以與桐城派姚鼐的古文辭類纂相對抗，但陽湖派并不反對古文，只是主駢散兼施而已。到阮元父子則於駢散大加軒輊，他認爲惟有駢文才能稱爲文，散文只可稱筆，不配稱文。後來湘潭的王闓運也附和其說，而闓運與李慈銘的駢文，則是清代駢文的殿軍。民國初期尙承清代餘緒，官場中電函以及社交應酬文字，多用駢文，尤其在軍閥混戰時期，每一戰爭的發動，必有一篇通電及誓師詞，這類文字多半非駢文莫屬，其中最受稱許的是黃陂饒漢祥爲黎元洪所草的廢督裁兵一電，雖說是由於主張正大，爲全國所一致要求，而文體的駢四儷六，典雅貼切，實增不少牡丹綠葉之效。自國民政府完成北伐後，官場文書，力主明白曉暢，駢文在公文書中，除了褒獎狀外，幾於完全絕迹。惟社交場合之弔祭慶賀文字仍有用之者。由於近年學校作文多用白話，能作文言散文者已不可多得，更不知駢文爲何物。故駢文之將成爲文學中的廣陵散，已是無可避免的結局了。

癸、駢文的利弊

駢文的優點，在於使事用典、有詩的比興之妙，無論是恭維人抑或抨擊人，都比較散文來得婉轉有力，像前引汪藻詔中的「漢室之厄十世，逮光武之中興；獻公之子九人，惟重耳之尙在。」是多麼雅切，陸贄爲德宗所草興元赦文，山東士卒皆爲感泣。如完全用散文，未必就能見此功效。所以胡適雖提倡白話文，主張廢典，但對江亢虎代華僑誄陳英士文中之「未懸太白，先壞長城；世無鉏麑，乃戕趙卿。」四句，也說是「余極喜之，所用趙宣子一典，甚工切也。」工切二字爲使事用典的基本條件，如果使事用典不工切，其弊不是晦沒了原意，便是歪曲了史實，徒給反對者以攻擊的口實。顏之推家訓文章篇云：「陳思王武帝誄：遂深永蟄之思；潘岳悼亡賦：方愴手澤之遺。是方父於蟲，譬婦爲考也。」這是使事欠斟酌所生的毛病。曹植求自試表中「故奔北敗軍之將用，秦魯以成其功；絕纓盜馬之臣赦，楚趙以濟其難。」按呂氏春秋所載秦穆公飲盜馬事，與趙絕無關涉，此處因避與上文秦魯重複，乃改秦爲趙，李善注云：「史記曰：「趙氏之先，與秦共祖，然則以其同祖，故曰趙焉。」若循此例，則春秋的魯衛晉鄭均屬姬姓，也可互通了，幾曾見歷史上有此通用之例？倒亂史實以屈就行文，實爲駢文之大病。又有用欵後典者，如劉知幾史通探賾篇說：「夫以彼聿修，傳諸詒厥。」以詩有「無念爾祖，聿修厥德」之句遂呼祖爲聿修，以詩有「詒厥孫謀」之句，卽呼孫爲詒厥，簡直是把文章作遊戲，況且詒厥一辭正是傳諸之義，若就字義譯爲白話，便成了「傳給傳給」，尙成何語？這些都是駢文所以爲人攻擊的因素。求文字之美，修飾其辭，是不可厚非的，但削足以求適履的美，便傷眞了。如禮記曲禮上「鸚鵡能言，不離飛鳥；猩猩能言，不離禽獸。」猩猩不屬禽類，且上文旣有鳥，此句復用禽，義亦犯重，如改禽爲走，則語工而意密了，但原文未改，這是古人不知修辭之過，若像上擧三例，因修辭而傷眞，那便是過猶不及了。本來世態萬方，求每事都有一適當的古典被引用，爲事實所不可能。但駢文者駢其句也，幷不限定用典，眼前事物和資料，如果運用得宜，一樣可着手成春，像范曄後漢書中的「外立者四帝，臨朝者六后。」以及祖君彥爲李密數煬帝十罪的檄文「罄南山之竹，書罪無窮；決東海之波，流惡難盡。」均就地取材，字面何嘗不美！文章之作，本在表達情意，求文章之美者，在增加其感人力量，若因求美而使欲表之意晦黯不彰，那就失去了作文的意義，這是我們評論駢文得失所不可不知的，也是我們學習駢文所不可不注意的。

第二章　詩歌

前言

詩歌就是韻文，這是一種聲韻諧協，富於情感的文體。根據世界人類文學發展的程序，詩歌多半早於文章，我國詩歌的產生次第，當然也不會例外，據呂氏春秋所載：「葛天氏之樂，三人操牛尾，投足以歌八闋：一曰載民，二曰元鳥，三曰遂草木，四曰奮五穀，五曰敬天常，六曰達帝功，七曰依地德，八曰總禽獸之極。」太平御覽引夏侯玄辨樂論：「昔伏羲氏因時興利，教民田漁，天下歸之，時則有網罟之歌；神農繼之，教民食穀，時則有豐年之詠；黃帝備物，始垂衣裳，時則有龍袞之頌。」都是我國在文字發明以前，早有詩歌的證明。不過這些詩歌不見流傳，無從加以討論。就有文字記載的詩歌說，當數堯時的擊壤歌，舜時的卿雲歌，以及夏書的元首歌和五子之歌，這些歌辭，雖都相當古樸，但其出處，如擊壤歌始見於晉皇甫謐的帝王世紀，卿雲歌載在伏生所作的尚書大傳，五子之歌僅見於古文尚書，今文尚書未有，這些書的本身眞僞，頗滋聚訟，它所載的東西自然也就不能無問題，惟益稷篇的元首之歌，比較可信，但寥寥數語，不足以供討論。所以研究中國古代詩歌，當以詩經為依據，詩經的許多問題，在經學篇中已經論及，茲不復贅。詩經之後的韻文應該是楚辭，但楚辭屬於賦體，賦是不歌而誦的，其體製已趨向於駢文，不能作詩歌論，故本章所論，只限樂府、古近體詩、詞、曲。

一、樂府

甲、來源及門類

樂府本為官署名稱，并非文體，蓋古有採詩之官，自不能無整理保管之官署，樂府之建置，其為時可能甚早，但這一名稱之見於記載，則始於漢書禮樂志，志稱孝惠二年使樂府令夏侯寬更房中樂名爲安世樂，惟同志又稱：「武帝定郊祀之禮，……乃立樂府。」顏師古注說：「始置之也。」後人因疑樂府令之府字爲衍文，漢初只有樂令，而無樂府，樂府之立，實始於武帝。按令爲首長之稱，如無機構，何來首長？樂府令之府字當非衍文，惟惠帝之時，可能尚在籌備時期，無獨立官署，到武帝時始置署。樂府成立之後，以李延年爲協律都尉，其所用歌詞，一爲所採趙代秦楚的民歌，一爲詞臣司馬相如等的作品，均由李延年作譜。這些作品，當時稱之爲樂府詩歌，後人省略其稱，逕名之爲樂府，於是官署成了文體的名稱。就這些作品的風格說，所採民歌同於詩經的國風，都是對當時民俗的描寫，司馬相如等所作都是詩經雅頌一類的作品。就這些作品的用途說，民歌多半用在軍旅，詞臣作品多半用在祭祀宴會，茲爲清晰計，表列於下：

- 樂府
  - 典禮用
    - 祭祀用
      - 安世房中歌
      - 郊祀歌
    - 軍旅用
      - 短簫鐃歌
      - 鼓角橫吹
  - 舞歌
    - 雅舞
      - 武德舞
    - 器舞
      - 鐸舞
      - 鞞舞
      - 拂舞
      - 巾舞

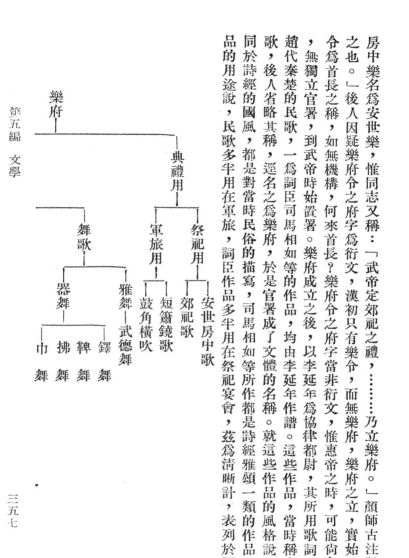

- 宴會用
  - 唯歌
    - 相和
      - 相和曲
      - 吟歎曲
    - 清商
      - 平清瑟三調
      - 楚調
      - 側調
      - 大曲
    - 雜曲

乙、祭祀用樂

房中歌，據漢書禮樂志說：「高祖唐山夫人所作也，……孝惠二年，使樂府令夏侯寬備其簫管，更名曰安世樂。」宋書樂志說：「魏文帝黃初二年，議者以房中歌后妃之德，所以風天下，正夫婦，乃改爲正始之樂。」到明帝時，侍中繆襲奏，房中歌幷無二南后妃風化天下之言，其中「神來燕享，嘉薦令儀」，完全是祭神的話，又改爲享神歌。這歌共有十七章，句法有三言者，有四言者，有長短相錯者，除殿版漢書將海內有姦一章誤併在王后秉德一章內，致後人對章數略有懷疑外，均完好無缺。

郊祀歌共十九章，據漢書郊祀志說：「帝王之事，莫大於承天，承天之序，莫大於郊祀。」漢武帝爲了隆重郊祀之儀，便命司馬相如一班詞臣作了來歌頌，由於這些都是文人作品，故詩品評爲「煅意刻酷，煉字神奇。」

丙、軍旅用樂

軍旅用樂是武樂，恰與祭祀用的文樂相對立，其中短簫鐃歌，據蔡邕說：「軍樂也，黃帝岐伯所作，以建威揚德，風敵勸士也。」但崔豹古今註說：「漢樂府有黃門鼓吹，天子所以宴樂羣臣也。短簫鐃歌，鼓吹之一章耳。」據此，則短簫鐃歌又可用之於宴會。至於鼓吹曲與短簫鐃歌的分別，全在伴奏的樂器，卽用簫笳伴奏的爲鼓吹，用短簫與鐃伴奏的爲鐃歌。它的歌詞來源，據沈約說：「幷漢世街陌謠謳。」因此短簫鐃歌雖屬軍樂，其詞却多偏於愛情方面。

鼓角橫吹，據郭茂倩樂府詩集解釋說：「橫吹曲，其始亦謂之鼓吹，馬上奏之，蓋行軍之樂也。北狄諸國皆馬上作樂，故自漢以來，北狄樂總歸鼓吹署。其後分爲二部，有簫笳者爲鼓吹，用之於朝會道路，亦以給賜，……有鼓角者爲橫吹，用之於軍中，馬上所奏者是也。」據此，則鼓角橫吹，原本胡樂。晉志說：「李延年因胡曲更造新聲二十八解，乘輿以爲武樂。」二十八解的曲名，現可知者爲二十一曲，但歌詞齊全的僅有隴頭，出塞，紫騮馬三曲。

丁、舞歌

舞歌是伴舞的歌，舞的動作，有徒手的，卽所謂雅舞；有執器的，卽所謂雜舞。雅舞多半用之於宗廟祭祀，雜舞多半用之於宴享。雅舞有歌詞可考者爲武德舞，漢書禮樂志說：「高祖廟奏武德、文始、五行之舞；武德舞者，高祖四年作，以象天下樂已行武以除亂也。」至於歌詞，則有後漢東平王蒼所作武德舞歌詩。雜舞可考者爲鐸舞、鞞舞、拂舞、巾舞四種。古今樂錄說：「

鐸舞者所持也，木鐸制法度以號令天下，故取以爲名，古鐸舞曲存聖人制禮作樂一篇。」鞞舞，宋書樂志說：「未詳所起。」古今樂錄說：「鞞舞，梁謂之鞞扇舞，卽巴渝是也；鞞扇器名。」齊書樂志說：『漢章帝造鞞扇舞云：「關東有賢女。」』現存鞞扇舞歌目五章；關東有賢女，章和二年中，樂久長，四方皇，殿前生桂樹。但這些歌詞在魏時卽已亡佚。拂舞，晉書樂志說：「出自江左，舊云吳舞。」樂府古題要解說：「讀其辭，除白鳩一曲，餘幷非吳歌，未知所起。」現在曲目五章：白鳩、濟濟、獨漉、碣石、淮南王。巾舞，舊唐書音樂志說：『公莫舞，晉宋謂之巾舞，其說云：「漢高祖與項籍會于鴻門，項莊舞劍，將殺高祖，項伯亦舞，以袖隔之，且云：「公莫害沛公也！」漢人德之，故舞用巾，以象項伯衣袖之遺式也。」』曲目存公莫舞一首。

戊、唯歌

唯歌是不帶舞的歌，分相和、淸商、雜曲三種，相和歌中又分相和曲與吟歎曲，宋書樂志說：「相和，漢舊歌也，絲竹更相和，執節者歌。」古今樂錄說：「凡相和，其樂器有笙、笛、節、鼓、琴、瑟、琵琶等七種。其歌曲據同書所載，共十三曲。吟歎曲，據張永元嘉技錄載有大雅吟、王明君、楚妃歎、王子喬四曲。前三曲均石崇製辭，惟王子喬爲古辭。淸商曲包括平淸瑟三調、楚調、側調及大曲。舊唐書樂志說：「平調、淸調、瑟調皆周房中曲之遺聲也，漢時謂之三調。」又有楚調、側調，楚調者，漢房中樂也，高帝樂楚聲，故房中樂皆楚聲也。側調者生於楚調，與前三調總謂之相和調。大曲共十五曲，沈約把它們都列入瑟調，不過它在組織下有一特點，爲三調所無，就是它有序曲與尾聲。樂府詩集說：「諸調曲皆有辭有聲，而大曲又有艷有亂，艷在曲之前，趨與亂在曲之後，亦猶吳聲西曲，前有和後有送也。」艷就是序曲，如元曲的引子，趨與亂爲尾聲，元人的套曲組織卽以此爲藍本。梁啓超說：『趨或有歌辭，在本文中爲附庸，或幷無歌辭，由樂工臨時增入以湊音節，如日出東南隅等篇，原注云：「曲後有趨」，而其趨無傳，想是由樂工自由增入也。』清商曲在曲名下均綴一行字，只有白頭吟與陌上桑二曲爲例外。雜曲一名，乃郭茂倩爲無可歸類諸古詩歌所下之總稱，幷非樂府舊名。他在所編樂府詩集中說：「雜曲者歷代有之，或心志之所存，或情思之所感，或宴遊歡樂之所發，或憂愁憤怨之所興，或敍離別悲傷之懷，或言征戰行役之苦，或緣於佛老，或出自夷虜，兼收備載，故總謂之雜曲。……而有古辭可考者，則若傷歌行，生別離，長相思，棗下何纂纂之類是也。」據此，則雜曲之非漢樂府可知。黃侃文心雕龍札記說：「有樂府之名，無被管絃之實，亦視之爲雅俗之詩而已。」可稱見道之言。

己、樂府與古詩之別

樂府的歌辭，除了一部份由文人作的祀神曲與古詩不無類似之外，餘如採自民間的作品，都是純感情的，不僅對於平仄聲調，押韻位置，非所在意；就是全篇的語意完整與否，也非所在意，元曲雖也是俗文學，但仍有宮調聲韻的約束，西漢的樂府，則一點約束不受，前節所舉各種樂的分別，乃是制譜調的人所玩的花樣，幷不是歌辭作者所依據的規律，換言之，西漢樂府是不受音樂限制的，而音樂則須將就歌辭來制定。故西漢樂府，可算詩歌中最自由最通俗化的一種體製。

二、古詩

甲、名稱及體製

古詩一名，就字面解釋，至少應該是指詩經而言，但本文所稱的古詩乃指漢魏六朝的古詩而言，就時間說，未免名實不符，故本文的古字乃代表詩體，并不代表時間，所謂古詩卽古體詩之簡稱，它是與近體詩對立的名稱。不過它的名稱雖是古體詩，在體製上并不與詩經一樣，詩經以四言爲主，古詩則以五言爲主；詩經喜歡用重頭句子，如「桃之夭夭，灼灼其華」，「桃之夭夭，有蕡其實」，「桃之夭夭，其葉蓁蓁」，以及「采采芣苢，薄言采之」，「采采芣苢，薄言有之」，采采芣苢，薄言掇之」，「采采芣苢，薄言襭之」之類的形式，在古詩中便絕找不出；在章法上，詩經的詩，每章分成數節，每節構成一意，與同章它節往往形成對立，而古詩的章法，卽使在意境上有轉換之處，也仍是前後貫穿，同於散文，很少分節對立的。

乙、西漢古詩及其疑問

西漢詩歌之最早者，當推項羽的垓下歌及漢高祖的大風歌，但這兩首歌，均用兮字助調，是楚辭體，不是古詩體。其次就是韋孟的諷諫詩，但韋詩爲四言，乃詩經體的尾巴，不能作爲漢詩的主格看。由於西漢政府所提倡的是賦和樂府，古詩作者極少，根據昭明文選所收，西漢五古僅有古詩十九首，蘇武詩四首，李陵詩三首。鍾嶸詩品說：「詩人之風，頓已缺喪。」確係事實。然而就是這麼寥寥的二十多首詩中，還不免有許多滋疑的地方，第一個令人生疑的是古詩十九首的作者，昭明收錄這十九首詩，總題爲古詩，既無子題，也無作者姓氏，但他置之於蘇李詩前，顯然他是認這十九首詩的作者是先於蘇李的。鍾嶸詩品說：「古詩眇邈，人世難詳，推其文體，固是炎漢之製，非衰周之倡也。自王揚枚馬之徒，詞賦競爽，而吟詠靡聞。」他的意見，是這十九首詩確爲西漢作品，但西漢文人如王褒楊雄枚皋司馬相如輩都以詞賦見長，不聽見作詩之說，這些詩當然不是他們的作品了，於是只好以「人世難詳」一語了之。劉勰文心雕龍說：「古詩佳麗，或稱枚叔，其孤竹一篇，則傅毅之詞，比采而推，兩漢之作乎！」這段話比較具體，說明了古詩之佳者有爲枚乘作品之傳說，孤竹一篇，則爲東漢傅毅所作，據他的推斷，這十九首詩，可能爲兩漢人作品的匯合。徐陵編玉臺新詠又進一步指出十九首中之一、二、五、六、八、九、十、十二、十九，另加蘭若一首，均爲枚乘作品。唐李善文選注說：「幷云古詩，蓋不知作者，或云枚乘，疑不能明也。詩云：驅車上東門，又云：遊戲宛與洛，此則辭兼東都，非盡是乘明矣。」到了宋代，蘇軾又提出「李陵蘇武贈別長安，而詩有江漢之語，……正齊梁間小兒所擬作，決非西漢人。」接着洪邁以李陵詩中有「獨有盈觴酒」之句，盈爲漢惠帝諱，漢法犯諱者有罪；不應陵敢用。後來顧炎武又以十九首中有「盈盈樓上女」「盈盈一水間」「馨香盈懷袖」，一聯串犯諱的字，作爲十九首非漢詩之證。

丙、古詩析疑

根據上引諸家懷疑之點來分析，劉勰說「或稱枚叔」，是在六朝早已有古詩爲枚乘所作之傳說。枚乘於蘇李爲前輩，這或者就是昭明序十九首於蘇李之前的原因，至於他說孤竹一篇爲傅毅所作，語甚肯定，似有根據者，但未據說明根據所在，只好存而不論。關於李善所說「上東門」「宛與洛」爲東都地名一節，可能是對的，但根據東都有這地名便以引用這地名的詩卽爲東漢的作品，是不盡然的。何以故呢？按詩經陳風有「宛丘之上兮」，宛之一名并不始於東都；洛水之名，禹貢中伊洛并稱，其來亦久，洛陽於周初爲陪都，於晚周爲首都，早已是人文薈萃之區，上東門之名，是周代舊稱，還是東漢新命之名，事至難說，如果單據東漢有「上東門」「宛與洛」之名，不詳考東漢之前是否有其名，便貿然的說它是東漢人語，那就太乏理智了。河南郡圖經曰：「東有三門，最北頭曰上東門」。水經穀水注曰：「穀水經建春門石橋下，卽上東門也。」是上東門在魏的專稱是建春門；文選旁證謂晉人名上東門爲建陽門，但阮籍詠懷詩仍用「步出上東門」。故上東門一名，歷漢魏晉均用之。我國各地城門大都如此，如武昌城在淸代卽有大東門小東門之名，民國以來，其名不改，到今日城門已拆除，而其地區仍沿舊稱，我們旣不能因大東門爲民國所稱之城門，便否定前淸早有此名，又怎能因東漢有上東門之稱，便否定在東漢之前已有其名。宛丘在今河南淮陽縣境，與洛陽不相屬，游者決不能同時登宛丘，游洛水，故詩中之宛乃是山的代名，詩中之洛乃是水的代名，「游戲宛與洛」一語，意謂登山涉水，并不眞的是上宛丘游洛水，詩人用事不可死看。李善之所謂其「辭兼東都者」，可能是受了劉勰「兩漢之作」一語的影響。但他也只說非盡是乘，并未說盡非西漢，後人變本加厲，因此而認定十九首均爲東漢晚期作品，實在是武斷。在十九首中最足以表明它的時間的，爲涉江采芙蓉一首，詩中有「明月皎夜光，促織鳴東壁，玉衡指孟冬，衆星何歷歷」的話，李善注說：「北斗七星，第五曰玉衡。淮南子曰：孟秋之月，招搖指申，然上云促織，下云秋蟬，明是漢之孟冬，非夏之孟冬矣。漢書曰：高祖十月至霸上，故以十月爲歲首，漢之孟冬，今之七月矣。」換言之，那時的冬季即現時的秋季，所以孟冬還有促織，西漢改用夏曆，以建寅爲歲首，是在武帝太初元年，故何焯說：「此其太初以前之詩乎！」至於第十七首之「孟冬寒氣至，北風何慘慄！」便是改用夏曆的氣候，爲太初以後作品了。

關於蘇武詩中江漢之語，李善注說：「江漢流不息，浮雲去靡依，以喻良臣各在一方，播遷而無所托。」蘇軾不詳究李注，而把這取譬的江漢當實地來批評，反譏蕭統不悟，眞可謂明於察人，闇於審己。何焯說：「江漢浮雲一去不復返，一分不復合，以比離別，不得以地非塞外爲疑。」正足以破蘇軾之惑。至於盈字觸惠帝之諱，是事實，但西漢諱禁，並不如後世想像之嚴，主要的是臣民姓名之觸諱者，呼之不便，在所必避，如武帝名徹，便改蒯徹爲蒯通，明帝名莊，便改莊助莊光爲嚴助嚴光，即其證明，但臨文則不甚諱，漢高祖名邦，史記有「先王之制，邦內畿服，邦外侯服」之語；呂后名雉，司馬相如上林賦有「貪雉兔之獲」句；文帝諱恆，景帝諱啓，淮南子泰族訓中有「啓其善道」與「事之恆常」句；盈字在賈誼陳政事疏中即有「而怨毒盈於世」句，在諫放民私鑄錢疏中又有「以調盈虛」句。這兩疏均作於文帝初年，去惠帝之世未遠，而且都係呈上政府的公文，不比私人應酬之作，可倖免察覺，果眞漢諱如洪邁所說之嚴，爲甚麼不聞賈誼因此得罪呢？如果我們不能確認賈誼這兩疏係出後人僞作，我們怎有理由斷定古詩中之有盈字者便是僞作？所以我認爲這些疑點都不能成立。

丁、東漢詩

西漢古詩，量雖不多，在質上說，却都是精金美玉，堪稱古詩之範本。東漢政府所重仍是賦，詩風也不大盛，不過有一比西漢不同的，就是東漢的詞賦作者，都是古詩名手，不像西漢諸文人「吟詠無聞」。東漢古詩作者首推班固，他的詠史詩，雖被鍾嶸詩品評爲「質木無文」，然椎輪爲大輅之始，詠史一體，實自此始，不當徒以工拙論。與班固同時的傅毅，也是古詩名手，不然，劉勰便不會認孤竹一篇爲其作品了。稍後的詩人則爲張衡，他的詩流傳下來的共有三首：一首是四言，無甚可說；一首是四愁詩，是七言的騷體，一首是五言的同聲歌，後人認陶潛的閑情賦即從之脫胎。再後秦嘉徐淑夫婦的贈答詩，是繼蘇李別詩的不朽之作。結束東漢詩的作者爲蔡邕蔡琰父女，蔡邕是一代藝人，他妙解聲律，於書畫詩賦小啓碑誄都擅長，所以王世貞疑古詩十九首中有他的作品。他的女兒蔡琰字文姬，初嫁河東衛仲道，夫死無子，囘住娘家，獻帝興平中爲胡騎所擄，歸南匈奴左賢王，生二子，曹操憐邕無後，用金璧把她贖囘，重嫁陳留董祀，她的詩有悲憤詩二首，胡笳十八拍一首，都是囘漢後的作品，蘇軾疑悲憤詩是後人擬建安體僞托之作，蔡寬夫曾在其詩話中力駁蘇軾之說，張玉穀評這首詩說：「漢五古如蘇李十九首，多用興比，言簡意含，固是正宗，而長篇敍事言情，局陣恢張，波瀾層叠，若文姬此作，直能以眞氣自開戶牖，爲後來老杜詠懷、北征諸鉅製之所祖，學詩者正不可以偏廢也。」他又闢蘇軾之疑說：「且琰與建安七子，正復同時，何見其必效七子，而非琰作？」所以就風格和史實來說，第一首悲憤詩應該是琰所作，非出依托，至其餘二篇，事意雷同，可能係後人擬作。鍾惺的名媛詩歸，胡應麟的詩藪，沈德潛的古詩源，都疑心胡笳十八拍不是她的作品，自非無因。

戊、建安詩

西漢是古詩的孕育時期，建安才是古詩的成長時期。建安雖是漢獻帝的年號，但實際上已是曹家的天下，所以建安詩不能列在東漢詩內。開建安詩風者，當推曹操，曹操的詩，多爲四言，四言詩在詩經以後的作品，都是些垂盡的死灰，毫無生氣。而曹操的四言詩則不同，他自抒懷素，絕不摹擬詩經的格調，詩的音節既沉雄，氣象也恢廓，一種橫槊賦詩的豪情，躍然紙上，讀其詩如見其人，鍾嶸說：「曹公古直，甚有悲涼之句。」劉克莊說：「魏武詩如幽燕老將，氣概沉雄。」都是的評。建安詩風的開創者雖是曹操，輔翼之而達於成熟者，則得他二子——丕、植——之力。曹丕的詩雄健不及乃父操，綺麗不及乃弟植，鍾嶸評爲「率皆鄙質如偶語，惟西北有浮雲十餘首，殊美贍可翫，始見其工矣。」曹植的詩，一方面憑藉着他的天才，一方面由於他蘊結着憂鬱的情感，所以發而爲詩，情辭幷茂，高居建安詩人的首席，鍾嶸評其「骨氣奇高，辭采華茂，情兼雅怨，體被文質。」王世貞藝苑卮言說他「才敏於父兄，然不如其父兄質，漢樂府之變，自子建始。」的確西漢樂府及古詩，都以樸茂雄渾見長，到曹植刻意求工，遂轉入華麗一途，開六朝綺靡之風，爲中國古今詩體文質異趣，劃下了一條顯明的界限，五古詩到他手裏，可以說是登峯造極了。

在曹氏父子之外，還有所謂建安七子，卽魯國孔融文舉、廣陵陳琳孔璋，山陽王粲仲宣，北海徐幹偉長，陳留阮瑀元瑜，汝南應瑒德琳，東平劉楨公幹，七人中以王粲劉楨的作品傳留爲多，餘多散遺，詩品說：「陳思爲建安之雄，公幹仲宣爲輔。」可見王劉二人爲七子中之冠冕。方東樹昭昧詹言說：「王仲宣從軍五首，杜公時效之。」又說：「仲宣最爲沉鬱頓挫，…………陳思而下，一人而已。」可見王詩又高劉一籌了。宋范溫詩眼批評建安詩說：「建安詩辨而不華，質而不俚，風調高雅，格力適壯，其言直致而少對偶，指事情而綺麗，得風雅騷人之氣骨，最爲近古者也。一變而爲晉宋，再變而爲齊梁，唐詩諸人，高者學陶謝，下者學徐庾，惟老杜李太白韓退之早年皆學建安，晚乃各自成一家耳。」建安詩對後世影響之大，於此可見了。

己、晉詩

在建安初期，曹氏父子雖包藏禍心，但逆迹未著，所以學者多樂爲用，到了黃初以後，他們的原形畢露，有正義感的學者自然是不滿於他們的行爲，於是他們也嫉視這一班人，在政府與學人之間便起了衝突，接着司馬氏又沿襲曹氏作風而篡魏，政治道德掃地以盡，學者爲了維持自己的清操，處此危疑之會，有的裝出玩世不恭的樣子以遠害，有的躭於佛老以求解脫，有的隱居田園以養志，雖趨向不同，而逃避現實之情則一，在心爲志，發言爲詩，晉代的詩風，也就隨着學者這種苦悶的心情而演爲各類不同的型態。晉初的詩人以阮籍嵇康爲冠冕，二人均竹林七賢中人物，這一派人物都是玩世不恭的，而嵇阮二人尤爲顯著，但二人不滿現實的態度雖一致，而應付世事的態度則各異，阮籍一味裝瘋賣傻，以酒自晦，不給人以當面的難堪，所以他能遠禍；嵇康輕肆直言，遇事便發，所以終致殺身之禍。阮有詠懷詩八十二首，都是傷時感世的作品，詩品列它在上品，評爲「言在耳目之內，情寄八荒之表，洋洋乎會於風雅。」嵇康所作多爲四言，詩品評他「訐直露才，傷淵雅之致，然托喩清遠，良有鑒裁。」與嵇阮同時而稍後的詩人，當推太康中的三張——張載、張協、張元，二陸——陸機、陸雲，兩潘——潘岳、潘尼，一左——左思。以上八家中陸機和左思的作品都被詩品列入上品，陸機的詩偏重辭藻，實爲齊梁排偶，唐宋律絕之濫觴，擬古樂府尤多。若論內容，實不及左思之文質彬彬。詩藪說：「詠史之名，起自孟堅，但指一事，…………太冲題實因班體，而造語奇偉，創格新特，遂爲古今絕唱。」太康以後，因五胡之亂，晉室東遷，內憂一變而爲外患，民族之痛寄寓於詩，於是祖狄劉琨等的作品，有了一種淸剛之氣，慷慨激昂的情調，同時的郭璞則把釋道思想注之於詩，多神仙之作。在左思詠史，郭璞神仙之外，能別創一格的，是陶潛的田園詩。陶潛爲大將軍陶侃的曾孫，所以家境雖寒，志氣不屈，他因不肯爲五斗米折腰，做了一個極短時期的縣令就掛冠而去，隱居田園，以詩酒自娛，詩品稱他的詩爲隱逸之詩，他的詩多半取材於田園景色與生活，極風趣自然，蘇軾說：「淵明作詩不多，然其詩質而實綺，癯而實腴，自曹、劉、鮑、謝、李、杜諸人莫能及也。」朱熹說：「陶淵明詩，人皆說是平淡，據某看，他自豪放，但豪放得人不覺耳，其露出本相者，是詠荊軻一篇，平淡的人，如何說得出這樣的言語來？」所以他的詩，無論意境辭藻，都到了形而上的境界，眞能不涉理路，不落言筌。

庚、宋詩藻績

章炳麟說：「玄言之殺，語及田舍，田舍之隆，旁及山川雲物。」田園風趣，在陶潛已造其極，宋人無以爲繼，於是向山水寫景上去發展，這一派代表人物爲謝靈運、顏延之、鮑照。詩品說謝詩「名章迴句，處處風起，麗典新聲，絡繹奔會。」眞的，像他的「池塘生春草，園柳變鳴禽」，這種鏤心刻骨的句子，是以前的詩中所少見的。漢魏的詩都是元氣渾成，不大在單句上用工夫的，至謝靈運作詩，才「儷采百字之偶，爭價一句之奇」，以美化爲詩的第一義。顏延之的詩無甚特色，釋惠休說：「謝詩如芙蓉出水，顏如錯采鏤金。」是顏詩比謝詩雕鑿得更厲害了。鮑照因出身低微，當時的名氣，遠不及謝顏，但在後人看來，他的詩在綺麗中帶有遒勁之氣，實足以藥當時萎靡之風，杜甫說：「俊逸鮑參軍」，沈德潛說：「明遠樂府，開人世所未有，後太白往往效之。」都是極公正的評判。

辛、齊詩聲病

齊詩的取材，仍爲山水，所不同於宋詩的，是在雕鑿文字之外，又加上了一層聲病的束縛。齊書謝厥傳說：「永明末盛爲文章，吳興沈約，陳郡謝朓，瑯琊王融，以氣類相推轂，汝南周顒，善爲聲韻，約等爲文，皆用宮商，以平上去入爲四聲，以此制韻，不可增減，世呼爲永明體。」詩歌本爲音樂的文學，聲調音節，自不可忽，但自三百篇以迄漢魏的樂府古詩，它們的音韻，都順自然，未有屈義就聲的，更無嚴格的平仄之分，自沈約提倡聲病，於是「前有浮聲，後須切響，一簡之內，音韻盡殊；兩句之中，輕重悉異。」聲病成了作詩的首要條件，由宋詩的藻績，再加以齊詩的聲病，故永明體已接近唐朝的律絕，所以王夫之古詩評選，稱此期的詩爲近體詩，王闓運的八代詩選則稱之爲新體詩，都是認此期的詩已脫離了古詩的形體的表示。倡爲永明禮的雖是沈約，但代表作家却是謝朓，謝字玄暉，因曾做過宣城太守，所以又有謝宣城之稱，又因爲別於謝靈運，復有小謝之稱。謝靈運的詩，講究章句，謝朓的詩，則講究到字眼，李白嘗讚美他說：「解道澄江靜如練，令人却憶謝玄暉。」又說：「蓬萊文章建安骨，中間小謝又淸發。」眞可謂推崇之至了。

壬、梁陳的宮體詩

山水詩到南齊已發展到了頂點，窮則生變，於是梁陳的宮體詩又應運而生。章炳麟說：「梁簡文帝初爲新體，床笫之言，揚於大庭，迄陳隋爲俗。」其實初爲宮體詩的應該是梁武帝蕭綱，他爲竟陵八友之一，他的子夜四時歌，便完全是艷體，簡文之爲宮體，可謂紹其箕裘。宮體的倡導，雖是簡文，助長其風的却是庾肩吾和徐摛，他們二人均出入宮禁，深受寵眷，而在社會上又有文名，所以他們每一作品傳出，卽爲後進競相仿效，摛子陵除了長於宮體外，并輯玉臺新詠一書，收漢魏迄梁的艷體詩，以爲範本，肩吾的兒子信，早年也是艷體詩的名手，但後來羈旅北庭，求歸不得，作風一變，不復見其香艷之迹了。梁朝的宮體詩，只是文字上的色情狂，到陳隋，便由字文一變而爲行動了，結果是陳後主叔寶，隋煬帝廣，均由此殺身亡國，詩風影響之大，一至於此，無怪孔子要放鄭聲的。

三、近體詩

甲、唐詩體製

唐詩是唐代文學的代表，也是中國韻文的精華，無論就體製或風格說，它都盡到了承先啓後的責任。唐詩的體製，約有四種：一爲古風，二爲排律，三爲律詩，四爲絕句。唐代的古風，多學建安體，無甚新奇可說的；排律則是梁陳的近體詩，它從頭到尾，均用排句，句中平仄無硬性規定，韻脚也可更換，句數多少無限制，每句字數有五言、六言、七言之分，但須全篇一致，不得長短相錯，這是古詩過渡到律詩的一種詩體，它雖濫觴於梁陳，而成爲專體則是唐代的事。不過唐人雖視之爲專體，但幷不重它，與律絕相比，它是不足輕重的。律詩是唐朝的特產，每首八句，每句五言者爲五言律，每句七言者爲七言律，每篇中間四句必須用對仗，首尾四句則不拘，每句的平仄位置有一定，韻脚不得更換或通假。絕句形式，在梁陳已具，它是古樂府的遺制，樂府有以四句爲一節的，截出其四句，即爲絕句，故絕句又有截句之稱。不過古樂府僅有截句形式，幷無絕句規矩，唐代絕句則須守律詩的規矩，它的句法除對仗不拘外，平仄位置，每句字數多少，都與律詩規矩相同，因爲唐代絕句，乃是律詩的截句，而非古詩的截句，所以不能如梁陳詩的自由。但它雖是律詩的截句，它却可入樂譜歌唱，故唐人又稱之爲樂府。

乙、唐各期詩風及作家

唐初詩風，猶有梁陳遺習，全唐詩話載：「太宗嘗作宮體詩，使虞世南賡和，世南曰：聖作誠工，然體非雅正，上有所好，下必有甚焉，恐此詩一傳，天下風靡，不敢奉詔。帝曰：朕試卿耳。後帝爲詩一篇，述古興亡，既而歎曰：鍾子期死，伯牙不復鼓琴，朕此詩何所示耶？敕褚遂良即世南靈座焚之。」唐代詩風之所以能脫去梁陳的宮體，完全得力於魏徵虞世南的矯正。不過宮體雖被廢止了，但初唐四傑——王勃、楊炯、盧照鄰、駱賓王——的作品，摛藻華麗，仍保存着梁陳綺靡之習。到了盛唐，陳子昂首創高淡沖雅之音，一掃六代之纖弱，李白張九齡繼起，盛唐詩風遂得奠定。盛唐詩人很多，代表作家則當推李白、杜甫、王維三氏。李白爲人豪放，不喜拘束，他是繼陳子昂提倡風骨的，所以他的詩以氣勢勝，所作多爲古風和絕句，律體很少。杜甫的性格，則洽與之相反，杜詩最重格律，所以律體多絕句少。二人優劣，本不易分，自元稹作杜甫墓誌，伸杜抑李，於是起了李杜優劣之爭，比較公平的判斷，要算嚴羽，他說：「子美不能爲太白之飄逸？太白不能爲子美之沈鬱。」李詩以才氣勝，普通人難學，杜詩以工力勝，後人易學，所以同情杜甫者比李爲多。王維的詩，本從陶潛入手，以寫景見長，蘇軾評他詩中有畫，畫中有詩。所以他的作品，特饒神韻，後來的神韻派奉之爲不祧之宗，王士禎稱之爲詩佛，以與詩仙李白，詩聖杜甫相鼎峙。中唐的詩有三個派系：第一派是劉長卿、韋應物、柳宗元及大曆十才子，這一派完全效王維山水寫景，雖然他們的作品甚豐，但於詩風幷無多大影響；第二派爲韓愈孟郊，韓愈詩專走奇險一路，喜用奇字拗句，因之讚美他的人也有，反對他的人也有。施補華謂：「退之五古，橫空硬語，妥帖排奡，開張過於少陵，而變化不及，中唐以後，漸近薄弱，得退之而中興。」可稱的評。孟郊的詩，以風骨遒勁稱，但文辭苦澀，所以有郊寒島瘦之稱；第三派爲白居易和元稹，韓孟的詩在以風骨振律體之靡，元白的詩則在以社會題材救神韻派的吟風弄月之失。白氏嘗謂「文章合爲時而著，歌詩合爲事而作。」因爲他們的題材社會化，所以他們的文詞也極力大衆化。相傳白詩以老嫗能懂爲準，所以明清的性靈派都奉之爲圭臬。中國的詩風，從三百篇到盛唐，都是一步美化一步的，元白忽以平易淺近相標榜，自然不爲唯美派所歡迎，所以有元輕白俗之譏。韓孟元白的詩風，都是對盛唐的反動，到了晚唐，李商隱、溫庭筠、杜牧又對中唐起了反動，在詩體上走了復盛唐律詩之古的道路，而雕琢藻繢則有過之；在題材上走了復梁陳之古的道路，而香艷細膩則有過之。峴傭說詩評三人的優劣稱：「義山七律得於少陵者深，故穠艷之中時帶沉鬱，如重有感，籌筆驛等篇，氣足神完，直登其堂入其室矣；飛卿華而不實，牧之俊而不雄，皆非此公敵乎。」故三人之中以李商隱功力最深，對後世的影響也最大，宋人的西崑體便是以他爲鼻祖的。

丙、宋各期詩風及作家

宋代初期的文壇領袖人物爲楊億、錢惟演、劉筠，他們的詩是李商隱的西崑體，他們對於學李，亦步亦趨，力求形似，如李商隱的淚詩，全篇不着一淚字，形同謎語，他們三人也各作一首詠淚的詩，文中不標出淚字。由於他們三人身居臺閣，一唱百和，類此的臺閣體遂風靡了整箇宋初的詩壇。結果詩徒有軀殼，毫無靈魂。於是引起了次期的反動，這一期的領導人物爲梅聖俞歐陽修，他們在風格上多少受有韓愈的影響，但他們并不完全在形式上學韓，他們以風骨代替了西崑的綺靡，以載道充實了西崑的空虛，同時又有蘇軾王安石諸名手相附和，於是眞正的宋體詩出現了。所謂宋體詩，并不是他們在唐代各詩體之外另有一種形式上的標異，而是他們在造語遣辭上表現出宋人特有的風格，即將詩的句意散文化，不復似唐人詩律的整鍊，意味的深長。所以宋詩被譏爲有韻的散文，決不算寃枉。這一期的詩人，在個別的作風上都有其特點，如梅聖俞詩好談考據，歐陽修詩好用奇字奇句，蘇軾詩好用佛語，王安石愛講規律，都是極顯著的事實。但在大體上都能平易近人。第三期的詩風，一變而爲拗澀，不止是在宋詩中獨樹一幟，就整箇的詩壇說，也是特出的一派。這就是所謂江西詩派。這派領袖爲黃庭堅，他本是蘇門四學士之一，在宗旨上，他并無與歐蘇立異的意向，只因他專宗杜甫，又倡奪胎換骨之法，喜用拗格，便在無形中自成一派了。因他是江西人，後來呂居仁作江西詩社宗派圖，以庭堅爲宗主，列陳師道，潘大臨等以下二十五人爲法嗣，方回又創一祖——杜甫，三宗——黃庭堅、陳師道、陳與義——之說，於是江西派門戶正式成立，并立下了許多作詩的規格，一般喜以高古脫俗自賞的作者，便羣趨其門，所以這一派流傳至今不絕。第四期是南宋四大家——陸游、范成大、尤袤、楊萬里，這四人在師承上雖不無江西派的影響，但在作風上却有些近於元白的平易。近體詩風格演變至此，已到顚峯，明清兩代詩壇的風雲，可說都不脫唐宋的窠臼，并無特殊作風可言，故本論亦到此爲止，餘不贅及。

四、詞

甲、唐及五代的詞

詞本起於盛唐，李白的菩薩蠻，憶秦娥二調爲其權輿，繼作的有張志和的漁歌子，戴叔倫的調笑令，白居易的憶江南，均爲後來的詞譜，不過初期這些作者都是以作詩的餘興去作詞，詞之稱爲詩餘，卽以此故。因爲這些作者只以詞作爲詩餘，他們并不重視它，所以詞的產生，并非出於有意的創作，直到晚唐溫庭筠才下功夫去塡詞，并有專集——握蘭金荃行世。五代十國承晚唐的餘風，詞學之盛，幾乎壓倒了詩學。當時的作者分爲二派：一爲西蜀的花間派，一爲南唐派。花間一名，是因西蜀的趙崇祚選錄溫庭筠、皇甫松、韋莊、薛昭蘊、牛嶠、張泌、毛文錫、牛希濟、歐陽炯、和凝、顧敻、孫光憲、魏承班、鹿虔扆、閻選、尹鶚、毛熙震、李珣等十八人的詞共十五卷五百首，名曰花間集，故卽以集名爲其學派名。這一派的詞都是偏於色情的，其中溫庭筠和韋莊的作風又稍有差異。溫詞喜用富貴字面，韋詞則多白描。南唐詞的數量及作家均不及花間派之盛，可是作品中一種悱惻芬芳感人之情，則遠非花間派所及。這派的作者爲南唐中主李璟，後主李煜，宰相馮延已。二主的詞，多悽涼怨慕之思，馮延已的詞則雍容閑雅，堂廡特大，北宋初期的作家如晏殊歐陽修都是學他的。

乙、北宋各期詞風

詞雖起於唐及五代，其臻於精妙境地，則在北宋，北宋的詞，正如盛唐的詩，是文人都會作，有作無不精。北宋的詞，約可分爲三期四派，初期作者的代表爲晏殊歐陽修，二人文學修養旣深，政治地位也高，賦性又極通脫，所以他們的作品都有一種樂而不淫，哀而不傷，令讀之者神往的風趣。第二期的作者分爲兩派：一派是蘇軾的豪放作風，所謂「須關西大漢，銅琵琶，鐵綽板，唱大江東去」者是；另一派是柳永的輕艷作風，所謂「只合十七八女郎，執紅牙板，歌楊柳岸，曉風殘月」者是。柳詞初本盛行於各階層，有「凡有井水處，卽能歌柳詞」之諺。後因其辭蓬萊一詞不稱仁宗之意，而在學術界又受到蘇軾的有力排擊，所以仕宦學術兩途都不能遂意，結果潦倒身死，竟靠了相知的妓女爲殮。柳永在詞學上的貢獻，是用語通俗，變唐以來的小令爲慢引長調。蘇軾的貢獻，則是拓寬了詞所應用的範圍，把以前只用爲言情記恨的小技用以發揮議論，旁及山川雲物，抬高了詞學的身份。第三期的是格律派，這一派發端於秦觀，完成於周邦彥，所謂格律，就是調譜的規律。詞起於唐，當時作者都是自我作古，無所謂調譜的，五代詞風雖盛，仍在創調之中，也談不上規律，北宋初期諸作者，雖遵循舊譜，并不嚴格，蘇軾的詞，便有教坊雷大使舞之譏。惟柳永出入歌臺，知重音律。秦觀初曾學柳詞，因爲蘇軾所斥，乃不敢爲下里之音，然其知重音律，實受柳永的影響，葉夢得評其「語工而入律，知音者謂之作家。」便是說明其重格律的。周邦彥字美成，張炎詞源說：「崇寧立大晟府，命周美成諸人討論古音，審定古調，淪落之後，少得存者，由此八十四調之聲稍傳，而美成諸人又復增慢曲引近，或移宮換羽，爲三犯四犯之曲，按月律爲之，其曲遂繁。」凡事有一利必有一害，唐五代及北宋初期的詞，不甚重視格律，故情勝於詞，特別自然動人，自格律派把聲調限得嚴嚴地，降及南宋，而詞的精神遂如渾沌之被鑿七竅而死矣。生於北宋末期，而作風超然於上述四派的詞人爲李淸照，她的父親是刑部侍郎李格非，公公是宰相趙挺之，丈夫是金石家湖州守趙明誠，少年時環境旣優裕，伉儷又情深，享盡家庭艷福，後半生丁國家播遷之厄，丈夫病死，自己流離轉徙於兵荒馬亂之中，飽經憂患，故他的作品極近南唐李後主，與北宋諸家無一相似。沈去矜說：「男中李後主，女中李易安，極是當行本色。」四庫提要也說「淸照以一婦人，而詞格乃抗軼周柳，雖篇帙無多，固不能不寶而存之，爲詞家一大宗矣。」

丙、南宋詞派

南宋的詞有兩派：一派是學蘇的豪放派，一派是學周的唯美派。豪放派以辛棄疾爲首，劉過、陸游、劉克莊、陳亮諸人爲其羽翼；唯美派以姜夔爲首，史達祖、吳文英、周密、張炎諸人爲其羽翼。詞本是軟性的文學，自蘇軾擴大其境界，用以論風雲變化，其質一變，到南宋辛棄疾身遭國變，志存匡復，義憤之氣全寓於詞，詞竟成了硬性文學，同時他又把經史成語，隨意用在詞中，於是詞的外形又跟着變了，劉體仁詞繹說：「稼軒杯汝來前，毛穎傳也；誰共我醉明月？恨賦也。皆非詞家本色。」但劉過效之，全用碎語塡詞，竟使詞與散文無分了，這一派的發展於是抵了壁，無法繼續了。姜夔的天賦，酷似周邦彥，他妙解音律，塡詞除旁注宮調外，幷附樂譜，遣辭雖無周邦彥融解前人成語的本領，但也有勾勒之妙。唯用典使事，不免晦澀，無周的自然圓轉。因爲他是南宋唯美派的領袖，一般才情不夠的作者，悉以他爲標榜，完全在文字和四聲上用功夫，而作品的內容空無所有，於是富有革命意味的元曲便代之而興了。

五、曲

甲、曲的興起

曲本是調譜之名，漢樂府中已有所謂大曲、相和曲、吟歎曲，宋詞原亦稱曲子，蓋古之能由弦管配唱的歌辭均稱爲曲。宋室南遷，中原板蕩，所有知識份子多半隨徙，留下的都是一些不能登大雅之堂的文人，這時候的詩詞既已無人能作，就是作了也無法得到那些只知騎射的新貴的了解或欣賞，識時務者爲俊傑，於是這些一知半解的文人，便用些俚俗言語依照樂譜，編撰成曲文，或用以清唱，或用以扮演，以取悅那些粗野的君臣，這就是元曲的牌名與聲韻之所以有些同於宋詞，有些却完全不同的原因。因爲當時所演唱的，都是此類俚俗作品，所以曲之一名遂爲此類作品所占有，而以詞稱宋人所謂的曲子了。

乙、南北曲之分

曲在地域上有南北之分，北曲的產生，在宋室南渡，汴京陷落之時就開始了，至其淘汰宋詞，遍及於江南，則是蒙古統一南北之後的事。當北曲傳到南方時，南方人士都苦北方土語及聲韻的地方色彩太濃厚，與南方的情調不太適合，所以漸有用南方情調作曲的，王世貞說：「大江以北，漸染胡語，時時采入，而沈約四聲遂失其一，東南之士，未盡顧曲之周郎，逢掖之間，又稀辨撾之王應，稍稍復變新體，號爲南曲。」這是南曲產生的原因。但南曲的成熟，却不在元代，而在明代，明嘉靖年間，崐山人魏良輔，初學北曲，總不及北人王友山，就回過頭來專心研究南曲，足不下樓十多年，用實際的演唱，把每一調作成新譜，高低清濁快慢，完全以音樂爲準，將唇齒的發音分辨得很清楚，騰腔落板，常用長音助長其淒涼的情調，南曲便在這艱苦的努力下完成了。南北的分別，首在聲韻，北曲用中原音韻，只有平上去三聲，南曲用沈約四聲；其次便是南北曲所用腔調不同，王世貞說：「北主勁切雄壯，南主清峭柔婉，北字多而調促，促處見筋，南字少而調緩，緩處見眼，北辭情少而聲情多，南聲情少而辭情多，北力在絃，南力在板，北宜和歌，南宜獨奏，北氣易粗，南氣易弱。」

丙、曲的種類

曲的種類，大別有散曲和劇曲之分。細別之，散曲中又有小令和套曲之分。小令是單牌曲，同於詩的絕句，詞的小調，最富情致。套曲是用一宮調內所有的曲牌合敘一事的曲子。劇曲中又有院本雜劇傳奇之分，院本限一折到四折，有科、白、唱，表演時，科與白唱分開，據嚴長明說：「一人場內坐唱，一人場上應節赴音。」如今日之雙簧戲；雜劇的折數，唱、科、白均與院本同，或加楔子，表演分角色，僅主角一人唱，餘角只有科白，不唱。傳奇只分齣，不限折數，科白唱由所去角色各自分任，已同今日之平劇。院本和雜戲均爲北曲，傳奇則惟南曲。

丁、北曲的作者

元曲的作者，除了喜作小令的盧摯姚燧等數人爲文學家外，其餘都不是知名學者，其中輩份最早而又最著的，當推關漢卿，他是大都人，有說他在金朝曾做過太醫院尹，入元不仕的，又有說金亡時，他才十三歲，根本無仕金之可能的，但不問他的身世如何，他在元曲作家中所坐的第一把交椅，是無可動搖的。太和正音譜認他爲雜劇創造人，這是可信的。他所作的雜劇共六十三種，現在元曲選中的則僅十三種，其所作散曲，也極風趣本色。韓邦奇把他的曲比爲司馬遷的文章。王國維說：「關漢卿一空依傍，自鑄偉詞，而其曲盡人意，字字本色，故當爲元人第一。」均是的當的批評。

王實甫也是大都人，他的身世比起關漢卿來更加糢糊，他的散曲不多，雜劇原有多種，但現存的僅有麗春堂西廂記兩種，西廂記不僅是他個人的代表作，也可說是元雜劇的代表作，它的本事，是元稹的會眞記，劇本的藍本是金董解元的弦索西廂。焦循易餘龠錄說：「王實甫西廂記全藍本於董解元，談者未見董書，遂極口稱實甫耳。」這批評是不正確的，董西廂幷未失傳，何所據談者未見董書？試看董西廂有時用敍事體，有時用代言體，場面極不清楚，王西廂的曲白過場均有條不紊，場上的人物，個個刻劃入神，以較現代的第一流劇本，也毫無遜色，編排的手法，實非董西廂之所可企及。這種說法，并不就是輕視董的才情，蓋董西廂乃是諸宮調，是雜劇未臻成熟時期的作品，王作根據董作改編，其青出於藍，是理所當然的。只要看王西廂一出，董西廂卽同廢棄的事實，則兩作的孰優孰劣，已無待辭費了。不過王實甫作曲，有些喜歡雕琢字面，失却本色，所以後人有不把他列入四大家中的。

馬致遠也是大都人，做過江浙行省務官，他的文學修養比起關漢卿王實甫來似高一籌，所以他的作品也比二人顯得風雅，尤其是散曲頗有陶詩悠然望南山之致，這大概就是他取名致遠，別號東籬的原因。他所著散曲有一百多種，其中以夜行船一套，最膾炙人口；他所著雜劇據元曲選列目共有十三種，以漢宮秋一劇爲代表之作。他的作品有時完全掉書袋，有時完全用俚語方言，有的行文淸麗，有的命意瀟脫，作風不拘一格，但都有其獨到之處。

白樸是眞定人，在元初四大曲家中，只有他是世家出身，他幼年受元遺山的薰陶很深，所以文字根柢極厚，元遺山贈他的詩說：「元白通家舊，諸郞獨汝賢。」可想見其受器重之情了。他幼經喪亂，金亡後，失志不仕，放浪形骸，期於適意，他的作品，正音譜評爲「風骨磊落，辭源滂沛。」元曲選所收他的劇目，共十七本，以梧桐雨，墻頭馬上兩種爲白眉。由於他以世家出身，所以作品遠不及前三家的本色當行。

次期的作家爲鄭光祖、喬吉、宮天挺等人，但作品均無超逸前人的表現。鄭光祖曾被列入初期四家以代替王實甫的位子，這多少是有些不稱的，因爲鄭的作風，頗多是襲自王實甫的西廂記，并無甚創作能力。至第三期的作家蕭德祥、王曄等，更是自鄶以下，無甚可說了。

戊、南曲的作者

南曲的主要作品是傳奇，最早而最有名的爲荊（荊釵記）劉（劉知遠一名白兔記）拜（拜月亭）殺（殺狗勸夫）琵琶（琵琶記）五劇，這五劇的本事，除了荊釵記，據施愚山矩齋雜記說是史浩作了醜詆孫汝權，以報其慫恿王十朋劾他八罪之恨的外，劉知遠一劇是根據劉唐卿之李三娘麻地捧印雜據改編；拜月亭係根據關漢卿閨怨佳人拜月亭雜劇改編；殺狗記係根據蕭德祥的殺狗勸夫雜劇改編。這五劇的作者，荊釵記可能是明寧獻王朱權所作，白兔記的作者不詳，可能係明初人，拜月亭的作者爲施君美，殺狗記的作者爲徐畛，琵琶記的作者爲高明。五劇中以琵琶記最受稱許，其本事據說有王四者，與高明爲學問上的朋友，高勸王入仕，王登第後，入贅太師不花家，遺棄髮妻，高悔不該勸之入仕，遂作琵琶記以諷之。琵琶二字隱射王四姓名，元人呼牛爲不花，故劇中之牛太師乃隱射不花，王四妻姓周，周於百家姓在趙後第五，故以趙五娘隱射周氏。又一說，此劇乃譏蔡卞而作，因蔡曾遺棄髮妻而娶王安石女。在五劇之後，由成化到萬曆年間也產生了不少傳奇作品，但都無甚足述，萬曆以後，曲的作風大爲改變，前此元曲用土白的本色，完全被排除，不僅曲辭以文藻相尚，連賓白也用起駢四儷六來，而梁辰魚的浣紗記，張鳳翼的祝髮記都可爲這種情形的說明。本來以通俗見長的大衆文學，至此又鑽進了牛角尖。

次期的著名作家，爲湯顯祖、王世貞、梁辰魚等，湯顯祖的作品以四夢——即牡丹亭，南柯記、邯鄲記、紫釵記——爲最著，而四劇之中又以牡丹亭爲膾炙人口，相傳婁江女子俞二娘讀了之後，感傷身世，斷腸而死，杭州女伶商小玲失戀後，因演此劇，傷心而死，內江某女子因讀此劇，愛作者才華，要求嫁他，他辭以年老，那女子便投江而死。馮小青讀後，題詩道：「冷雨幽窗不可聽，挑燈閒看牡丹亭，人間亦有癡如我，豈獨傷心是小青。」此劇之哀感動人，於此可見其一斑了。不過湯顯祖的才思雖艷，然每不重音律，故當時行家對之頗有微辭。而他則說「；余意所至，不妨拗折天下人嗓子。」這種不受拘束的情感，或者就是他作品成功的條件吧！

王世貞的傳奇以鳳鳴記爲最著，它很坦率的描繪楊繼盛劾嚴嵩以及嚴氏專政誤國種種事迹，惟劇中故事與世貞之楊忠敏公傳略頗有出入，因有疑此劇出其門人之手者。

梁辰魚是崐山人，因與魏良輔同鄉，曾參加良輔創造崐腔的工作。他的江東白苧，包括小令散套，流行甚廣，而浣紗記一劇，用范蠡西施作主角，吳越和戰爲背景，當時演奏尤盛。王世貞詩云：「吳閶白面冶遊兒，爭唱梁郎雪艷詞。」便是紀實的。弋陽歌者上演別家傳奇，常改變腔調，獨演浣紗記則不能，可見其聲律的謹嚴了。

明末的傳奇的作者，當推馮夢龍、阮大鋮二人，馮於崇禎時爲壽寧知縣，後殉乙酉之難，所著雙雄記、萬事足二種，曲白都臻上乘。阮大鋮初附魏忠賢，官至兵部尚書，魏敗坐廢，爲士林所不齒，福王立，又入政府，與馬士英朋比爲奸，捕逐當時名士，以爲報復，人格卑劣，殊不足稱，然所撰燕子箋，春燈謎，雙金榜，牟尼合，忠孝環等劇，却博得一致的好評。

此外的散曲作者則有王九思、康海、楊用修、徐文長、梅鼎祚、沈璟諸人，但南曲的精華在傳奇，不在散曲。

清代傳奇承明代之緒，無新發明，其最著名的作者爲康熙朝的孔尚任和洪思昉，孔以桃花扇一劇出名，洪以長生殿一劇出名，當時有南洪北孔之稱。其他如李漁蔣士銓也都是能手。淸中葉以後，花部漸盛，傳奇遂歸沒落。

第三章　小說

前言

小說一名，最早見於莊子外物篇：「飾小說以干縣令，其於大道亦遠矣。」乞以小說與大道對舉，很明顯的，這小說幷不是指今日屬於文藝故事的小說。文選西京賦舊注：「小說，醫巫厭祝之術。」李善上文選注表：「敢有麈於廣內，庶無遺於小說。」都是取莊子小說之義的。惟班固漢書藝文志所說的小說家者流，才有些與今日的小說內容接近，乞說：『小說家者流，蓋出於稗官，街談巷語，道聽塗說者之所造也。孔子曰：「雖小道，必有可觀者焉，致遠恐泥，是以君子弗爲也。」然亦弗滅也。閭里小智之所及，亦使綴而不忘，如或一言可取，此亦芻蕘狂夫之議也。』這裏的街談巷語，芻蕘狂夫之議，只不過是今日的社會新聞，所謂「綴而不忘」者，完全爲政治設施上的參考，幷不是爲了文藝上的欣賞，但所引孔子說的小道可觀一語，倒有些似指文藝性的作品而言。街談巷語，其原始資料，雖屬於社會新聞，但民間自有許多可歌可泣，可驚可愕之事夾在這些新聞中，是無可疑的。稗官爲整理資料，綴而成文，便成了小說形式，也是極自然的事，所以說小說起於稗官，當是可信的。但我們這裏需要分辨的，街談巷語，可能有些寶貴的小說資料，但幷不全是小說資料，因爲有些民間對政治上得失的議論，對農村豐歉的歡戚之情，都是稗官所當採輯的資料，這方面的資料，就不合小說的性質了。四庫總目提要小說類說：「案記錄雜事之書，小說與雜史最易相淆，諸家著錄，亦往往牽混，今以述朝政軍國者入雜史，其參以里巷閒談，詞章細故者，則均隸此門。世說新語，古俱著錄於小說，其明例矣。」這裏把雜史和小說劃分開來，正是上述的意見，不過世說新語所記，都是些名人的軼事，這類片段的記載，幷不合嚴格的小說定義。嚴格的說來，小說的條件，必須故事具有首尾，而且文筆生動，曲盡人情，說得意事，能使人笑逐顏開，說失意事，能使人唏噓扼腕，說不平事，能使人怒髮衝冠。中國歷代作品中能符合這條件的，當自唐代傳奇始，但唐代傳奇，都是短篇傳記體，且均爲文言，不夠通俗，也就是說不適合普通大衆，所以明人郎瑛的七修類稿說：「小說起於宋仁宗時，蓋時太平甚久，國家閒暇，日欲進一奇怪之事以娛之，故小說得勝頭迴之後，即云話說趙宋某年。」宋朝話本，完全係對社會大衆而作，他的文字全是通俗的白話，故傳達書中人物的個性和心事，能曲盡其妙。

一、周代小說情形

上節是就成熟後的小說定義和條件而論，若探究中國小說發生時期，據漢志所引書名，以及其它方面的記載，有早在夏商初年的，但都年遠難徵，惟春秋戰國小說之盛，則事實至著，這原因一方面是當時社會動盪不寧，民間所產生的驚奇事蹟多；二方面是諸子著述，喜歡用寓言以充實自己的主張；三方面是私人寫作風氣盛，學者好作怪力亂神之說。就春秋時所產生的事例來說，如左傳所載的與子偕隱的介之推的母親，醉遣重耳的齊姜，便是極好的賢妻良母的小說資料；觸槐自殺的鉏麑，便是極好的俠義小說資料；豕立而啼的彭生，結草以亢杜回的老人，便是極好的神怪小說資料。寓言的例子，在戰國諸子用的最多，如孟子的宋人有閔其苗之不長者，以及齊人有一妻一妾，韓非子的郢書燕說，莊子的儵忽鑿死渾沌，以及蠻觸二國之戰，都是顧名卽可知其爲寓言的。但這兩種例子，一屬史書的記載，一屬子書的寓言，都不是獨立的作品，所以只能說它是小說的資料，而不能說它是小說，漢志所列小說書目，有鬻子說十九篇，及周考七十六篇，雖都是記述周代事迹的，但班氏自注已多疑其爲僞，其書名又不見春秋戰國人的稱引，自不足爲據，故論春秋戰國獨立的小說作品，當以莊子所稱引的齊諧爲可信，逍遙遊說：「齊諧者，志怪者也，諧之言曰：鵬之徙於南冥也，水擊三千里，摶扶搖而上者九萬里，去以六月息者也。」司馬彪以齊諧爲人名，梁簡文以齊諧爲書名，俞樾說：「按下文諧之言曰，則當作人名爲允，若是書，不當但稱諧。」我以爲齊諧可能是人名，但在此當作書名，正與公孫龍子以人名爲書名一樣，不然，志怪者也的志字就安不上去了。孟子以瞽瞍北面朝舜之說爲齊東野人之語，可能就是指的齊諧。大約此書所載都是些荒誕不經之談。在齊諧之外，可算作周代小說的，當是晉咸寧中汲塚出土的穆天子傳，此書五卷，記穆王駕八駿西征犬戎，遇西王母事，頗近唐人傳奇風格。此外，如墨子明鬼篇，屈原離騷及九歌和列子篇中所引神怪故事，不一而足，在當時必有所本，尤其是列子湯問篇所載的這段故事：

甘蠅，古之善射者，彀弓而獸伏鳥下。弟子名飛衛，學射於甘蠅，而巧過其師。紀昌者，又學射於飛衛，飛衛曰：爾先學不瞬，而後可言射矣。紀昌歸，偃臥其妻之機下，以目承牽梃，二年之後，雖錐末倒背而不瞬也。以告飛衛，飛衛曰：未也，亞學視而後可，視小如大，視微如著，而後告我。昌以氂懸蝨於牖，南面而望之，旬日之間，浸大也，三年之後，如車輪焉，以睹餘物，皆丘山也，乃以燕角之弧，朔蓬之簳，射之，貫蝨之心，而懸不絕。以告飛衛，飛衛高蹈拊膺曰：汝得之矣。紀昌既盡衛之術，計天下之敵己者一人而已，乃謀殺衛，相遇於野，二人交射，中路端鋒相觸，而墜於地，而塵不揚。飛衛之矢既窮，紀昌遺一矢，既發，飛衛以棘刺之矢扞之，而無差焉。於是二人泣而投弓，相拜於塗，請為父子，剋臂以誓，不得告術於人。

人物姓名事迹，都極具體，不像是寓言，而且所言技術雖巧，并不怪誕，完全符合小說的條件，只可惜這些小說的原本既失傳，而書名又不見稱引，使後世無可稽考。

二、漢代小說

漢代小說，據漢志所錄者有六種，共一千一百三十三篇，計封禪方說十八篇，待詔臣饒心術二十五篇，待詔臣安臣未央術一篇，臣壽周紀七篇，虞初周說九百四十三篇，百家一百三十九卷。這六種中的前四種都是方士道家的作品，虞初為武帝時方士，號黃車使者，關於這周說的來源，有說是虞初乘黃車從民間採訪以進呈武帝的故事，應劭則說：「其說以周書為本」。如依劭說，則是摘自周書，而不是漢代故事了。此恐爲周字所誤，我以爲書名的周字，當係從咨周一辭省化而來，因爲書中的故事都是從民間採訪而來，所以稱爲周說。據左傳襄四年「必諮於周」，注「忠信爲周」，蓋言此書之說皆出於忠信之人，非虛構之比。張衡西京賦說：「小說九百，本自虞初。」既然本自虞初，就不是採自周書的了。百家一名含有雜錄的意思，內容也可能不盡合小說原則。這些書既已失傳，內容無從考定，而漢志所取小說一名，又帶些含糊，不盡符嚴格的小說定義，在上述諸書之外，有相傳爲東方朔作的神異經和十洲記各一卷，都是近於山海經的作品，其中雖不無神怪的記述，也非小說之純者，而且漢志未加著錄，恐亦非眞出朔手。比較切合小說的作品，當爲漢武帝故事和漢武帝內傳以及飛燕外傳三書，飛燕外傳題爲伶玄撰，漢武帝內傳題爲班固撰，漢武帝故事有說爲班固所撰，又有說爲南朝王儉所撰的。根據上述，漢代的小說，如果不是武帝時人所撰，便是取材於武帝時事，故武帝可稱爲漢代小說繁榮期。

三、六朝小說

魏晉以降，釋道幷盛，因果報應之說，深入人心，故南北朝小說多神異故事。其較著者有葛洪的神仙傳，爲晉以前神仙小說的代表作，其書十卷，乃爲應其弟子滕升神仙有無之問而作，書中所錄凡八十四人，另有九十四人本，乃後人剿湊。其次則有干寶的搜神記，干寶本史學家，他所撰的晉紀有良史之目。他之作搜神記，據說是因他父親寵一婢，母性嫉妬，父亡下葬時，母推婢於棺上活埋之，十餘年後，母亡，開父墓合葬，見婢伏棺如生，載還，經日乃蘇，言其父常取飲食給之，恩情如生。後嫁之，生子。寶又有兄得病，氣絕數日，復蘇，述所見天地間鬼神事，如在夢中，不自知爲死。寶因感而搜集古今神異之說，撰爲此書，內中頗多有價値的古代傳說，文筆也斐然可觀。又有後搜神記，相傳爲陶潛所作，但潛卒於宋元嘉四年，而書中記有元嘉十四年及十六年事，顯非出自潛手，惟文辭淵雅，亦非唐以後人所能作。在神異故事之外，專記東漢迄晉的軼聞韻事的，則有宋劉義慶所撰之世說新語，內容分爲三十八門，都是些片段故事，并不合於今日的小說條件，因其搜羅繁富，故後之作正史者，亦往往取材於它。世說本爲劉向書名，故義慶此書初題世說新書以示區別，新語二字不知爲何人所改。其書經梁劉孝標作注，於原書記載失實處多所糾正，而徵引繁博，尤爲後世史家所重視。此外有値得特別一提的，歷代著作中，無逕以小說名其書者，惟殷芸逕題其所撰爲小說。殷芸於南齊永明中爲宜都王行參軍，仕梁累遷通直散騎常侍，後直東閣學士卒。他這部書原爲三十卷，到隋代僅存十卷，今僅存散見於續談助、說郛、廣記中者約一百三十餘則，包含周秦以來的舊聞軼事，如所記：

滎陽板渚津原上有厄井，父老云：漢高祖曾避項羽於此井也，爲雙鳩所救，故俗語云：「漢祖避時亂，隱身厄井間，雙鳩集其上，誰知下有人？」漢朝每正旦輒放雙鳩，或起于此。

此係得之於地方傳聞，至所記：

孔子嘗遊于山，使子路取水，逢虎于水所，與共戰，攬尾得之，納懷中，取水還，問孔子曰：「上士殺虎如之何？」孔子曰：「下士殺虎捉尾。」子路出尾棄之，因恚孔子曰

：「夫子知水所有虎，使我取水，是欲死我。乃懷石盤，欲中孔子。又問：「上士殺人如之何？」子曰：上士殺人使筆端，又問曰：「中士殺人如之何？」子曰：「中士殺人用舌端。」又問「下士殺人如之何？」子曰：「下士殺人懷石盤。」子路出而棄之，于是心服。

注：「出衝波傳。」故這部書，大概一部份採自傳說，一部份摘自古籍。并非創作，情形也同世說新語差不多，仍以軼聞瑣事爲小說。

四、唐代傳奇

以上所述的三期的小說，周末的偏於寓言，漢代的偏於方士神仙，六朝的一部份爲神怪，一部份爲逸史，體例都不完全。唐代的傳奇就不同了，它無論是故事的設想，抑或是文字的組織，都具備了今日小說的條件，所短的，是它全用文言，因求簡古之故，繪影繪聲的工夫稍嫌不夠。傳奇一名，在唐以前不見用，唐人裴鉶乃以傳奇名其所作短篇小說集，而其中之聶隱娘、崐崙奴、裴航諸篇，尤膾炙人口，均經單行，爲宋人所愛重，宋人遂以傳奇爲唐代小說的泛名。所謂傳奇者，大約是指傳其奇聞異行的意思。白行簡的李娃傳序言說：「汧國夫人李娃，長安之娼女也，節行瓌奇，有足稱嘆，故監察御史白行簡爲傳述。」文中嵌入傳奇二字，正可作傳奇一名的注脚。唐代傳奇內容所涉及的範圍，約可分爲三類：一、俠義，二、愛情，三、妖異。分敍於後。

甲、俠義類

俠義傳奇之最著者，首推虬髯客傳，故事敍李靖謁楊素，爲素妓紅拂所愛慕，卽晚私奔逆旅就靖，遂相偕歸太原，於靈石旅次遇虬髯客，注目於紅拂，靖方怒其無禮，而紅拂暗止之，幷拜虬髯爲兄，後靖引虬髯見李世民，虬髯以世民眞天子之資，遂盡以其私產贈靖，俾佐世民成大業，而自建事業於海外。此傳見錄於太平廣記及唐代叢書，唐代叢書題爲張說作，又有認係杜光庭作者，袁宏道評稱：「此傳本張燕公說，或曰杜光庭非也。其事業與唐史不合，…………說之豈眞昧此，特故爲是舛繆，以顯其寓言耳。」近人因魯迅中國小說史略斷定其爲杜光庭作，遂多從之，細察傳末「乃知眞人之興也，非英雄所冀，况非英雄者乎？人臣之謬思亂者，乃螳臂之拒走輪耳。我皇家垂福萬葉，豈虛然哉？」語意完全同於班彪的王命論，惟有初唐人才會作此語，杜光庭生於殘唐五代割據已成之形勢下，何得作此不識時務之寓言？傳中人物半出虛構，極穿插曲折之妙，實傳奇中之冠冕。明人演之爲南曲的，有張鳳翼的紅拂記，凌初成的虬髯翁，馮夢龍的女丈夫，無名氏的雙紅記。紅線傳也是俠義名著，唐人說薈題爲楊巨源撰，但袁郊甘澤謠中也載此篇，虞初志錄此篇亦題楊巨源，評者四人，亦未涉及作者問題，故今無法考辨。紅線爲潞州節度史薛嵩家青衣，因魏博節度使田承嗣有侵併潞州之意，嵩憂懼不知所出，紅線乃夜入田承嗣帳內盜取其枕邊金盒付嵩，嵩卽修書遣人歸還其盒，田知嵩手下有人，乃覆書申謝，厚相結納，紅線隨亦隱去。行文時雜駢語，於人物個性的描繪工夫，遠不及虬髯客傳的傳神入微。明人梁辰魚及胡汝嘉曾各本此傳演爲紅線女雜劇。此外裴鉶的聶隱娘、崐崙奴也是有名的俠義故事，其故事頗類後代的劍俠小說，實爲明淸劍俠小說之濫觴。聶隱娘的故事曾被淸人尤侗演爲黑白衛，崐崙敘故事會被明人梅鼎祚演爲雜劇。

乙、言情類

言情一類作品，以元稹的鶯鶯傳（即會眞記）最有名，傳中言：「崔氏婦鄭女也，張出於鄭，緒其親，乃異派之從母。」白居易作元稹母鄭夫人誌，言元母爲鄭濟女，而唐崔氏族譜載永寧尉鵬亦娶鄭濟女，故人皆謂傳中之張生即元稹化身。因爲故事的眞實性，當時文人以詩文相和者極多，後來宋趙德麟用商調蝶戀花述其事，金董解元據之作爲絃索西廂，元王實甫又演之爲雜劇西廂記，隨後又有續西廂南西廂翻西廂等相繼出現，所以這一故事在唐代傳奇中爲流行最廣之作。講到故事之曲折有致，并能透出當時社會情態者，惟白行簡的李娃傳，傳中於男主角僅稱其爲滎陽公子，不著名氏，因爲其人與作者爲世交，故特隱之，似亦爲當時實事者，故事的前半段很有些像平劇中的玉堂春前半段，而後半敍滎陽公父子感女之情，正式補行婚禮，而女以夫貴，受封爲汧國夫人，與人爲善之意甚深。唐代愛情故事如鶯鶯傳，霍小玉傳，非烟傳，長恨傳等，都無好結果，故李娃傳可算是最圓滿的了。明朱有燉曾據此演爲曲江池，韓近兗則演之爲繡襦記。陳鴻的長恨傳是就白居易的長恨歌敷衍而成，論文筆極曲折迴翔之妙，但故事則只平平。這或者由於宮廷故事，不得不出之蘊藉。此外如陳玄祐的離魂記，許堯佐的柳氏傳，蔣防的霍小玉傳，皇甫枚的非烟傳，都有一種哀豔悱惻之情，又各爲後代戲曲作者所取資。洪邁容齋隨筆說：「唐人小說，不可不熟，小小事情，悽惋欲絕，洵有神遇，而不自知。」正指此類作品言。

丙、妖異類

妖異一類的故事，當以沈旣濟的任氏傳最能動人，任氏爲狐妖幻化，鄭子悅其色，雖已知其底裏，仍戀之不捨，鄭子之戚韋崟爲之顚倒，欲強加非禮，任氏堅拒不從，終以大義折服之。後鄭子強邀一同之官，任氏雖情知此行不利，終以不忍卻其情，遂於途中爲蒼犬所斃。傳後贊曰：「異物之情也，有人道焉，遇暴不失節，徇人以至死，雖賢婦人有不如者矣。」結尾又說：「衆君子聞任氏之事，共深駭歎，因請旣濟傳之，以志異云。」後來蒲松齡聊齋誌異所寫的許多善妖良狐，固是法此，卽其志異一名，亦摘自此傳贊文，此傳影響力之大，卽此可見了。與任氏傳齊名的，有江摠所撰之白猿傳，敍梁大同末別將歐陽紇略地至長樂，深入險阻，其妻纖白甚美，夜爲妖猿攝去，紇大憤痛，駐索月餘，始得其所在，賴先爲猿所攝諸婦作內助，刺殺白猿，救出其妻及諸婦數十人，但其妻已受猿孕，後生一子，狀極似猿，歐陽紇後爲陳武帝所誅，此子由江摠留養，及長，以文學善書知名於時。此傳文筆極生動，所謂白猿之子，卽隱指唐太子率更令歐陽詢，舊唐書詢傳言其父紇，陳廣州刺史，以謀反誅，詢由江摠收養之，教以書計，雖貌甚寢陋，而聰悟絕倫……博覽經史……初學王羲之書，後更漸變其體，筆力險勁，爲一時之絕。官至太子率更令弘文館學士云云。因其貌寢，長孫無忌曾有句嘲之曰：「誰言麟閣上，畫此一獼猴。」後人因作此傳以誣之，決非出江摠之手。周秦行紀也是一篇怪異作品，署名牛僧儒撰，說僧儒於貞元間擧進士落第回家，天晚失道，誤入漢文帝母薄太后廟，太后宴之，以次召戚夫人、王嬙、楊太眞、潘淑妃、綠珠等相陪，席間鼓琴賦詩，酒後幷令王嬙伴寢。李德裕爲此做了一篇周秦行紀論，說牛僧儒有不臣之心，須加族誅。實則此傳乃李德裕門人韋瓘所作，假名僧儒以圖中傷。傳文荒謬無足述，藉此可見唐人以小說誣人風氣之盛。此外，王洙的東陽夜怪錄，敍王洙夜避風雪於佛殿，遇病僧及許多過訪道友談詩講藝，天明後，乃發現所謂病僧者乃一病駱駝，其道友則爲烏驢、老雞、駁貓、瘠牛之屬，顯然是一篇罵當時以談詩講藝爲風雅的文人的作品。袁宏道評稱：「昏昏雪夜，盡是詩友，白日青天，毫無人道。」又說：「論詩講藝，出自諸業畜，雖是學源（王洙字）有爲之談，然寧無含血自汚歟！」大抵唐人怪異之作，都是意別有所指的。明清小說家多以小說爲隱刺時人之具，實由此類傳奇爲之厲階。

丁、寓言類

唐代寓言傳奇，較之它類爲少，但也饒有情致。其中最著的作品，爲李泌的枕中記，敍少年盧生於邯鄲旅邸中與道者呂翁接談之次，自傷不遇，翁於行囊中取枕授之，生臥夢封侯拜爵，榮妻蔭子，大遂平生之志，歷四十年，比醒，主人蒸黃粱尚未熟，生因謝翁曰：「此先生所以窒吾欲也。」後世之歎富貴無常者，多以邯鄲夢爲喩。湯顯祖因演之爲邯鄲夢，謂「舉世方熟邯鄲一夢，予故演付伶人以歌舞之。」李公任的南柯記也與枕中記故事大同小異，敍東平淳于棼夢中入贅槐安國，領南柯郡守，備極榮華，醒後與友人尋夢中所至，所謂槐安國者乃大槐下之蟻穴，結語云：「雖稽神語怪，事涉非經，而竊位貪生，冀將爲戒，後之君子，幸以南柯爲偶然，無以名位驕於天壤云。」蓋已自道其用心了。

五、宋代小說

甲、繁榮原因

宋代小說之繁榮，堪稱中國各朝代之冠，考其能如此繁榮的原因，前引郎瑛所說「小說起於宋仁宗時」一語，只說明了話本一方面，幷不能概括整箇宋代小說情形，實際上宋代小說之能繁榮，乃由太宗的提倡，太宗太平興國二年令李昉等搜採古來軼聞瑣事，僻笈墜簡，輯爲太平廣記，計分九十二類，凡五十五部，上起漢魏，下終五代，成爲小說之淵海，至今原書之失傳者，多賴之以保存。因爲書中材料偏於神怪者特多，於是參加纂修人員中的徐鉉吳淑便成了宋代初期的神怪小說作者。南宋洪邁雜錄神怪小說，成夷堅志四百二十卷，（現殘存六十卷）也可說是受的廣記影響。在志怪作品之外，宋代的傳奇作者也不少，中以樂史、秦醇、張實、柳師尹等爲傑出。但宋人的志怪及傳奇均視唐人作品瞠乎其後，值得宋人驕傲的，是話本，也就是近代的小說。

乙、話本形色

所謂話本，就是說書人的底本，這種小說的作者，有些和初期元曲的作者相似，都不是文人，而是一種江湖藝人，他們以講說故事爲生，幷不靠寫作吃飯，故說本之變爲小說，是他們所意想不到的。據吳元老東京夢華錄所載：「北宋講史的藝人，有孫寬、曾無黨、高恕、李孝祥等，講小說的藝人，有李慥、楊中立、張十一、徐明、趙世亨、賈九等、專講三國的爲霍四究，專講五代史的爲尹常。他們爲了職業的聯絡及技藝的切磋，並組織了所謂雄辯社，他們爲了講書時的預備及傳習上的方便起見，把所講的故事或是歷史用文字記載下來，這就是所稱的話本。因爲這種記載完全是用的白話，所以名之曰平話，平就是平易淺近的意思，又因他們說書時，爲了拉長時間以及增加聽者的趣味起見，其話本往往多虛少實，增添了許多說書人的評論進去，故又名之曰評話。這種話本在形式上與傳奇完全不同，傳奇用文言，它則全用白話；傳奇一氣到底，不分章回，它則按照情節的起落，分成章回，每章開頭都有一個引子，或用詩句，或用一個別的襯托故事，術語稱之爲得勝頭回，這或許是聽書者多軍人，故用此吉利語以示祝福，每回收尾，如非故事的最後終結，必用「欲知後事如何，且聽下回分解。」以爲下場作招徠。前面已說過，這種話本，原爲藝人的私房，幷不供社會的閱覽，可是文人等轉相摹仿，把專供閱覽的作品，也採這種話本形式，於是宋人的話本，便成了近代小說的不祧之祖了。

丙、話本存佚情形

由於話本非供社會閱讀的作品，所以它本身的流傳並不廣。據醉翁談錄所載南宋話本目錄共八類一百零七種：一、靈怪類十六種，二、煙粉類十六種，三、傳奇類十八種，四、公案類十六種，五、朴刀類十一種，六、桿棒類十一種，七、神仙類十一種，八、妖術類八種。四庫提要說永樂大典中所收亦夥，但這些本頭現已不易見到，現在最足以供我們考證的，是民國初年繆荃孫所刊的京本通俗小說，據他的跋說是在避難滬上時於親串舊鈔本書中搜得四卷，破爛磨滅，的是元人寫本，首行有京本通俗小說第幾卷字樣，通體皆減筆小寫，閱之令人失笑，三册尚有錢遵王圖書印，蓋卽也是園中物，按繆氏所刊的爲原書第十卷的碾玉觀音，原書第十一卷的菩薩蠻，原書第十二卷的西山一窟鬼，原書第十三卷的志誠張主管，原書第十四卷的拗相公，原書第十五卷的錯斬崔寧，原書第十六卷的馮玉梅團圓。定州三怪一回，則因破爛不堪，繆氏未刊，後來發現卽是警世通言中的崔衙內白鷂斬妖，金主亮荒淫兩卷，繆氏以過於穢褻未刊，後來由葉德輝刊行了。此外在明人刊刻的小說集中，如青平山堂話本，警世通言，醒世恆言，古今小說諸書中，所可查出爲宋代話本者尙多，但都是些短篇，而且曾否經過刻寫人增删，也很難說，所以這裏不多討論。宋代話本之影響力最大的爲長篇講史，這類作品流傳下來的，僅有新編五代史平話，大唐三藏取經詩話，與宣和遺事三種。宋代有講五代史的專家尹常，前面已引述過，故五代史平話應當是當時最通行的話本了。這書於清光緒時爲曹元直在杭州發現，經董康刊行，共爲十卷，每代二卷，梁漢兩史均缺下卷，周史尾上也有殘闕，其內容雖大體根據正史，但誇張點染之處也極多。大唐三藏取經詩話，原本爲日本三埔將軍所藏，羅振玉據以影印，全書分爲三卷，計十七章，首章已缺，次章卽敍玄奘遇猴行者相助取經，中間經歷各國猴行者所表現的神通也與西遊記不相上下，本書可以說是西遊記的前身，所以稱之爲詩話者，因每章都有詩有話。原本卷末有「中瓦子張家印」六字，王國維認中瓦子爲臨安府的街名，乃當日說話人的所在地。按中瓦子是街名一說是對的，說它是臨安府的街名就欠考了。孟元老東京夢華錄說崇寧大觀以來，在京瓦肆技藝有講史、小說、說諢話、說三分、賣五代史等，這裏的瓦肆當卽是瓦子街，故王氏說它是說話人所在地是對的。但王氏却未注意到東京夢華錄所講的是南渡之前的汴京，幷不是南宋的臨安府。瓦子所在地，據夢華錄朱雀門外街巷一條稱：「出朱雀門，東壁亦人家，東去大街，麥稭巷，狀元樓，餘皆妓館，至保康門街，其御街東；朱雀門外，西通新門瓦子，以南殺猪巷亦妓館，以南東西兩教坊，餘皆居民或茶坊，街心市井，至夜尤盛。」這裏的瓦子當卽包括上瓦子中瓦子下瓦子的總名，四週是酒樓妓館茶坊，正是江湖賣藝人集中之地，「張家」二字可能是書店名。三埔所藏是宋刊本，是此書在宋代業已刊行，并不完全是說書人的底本了。據此論斷，則大唐三藏取經詩話乃北宋作品，王國維認中瓦子是臨安街名，便成了南宋的作品了，這一時間所關甚大，不可不辨。由於此書確係北宋刊本，故它可稱爲章回小說之祖。大宋宣和遺事一書，顧名思義，知其不是說書人的話本，從它的結論慨歎高宗坐失收復中原的情緒，知作者乃宋末愛國人士。全書分十節，外形上似出於拚湊，但思想上則一脈相承，極具條理，它的第一節從唐虞說起，歷數帝王之荒淫結果，以明北宋之所以亡；二節寫王安石變法，爲天下騷動之漸；第三節寫蔡京等當政；第四節寫梁山濼宋江等三十六人起義，表明人心思亂；第五節寫徽宗幸李師師事，隱責天子的醉生夢死，不顧民生國計；第六節敍道士林靈素的任用，表明徽宗之昏聵；第七節敍汴京的繁華；第八節敍汴京的淪陷；第九節敍徽欽的被擄，以爲樂極生悲的對照；第十節敍高宗建都臨安；最後責其不能光復祖業。可說是完全出於義憤的寫作。後人其所以把它列在講史中者，完全是因它的內容屬於歷史的緣故，這大概是作者爲求本書之流傳能廣，故採用當時流行之講史體編撰，魯迅評其「近講史而非口談，似小說而無捏合。」深得其實。但以宋代說書風氣之盛，所用講史話本，決不止此三種，即如前引夢華錄載有講三分的霍四究，而竟不見三分的話本，足證其爲失傳，準此以推，其它失傳的講史話本一定還多。

六、元代小說

甲、進化的情形

宋人對於小說一名的定義，仍帶着遺聞軼事的看法，所以他們的講書項目，有說小說，說諢話等分別，換言之，他們的小說與講史是不同科的，元人不重宋人的狹義小說觀念，他們無獨立的小說項目，至於唐宋人的傳奇，元人則把它們變成雜劇，如王實甫的西廂記便取材於會眞記，今人於西廂的觀念除了研究戲曲的人外，都把它當小說看，淸人所定的才子小說序列以西廂記次於水滸，便是這種情形的說明。與西廂情形類似的，還有鄭光祖的倩女離魂，石君寶的曲江池，白樸的梧桐雨，尙仲賢的柳毅傳書等雜劇。至以話本編爲雜劇的，則有鄭廷玉的包龍圖智勘後庭花，康進之的李逵負荊，高文秀的黑旋風七種以及王曄等演三國故事的諸雜劇，如援宋人以評話入小說之例，則元人的雜劇也可算作小說的一類。至於仿宋人話本作的小說，則爲講史，宋人於歷史故事分爲說五代史，說三分等名目，元人則統名之曰講史，故嚴格的說，元人小說僅限於講史。表面上元代的小說範圍似被縮小，實際上元代已把小說範圍變得和今日的小說相近了。

乙、演史

元代講史的早期作品，有全相平話五種，爲元至治年間新安虞氏刊刻，藏在日本內閣文庫，書目爲武王伐紂書，樂毅圖齊七國春秋後集，秦併六國秦始皇傳，呂后斬韓信前漢書續集，三國志。每種均分三卷，都繪的有圖相，所以稱之爲全相平話，觀此，可知元代的平話已不是說書人的底本，而是專供社會大衆閱覽的小說了。這五種話本無著者名氏，文筆拙劣，還不及宋代京本通俗小說，可能是宋代遺傳下來的話本，被元人刊行的，也可能是元代說書人自撰的。這五種可算元代歷史小說的序曲，在這五種之後，足以爲元代小說代表的，是三國演義和水滸傳二書。三國故事的膾炙人口，由來已久，唐李商隱驕兒詩中有「或謔張飛胡，或笑鄧艾吃」的句子，這是指戲劇的表演，還是指說書人的口繪，雖已無從考定，但它之爲三國故事，則是事實。宋蘇軾記王彭論曹劉之澤云：「塗巷小兒薄劣，爲其家所厭苦，輒與數泉，令聚坐聽說古話，說至三國事，聞玄德敗，則顰蹙有出涕者，聞曹操敗，則喜躍暢快，以是知君子小人之澤，百世不斬。」這裏不僅告訴了我們三國故事在宋代盛行的情形，也透露了宋代講的三國故事內容與今本三國演義已極接近。元代全相平話三國志除了首段敍司馬仲相斷獄，以韓信轉生爲曹操，彭越轉生爲劉備，英布轉生爲孫權，高祖轉生爲獻帝，用三分漢祚報高祖屠殺功臣之冤，玉帝又令司馬仲相轉生爲司馬懿統一三分之局，酬其斷獄公平之勞，以及末尾帶敍劉淵自以漢帝外孫，不臣服於晉，逃往北方，建立漢國，其子聰又取洛陽，滅西晉，自即皇帝位，以洩一般不滿司馬篡魏之公憤外，正文從黃巾之亂，劉關張桃園結義敍起，而以晉統一三國結局，情節與現行三國演義已大致相同，足見三國演義乃是就平話三國志改寫的作品。這改寫的作者乃是羅貫中，貫中名本，別號湖海散人，本籍太原，元亡後寄居武林，故又有說他是武林人的，他是施耐菴的學生，在三國演義之外，他還作有十七史演義，眞可算得中國的野史大家了。關於本書的批評，當以庸愚子的序爲最早，他說：「前代嘗以野史作爲評話，令瞽者演說，其間言辭鄙謬，又失之於野，士君子多厭之，若太原羅貫中以平陽陳壽傳，考諸國史，自漢靈帝中平元年，終於晉太康元年之事，留心損益，目之曰三國志通俗演義，文不甚深，言不甚俗，紀其實亦庶幾乎史。」在這段評語中已指出了他改寫的優點，後人以爲他不用白話文寫，所以傳神不如水滸眞切，又拘於史實，缺乏想像力，爲其缺點。殊不知文不甚深者，所以供下層社會閱覽，言不甚俗者，所以供文人雅士欣賞，至於說他缺乏想像力，正所以避免失之於野，因爲歷史小說，不可全憑虛構，遠離史實，否則便有乖體例了。本書刊行後，曾屢經後人增損，到淸康熙年間，毛宗崗將內容加以整理，幷將原有單行的回目改爲駢語，至此，三國演義才成了定本。就純文藝性說，也許本書不及水滸紅樓，若就其對社會影響說，它的力量實非任何其它小說所能望其項背。考其所以臻此的原因，一方面固由於三國人才傑出，史迹本自精采；二方面是此書由平話而雜劇而演義，又經二百年陸續修飾，故本書作者雖署名羅貫中，實際上無異一部集體的寫作。

水滸傳爲施耐菴所作，施爲東都人，元末進士，因性不合時，一度作官錢塘之後，卽不復出仕，以著作自遣，各本水滸傳均題施耐菴撰修，羅貫中編次，金聖歎則認爲是施耐菴作，羅貫中續，所以金聖歎定七十回以前爲施原作，而删削其以下之非施作者。水滸中的三十六人橫行一時，已見宋史的記載，至其個人節目，見於宣和遺事中者，已有楊志賣刀，晁蓋刼生辰綱，宋江殺閻婆惜等，由於這班人深得當時社會的同情，所以南宋畫家李嵩特畫三十六人的像，龔聖與幷各爲之題贊。相傳施耐菴寫作本書時，先畫三十六人之像於壁，以便揣摩，可能就是利用李嵩及龔聖與所作的像和贊。原本水滸傳上均有忠義二字，爲甚麼以忠義二字給與這班江湖大盜呢？明人李贄在序中解釋說：「水滸傳者，發憤之作也，施羅二公身在元，心在宋，雖生元日，實憤宋事，是故憤二帝之北狩，則稱大破遼以洩其憤；憤南渡之苟安，則稱滅方臘以洩其憤，敢問洩憤者誰乎？則前日嘯聚水滸之強人也，欲不謂之忠義，不可也。是故施羅二公傳水滸，而復以忠義名其傳焉。」但所謂破遼，滅方臘，均係百回本以下的事目，在七十回以前并無此事，如果金聖歎所認定的施作水滸僅七十回爲眞，則序言就與書的內容不符了。我以爲忠義二字，當是摘自水滸大寨中忠義堂名，堂名的忠字是對宋朝天子而言，因爲這班人所反對的是政府官吏，而不是大宋皇帝，所以李逵等在江湖上常言天下只有二人不打，一個是大宋皇帝，一個是及時雨宋江。義字是對他們自己而言，表示他們都是由義氣相結合，也可說他們的行爲都是仗義的。明人民族意識濃厚，所以李贄的解釋，乃由一已時代觀念所產生，并非施耐菴命名的本意。至於七十回以後的增續事蹟，有的是爲了洩民族之憤，如增破遼便是；有的是爲了符合宋代所傳的四大寇，如增討田虎王義滅方臘便是：有的是爲了書賈們在生意上的號召，如一百二十回的忠義水滸全書便是。若純從文藝的觀點上批評，應當以七十回本爲洽到好處。本書與三國演義相較，在文字上，由於它全用白話，繪形繪聲，確非三國所及；在想像力上，由於宋史只說宋江以三十六人橫行天下，并未詳載三十六人的細事，所以在橫行的事迹以及個人性格方面，都給了寫作者以很大的想像空間，不似三國人物已被正史鑄成定型，作者無從發揮其想像力。但本書也有一個缺點，就是全書中每人初出時都被寫得有聲有色，等到第二人出來時，前人便被堙沒了，在這情形下，形同許多獨立的傳記的拚合，全書氣勢不夠緊湊。至於本書的流傳情形，在封建時期，因有誨盜之嫌，遠不及三國之盛，但自中西文化溝通以來，它已被譯成了各種外國文，其被學者的重視，遠在三國之上了。由於施耐菴羅貫中都及見元亡明興，遂有以三國水滸列在明人著作內者，實則二書之作，當在元朝。

七、明代小說

甲、發達情形

明代學者有兩種特性：一是寫作好擬古，二是好將古人著作改刊。由於這兩種特性，促進了明代小說的發達。前節所述元代小說，除了準小說的雜劇外，惟有歷史小說一項，在這方面，明人充分表現出了他們擬古的作風，元人改唐人傳奇爲雜劇，明人則把南曲劇本乾脆取名傳奇，元人的雜劇爲準小說，明人的傳奇自然更是準小說了。元人有十七史演義，於是明人周游有開闢演義，鍾惺有盤古唐虞傳，夏志傳，商志傳，大隋志傳，余邵魚有列國志傳，吳門嘯客有孫龐鬬智演義，熊鍾谷有全漢志傳，南北兩宋志傳，金應鰲有岳王演義。因爲他們好刻書，所以有湯顯祖選錄幷校點隋唐傳奇爲虞初志，有馮夢龍所輯的古今小說一百二十種的三言——喻世明言，警世通言，醒世恆言——的刊行，有凌濛初編纂的拍案驚奇初二刻——即二拍，嗣又有抱甕老人就三言二拍中選輯的今古奇觀。以上是明人擬古和刻書的成績，至於他們删改古作的事實，如上節所述的三國水滸固經他們增改，即三言二拍中所收的前代短篇作品，更有不少經他們删削之處。但這些只說明了明代小說發達的情形，幷不足以顯示明人在小說方面的造詣，足以代表明代小說成績的，是屬於神怪和社會兩方面的作品。

乙、神怪性作品

代表明代神怪小說的作品是西遊記，西遊取材於唐三藏取經的故事，關於這一故事的神迹，在太宗的聖教序中已露其端倪，玄奘的大唐西域記及慧立的慈恩三藏法師傳的靈異色彩更濃，取經一事，不止是唐朝的一件大事，也是中國文化史上的一件大事。故這一故事在唐朝已隨佛教的傳播而遍及於社會的各階層，到了宋朝，遂有唐三藏取經詩話出現，到元代又有吳昌齡的唐三藏傳及西遊記雜劇問世。所以西遊記的間架，在明代以前早經構成。明代作西遊記的是吳承恩，吳爲淮安山陽人，詩文俱優，性復恢諧，但屢困場屋，晚年始得一歲貢，做了幾年長興縣丞就告退了。他涉獵極博，尤喜閱讀通俗的神怪作品，據他的禹鼎志序說：「余幼年即好奇聞，在童子社會時，每偸市野言稗史，懼爲父師訶奪，私求隱處讀之，比長，好益甚，聞益奇，迨於既壯，旁求曲致，幾貯滿胸中矣。嘗愛唐人如牛奇章段柯古所著傳奇，莫不摸寫物情，每欲作一書對之，嬾未暇也。轉嬾轉忘，胸中之貯者消盡，獨此千數事磊塊尙存，日與嬾戰，幸而勝焉。」從這段序裏，我們可以知道他胸中的奇聞異事蘊蓄之富，由於他的蘊蓄之富，所以他改寫西遊記時，左右逢源，下筆如有神，又由於他本性的恢諧，所以西遊記常在緊張情勢中插進一二恢諧之筆，使讀者捧腹不置，尤有說不出的提神作用。關於本書內容的批評和解釋者甚多，較爲鞭辟近裏的，當推謝肇淛的五雜俎及尤侗的西遊記序。謝氏說：「西遊記曼衍虛誕，而其縱橫變化，以猿爲心之神，以猪爲意之馳，其始之放縱，上天下地，莫能禁止，而歸於緊箍兒一呪，能使心猿馴伏，至死靡他，蓋亦求放心之喩，非浪作也。」尤氏說：「西遊記者，殆華嚴之外篇也，其言雖幻，可以喩大；其事雖奇，可以證眞；其意雖遊戲三昧，而廣大神通具焉。知其說者，三藏即菩薩之化身，行者八戒沙僧龍馬，卽梵釋天王之分體；所遇牛魔虎力諸物，卽修羅迦、樓羅紫，喉羅伽之變相。由此觀之，十萬八千之遠，不過一由旬；十四年之久，不過一刹那；八十一難，正五十三參之反對；三十五部，亦四十二字之餘文也。蓋天下無治妖之法，惟有治心之法，心治則妖治，記西遊者，傳華嚴之心法也。」

封神傳也是一部流傳很廣的神怪小說，梁章鉅在浪迹續談中說：「林樾亭先生嘗與余談，封神傳一書，是前明一名宿所撰，意欲與西遊記水滸傳鼎立而三，因偶讀尙書武成篇「唯爾有神，尙克相予」一語敷衍成書，其封神事則隱搜六韜、陰謀、史記封禪書，唐書禮儀志各書，鋪張俶詭，非盡無本也。」按「唯爾有神，尙克相予」一語，幷無神異之處，以之爲撰本書的依據，殊嫌不足，惟李善注文選所引鬻子說的逸文：「武王率兵車以伐紂，紂虎旅百萬，陣於商郊，起自黃鳥，至於赤斧，走如疾風，聲如雷霆，三軍之士，靡不失色，武王乃命太公把白旄以麾之，紂軍反走。」才與封神傳的內容有些相近，但封神傳也不是依據這段記述作的，封神傳的底本是元人全相平話中的武王伐紂書。書中全以神怪之法寶爲主，對於用兵出奇制勝之道，全無發揮，本來太公兵書爲中國兵書之祖，蘇秦張良都是靠它而尊顯，照理說，書中寫太公用兵之神，卽使不勝於三國中的諸葛，至少也不會相去太遠，可是本書中的太公，竟庸陋不堪。每當其部將被殺或負傷囘營，不說子牙心甚不悅，便說子牙甚爲憂悶，毫無應付辦法，而且臨陣也不知依敵情調遣，因材而使，每當敵人挑戰時，總讓部下誰願出戰者誰去，故黃飛虎等之犧牲，全由此種情形而誤，尤其是幾次被刼營，都幾乎全軍覆沒，其所以能絕處逢生者，均賴仙道之及時來助，以視諸葛亮之臨敵調遣，算無遺策，眞相去如天淵。而所謂誅仙陣、萬仙陣、幾個大陣勢，除了鬬法寶外，也毫不見陣勢的變化奧妙記述，充分表露出作者想像力的貧乏，軍事知識的不夠。大概這些都是平話原文，那些江湖說書者思想淺陋，除了牛鬼蛇神胡謅之外，無法形容姜尙的才智，改作者，對於書中這些神迹，旣乏依據資料，無從修改，故仍錄原文。惟本書首尾二章，大致接近史實，尤其是封神的敕誥，文筆頗爲簡練，而姜尙於入朝歌時的號令之嚴明，與扶武王登基之措施從容得體，極合其身份，這些可能就是那改寫的名宿的手筆。褚人獲評本書道：「但覺新奇可喜，怪變不窮，以之消長夏，袪睡魔而已，又何必究其事之有無哉？又何必論其文之優劣哉？」故本書流行之廣，旣非由其史實，亦非由其文筆，全由其可袪睡魔。

丙、社會性作品

代表明代社會小說的作品，是金瓶梅，它的故事以水滸傳中西門慶與潘金蓮一奸情案爲引子而加以舖敍，正如西遊記之以玄奘取經，封神傳之以武王伐紂爲引子一樣，都是明人依傍之習的表現。故事說武大郎死後，西門慶娶了潘金蓮，又私通金蓮的婢女春梅，又納李瓶兒爲妾，後來李瓶兒西門慶相繼死亡，潘金蓮與春梅又私通西門慶的女婿陳敬濟，爲大婦吳月娘逐出，金蓮住王婆家，圖再改嫁，値武松遇赦歸來，遂被殺死。春梅嫁周守備爲妾，仍不安分，私通大婦的兒子，不久也死了。這是書中描寫淫亂的事迹。在另一方面寫西門慶的社會生活，說他原是一個破落戶浮浪子弟，因爲結交地方官包攬訴訟，遂成了暴發戶，藉着財勢又巴結京官，由理刑副千戶做到正千戶提刑官。他有九個幫閒的朋友，都是淫浪子弟，因他有錢勢，便推他做大哥，這十八終年狎妓戀姦，爲非作歹，一直到西門慶死了才散伙，可稱明代社會荒淫風習的縮影。本書的作者署名蘭陵笑笑生，其眞實姓名無從考定，據沈德符野獲編所記：「聞此爲嘉靖大名士手筆，指斥時事，如蔡京父子則指分宜，林靈素則指陶仲文，朱力則指陸炳，其他亦各有所屬云。」淸人謝頤因此便說這大名士卽王世貞，因爲世貞之父有淸明上河圖，嚴世蕃向之索取，世貞父製一贋品獻之，世蕃因此懷恨，陷之於死，世貞爲報父仇，便撰此書以獻世蕃，書頁均以毒藥浸過，世蕃愛看淫書，閱覽時以指揭書，必以口沫濕指，因此紙上毒藥便可借指頭之介而入其口了。至書中的西門慶卽暗射嚴世蕃，因世蕃小名慶，號東樓，故以西門爲對，又一說因世蕃居於西門。至書名所以取金瓶梅的原因，也有兩說：「一說王世貞見世蕃時，世蕃問有無好看之書，世貞一時無以應，見案上有插梅的金瓶，便順口說有金瓶梅一書，歸家後卽撰此書；一說乃用書中三女人——潘金蓮、李瓶兒、春梅——的名字拚成。明人好用小說作諷刺之具，如前所論琵琶記傳奇卽是一例，此書是否確爲王世貞的手筆，固難斷定，要其必有所指斥，當無可疑。本書的文字結構，人物描寫，都臻上乘，惟其誨淫處，渲染太過，關心世道人心者，均所不取，所以當馬仲良勸馮夢龍把他的鈔本付梓藉以療饑時，馮夢龍囘答說：「此等書必遂有人版行，但一出則家到戶傳，壞人心術，他日閻羅詰始禍，何詞以對？吾豈以刀椎博泥犂哉？」在帝制時代，一直把它列作禁書，實非無因。在民國以來，學者對文藝的觀念重於道德的觀念，本書已不再是禁物，然在教育者的眼中，它仍是一本含有毒素的讀物。

八、清代小說

甲、特點

清人各項學問都極健實，小說也不例外，就小說的體製言，前代的傳奇平話，他們都具備，就小說的類別言，志怪、言情、武俠、社會、公案，他們也無不有，微形短絀的，是清代未有一部大的歷史小說，這或者是由於元明兩代在這方面已有相當成就，他們不願拾其唾餘之故。清代小說有一極顯著與前代不同之處，如唐代傳奇，只是就事述事，雖間也涉及思想，然其重點却在文筆；宋人平話，力求淺近，重點在通俗；元人小說，力求人物個性的表現，重點在傳神，明人小說多虛構，重點在想像力。作者的生活與作品無法一致，至於清人的小說，都是作者個人生活或思想的縮影，作者與作品已融合爲一。

乙、志怪代表作

清代志怪小說，出現得最早，其代表作就是蒲松齡的聊齋志異，志異一名之出於唐代傳奇，前面論傳奇時，已指證過，故聊齋志異的類別是志怪，而體製則是傳奇。蒲松齡爲山東淄川人，生於明崇禎十三年，卒於康熙五十四年，以屢困場屋，遂專心於古文學，家居授徒，聊齋是他的書室名。志異的作品凡四百三十一篇，都是記述妖狐鬼魅的，但這些妖精都具有人性，講義氣，重情感，所以讀這些故事，不惟不覺這些妖精的可怕，反有恨不相逢之感，再加以其文筆雅潔，篇篇都可作古文範本，所以深得士林的愛重。惟紀昀批評他有兩點錯誤：一、異苑和搜神記之類爲小說體，飛燕外傳和會眞記之類爲傳記體，在以事類編次的書如太平廣記，自可兼收，聊齋既非事類書，而二體併用，實犯體例上的錯誤，二、小說只當記述見聞，其非見聞所及之媟狎神態，燕妮私語，不當代言，而聊齋於非作者見聞所及之處，委曲描繪，不啻若自其口出，亦非小說體所當有。其實他這種見解，完全是受了六朝筆記小說的觀念所束縛，不知小說演進到唐朝的傳奇，宋人的話本，早已是代言體了，果如所言，則唐以來的小說作品，都違背了小說的體例，那麼水滸金瓶梅之類的書，是否當踢出小說圈外呢？眞可謂食古不化。紀昀因認聊齋體例不純，便自作了一部閱微草堂筆記來示範，可是世人之愛重聊齋仍在閱微草堂筆記之上，二書的優劣，於此便無待辭費了。繼紀昀之後，袁枚也作了一部子不語，來與聊齋爭勝，然也未能占得上風。故聊齋之爲淸代志怪小說的代表作，已成萬牛回首邱山重之勢。

丙、言情代表作

言情小說當以紅樓夢爲代表，紅樓夢這部書可以說是中國小說中爭論最烈的一部書。關於它的問題，分作兩方面：一是作者爲誰，二是內容何指。在作者方面，有主曹雪芹的，最先提到著爲乾隆年間的袁枚，他在隨園詩話中說曹雪芹紅樓夢中的大觀園就是他的隨園。他雖未明白的說紅樓夢爲曹雪芹所作，但他已將紅樓夢屬於曹雪芹。是此說由來已久，胡適則力主此說，以爲曹雪芹即曹霑。另一說是冒辟疆所作，經過曹雪芹五次修改。主張者爲王夢阮的紅樓夢索隱。又一說曹雪芹是上海人曹一士，而不是曹霑，主張者爲壽鵬飛。在內容方面，認爲曹雪芹作者，則說曹雪芹先人世領江南織造局，幾度接駕，生活優裕，聲勢煊赫，但後來因案抄家，故曹雪芹中年潦倒窮困，寫此作他家庭生活的回憶。主冒辟疆作者，則說冒氏因其愛妾董小宛被擄爲順治帝妃，冒氏作此以寓相思之意。書中賈寶玉即隱射順治，林黛玉即隱射小宛。有說是寫納蘭性德家事及其賓客的，主張者爲俞樾等。有說是發洩民族思想的，紅字影明朝國姓朱字，賈諧假音，即指清廷爲僞朝。石頭即指金陵，其他寶玉黛玉寶釵王熙鳳諸人皆各有所指，主此說者爲蔡元培。王夢阮的紅樓夢索隱一開端就指出書中第一回的人物甄士隱賈雨村二名爲眞士隱假語稱的諧音，即作者暗示本書的故事都是別有所托的，他除了於每回正文後都有長篇的索隱評論外，并於正文中逐事逐言爲之索隱，用功極勤。後來孟森又作董小宛考以駁其說。但宮闈之事，本自曖昧，王氏以書中每一言行都有所指，自不免傅會穿鑿之失，但孟森所考，是否全屬正確，亦甚難言。蔡元培的石頭記索隱亦成專著，較之王著爲扼要得體，胡適亦力斥其牽強附會。俞樾的意見，載在其小浮梅閒話，胡適亦辨其非。平情而論，在一個有意曲隱眞情的著作中，作者決不會讓讀者一望而悉其底裏，他必廣佈疑陣，使讀者如入五里霧中，莫辨方向，他才能置身安全之地。局外人要把書中的人和事一一加以指實，這是絕不可能的，所以這些索隱的作者都不無漏洞給人指摘。如要不給人指摘，就是直接承認書中的人和事都是記實，別無所指的。所以胡適一派的意見能立於不敗之地。但從索隱派方面的指示去研究，本書內容之別有所指，似極可信。尤其是脂硯齋本的凡例所說：「此書著意於閨中，故敍閨中之事切，略涉於外事者則簡，不得謂其不均也；此書不干涉朝廷，凡有不得不用朝政者，只略用一筆帶出，蓋實不敢以寫兒女之筆唐突朝廷之上也，又不得謂其不備。」明明是一段此地無銀三十兩的告白。有人竟引此爲本書不涉政治的證據，未免天眞太過。所以我的意見，本書內容決非單純的記實之作。本書的寫作技巧，無疑是已造顚峯的。他將書中數百男女安置得宜，個性的表現無不各成一格，至其白話文之自然俐落，實與聊齋的古文有異曲同工之妙。作者正像一個天才的大交響樂團的指揮者，他能操縱幾十種樂器，幾百個演奏者，奏出一首複雜的樂章，諧和得天衣無縫，而又使每一種樂器的性能，每一個演奏者的技巧，都能在這合奏中各別顯露，不被交響所淹沒。本書的回數，原作爲八十回，後四十四回相傳爲高鶚所續。由於本書的結局是一個大悲劇，後人惋惜之下，遂有後夢、續夢、圓夢之類的作品產生，這些作品本身雖微不足道，但它們却是讀者情感的反映，充分顯出原作的感人之深。

丁、社會代表作

代表清代社會小說的是儒林外史，作者吳敬梓爲安徽全椒人，從他的高祖以來，代爲名儒顯宦，他生長在這樣一個優裕的家庭裏，養成了一種貴公子哥兒的脾氣。因爲他家累世書香，他又生性慧敏，所以他的學問根基極厚，但他的學問愈深厚，對眼前的一切愈是看不入眼，他補了博士弟子員後，便不再應舉，地方官以博學鴻詞推薦他，他也不赴廷試，一生以詩酒自娛，助人爲樂，喜歡提倡風雅，曾和一些朋友發起在南京雨花臺建先賢祠，錢不夠了，便賣掉自己的住宅去完成，因此弄到後來時常不得一飽，社會上笑罵他的人有，同情他的人也有，他於是將這炎涼世態，以及他自己的小影一併繪成這部儒林外史。他曾有詩說：「人生祇合揚州死。」這一願望算實現了，就在他五十四歲那年，死在揚州。這書於社會人物的刻劃，都入木三分，感人甚深，但全書的結構殊不夠理想，因他只是許多片段的記述的拚合，不成一部氣脈聯貫的作品。但我前面所說清代小說特點是作者與作品的融爲一體，這種現象，在本書中表現得最爲露骨，也就憑了這一點建立了儒林外史一書在中國社會小說方面的崇高地位。

在儒林外史以外的社會小說，當以老殘遊記爲最佳，作者劉鶚生於清末，曾參加維新運動，後以庚子亂中私購太倉米賑饑事，被誣爲漢奸，流配新疆而死，他於理學佛學金石甲骨之學都有造詣，詩文也佳，又喜留心於科學知識，更長水利工程，所以他的生活形態與吳敬梓完全異趣。書中的老殘就是他自己，他藉老殘遊歷所見寓其諷世之筆，書中的玉賢就是毓賢，剛弼就是剛毅，他批評這班人自命清官，剛愎自用，誤國殃民，比之貪汚官吏尤甚。這種見地，在清初人已感覺到，如袁枚說：「不愛錢原非難事，太要好也是私心。」正同此見。書中除了社會型態的描繪外，時常涉及音樂、河工、文學、算術、金石文字之學，都是作者自炫的地方。本書的長處，在描寫細膩，語言生動，民國以後的小說作者不少學他的筆調的。

戊、俠義代表作

兒女英雄傳是一部氣氛不太濃的俠義小說，因爲他所記俠義之行只有一件，良由作者目的不在俠義之故。本書的作者是滿洲鑲紅旗人名文康姓費莫的，馬從善的序說他「以貲爲理藩院郎中，出爲郡守，洊擢觀察，丁憂旋里，特起爲駐藏大臣，因病不果行，遂卒於家。先生少受家世餘蔭，門第之盛，無有倫比，晚年諸子不肖，家遂中落，先時遺物，斥賣略盡。先生塊處一室，筆墨之外無長物，故著此以自遣。其書雖託於稗官家言，而國家典故，先世舊聞，往往而在。」他的身世雖然如此，但他幷未將自己的愁怨寄託在書中。書中故事說安驥送銀子往其父任所賠河工虧累，在路爲能仁寺賊僧綁劫，幸得俠女十三妹解救，遂保無恙，當十三妹剿滅寺僧後，發現一先安被刧之女子張金鳳，乃介張女與安訂婚，并以鐵弓一張付安作爲路上鏢號，安遂得平安抵其父任所，解父之厄。十三妹本名何玉鳳，其父原爲紀獻唐麾下將官，爲獻唐所害，何玉鳳爲尋求報仇機會乃化名十三妹浪迹江湖，後來紀獻唐以叛國之罪伏法，十三妹以仇恨旣了，欲出家爲尼，經人勸阻，遂與張金鳳同嫁安驥。後來安驥官至學正，兩女各生一子，家庭和順。故事甚簡單，但寫得極緊湊，無一鬆懈之筆，刻劃各人性格也極生動。說者以十三妹婚前如生龍活虎，婚後馴如羔羊，前後判若二人，未免不情。不知女子婚前婚後心理之轉變，往往有出人想像者，如沙士比亞之馴悍記便是其例，雖一爲被動，一爲自動，稍有不同，而女子性格變化幅度之大則一。故我認爲此點正是作者深解女子心理的表現。

三俠五義是一部道地的俠義小說，署名爲石玉崐述，石爲咸豐年間說書人，大約爲其徒弟所筆記。故事借包公斷案爲由，江湖豪俠慕其清明，相率投其帳下，助其辦案，所謂三俠，是南俠展昭，北俠歐陽春，雙俠丁兆蘭，丁兆蕙，五義又稱五鼠，卽鑽天鼠盧方，徹地鼠韓彰，穿山鼠徐慶，翻江鼠蔣平，錦毛鼠白玉堂。故事發展到後來，漸與包公脫節，這就是本書之不屬公案小說而屬俠義的原因，也就是本書之能受讀者歡迎的原因，蓋包公案都是些斷片的案情，毫無刺激作用，本書故事離開公案範圍，正如虎兕出押，故能滿紙風雲，引人入勝。俞樾評以「事迹新奇，筆意酣暢，描寫已細入毫芒，點染又曲中筋節，如此平話小說，方算得天地間另是一種筆墨。」俞氏因激賞此書，後遂加以修改名爲七俠五義，盛行於江浙間，三俠五義原本反爲所掩。本書是一種話本，非出文人手筆，所以作者個性未能鎔解於書中也正與宋人話本相同。淸人類此的小說還有施公案彭公案，以無甚特異處，從略。

己、狎邪之作

花月痕是一部有代表性的狎邪小說，它的作者爲魏秀仁，秀仁中鄉舉後，因屢考進士不第，乃漫遊秦晉，太原知府保眠琴聘其課子，束修甚豐，秀仁因時作狎邪遊，戀妓女劉栩鳳，欲納之，以鴇母索價過高不成，因感而作此書。故事用雙軌對照的寫法，敘二好友韓荷生韋癡珠，同遊幷州幕府，荷生戀妓杜采秋，癡珠戀妓劉秋痕，荷生一帆風順，積功封侯，娶采秋，幷封一品夫人；癡珠則始終潦倒，無法與秋痕成其好事，窮愁以死，秋痕自縊以殉之。書中癡珠，即作者自況，荷生是他的理想的幻影，抑或別有所諷，則很難測斷，書中寫癡珠及秋痕的愛情，哀感頑艷，甚是動人，所載詩聯文字作品甚多，而酒令尤多佳構，有人以爲秀仁作此書的動機，主要是他有許多詩歌作品，恐散佚不傳，故藉小說來發表，這可能是猜測之辭，以書中的情感而論，決不是純爲發表作品的目的所能到，本書的佳處，除了寫情深刻之外，未有狎邪場合的下流輕薄景色，格調高雅，實爲其它同類作品所不及。

庚、其他

在上述各類小說之外，還有一種似理想而非理想，似寓言而非寓言的作品，那就是李汝珍的鏡花緣，李汝珍生於乾隆年間，死於道光年間，因不喜八股，所以於科名無分，但他於淸代漢學家所重視的聲音訓詁之學，以及其他詩歌酒令琴棋馬吊雙陸醫卜星相之技皆甚精。鏡花緣的故事，借武則天爲由頭，中敍唐敖、多九公、林之洋等遨遊海外，遍歷君子、大人、小人、女兒、黑齒等數十國，備見各種奇風異俗，其中寫女兒國將林之洋刼去，梳頭裹足，擦脂傅紛，去做皇妃，給男人也嘗嘗被玩弄的女人的風味，你說他意在提高女權可以，說他意在爲女子報復男性也可以。不過從他以武則天爲由頭一點來看，似乎是以提高女權之意爲多。只因作者喜歡炫示其技能學問的廣博，使得故事沉悶，無令讀者一氣看完的吸引力。

在小說文體方面最特殊的是陳球的燕山外史，此書全用四六文體，長約三萬多字，故事是借用明人馮夢楨的竇生傳。因爲作者駢文造詣相當高，故敍事也能曲折盡情，爲當時知識界所賞識。

勘誤表

頁數	行數	誤	正
七	一五 九	楊當作	揚
一八	一二	「白」期當作	曰
二九	一〇	」。當作	。」
四七	一二	於「於」當刪下	於
五〇	三	彝當作	彝
六九	一四	賦當作	賦
九〇	二	專當作	尊
九三	一〇	白當作	曰
一〇九	三	似辦當作	以辨
一一一	一七	奮當作	奪
一二一	七	於當作	此
一三一	五	太「傳」當作	傳
一六〇	一七	楊當作	揚
一八五	一四	。當作	、
二一四	七	編當作	志
二三二	一五	秩當作	帙
二四四	五	朝當作	廟
二五七	二	知當刪	
二七〇	一三	字當作	子
二七六	一一	萬下漏	物
二八二	二	意當作	想
二九六	一四	曰當作	白
三二八	七	光當作	元
三三三	一〇 九	楊當作	揚
三三八	八	老當作	考
三四〇	八	以瓊下漏｜琚，匪報也，永以為好也；投我以木桃，報之以瓊	
三四一	六	楊當作	揚
三四六	五	顧「及」當作	迹
三四九	五	句調和字下漏	數
三五一	四	卽行當作	行卽
三六〇	一七	下當作	上
三七四	三	乎當作	手
四一〇	五	為眞「士」當作	事

頁數	行數	誤	正
一五	八	其「其」當刪下	其
二六	八	夫當作	失
三一	五	白當作	曰
四九	一六	」下漏	，
五七	一三	胥「而」當作	爾
八八	一三	寶當作	實
九一	二	相當作	想
一〇四	九	令當作	佞
一一一	一〇	「技」術當作	校
一一二	一五	著當作	者
一二三	六	力當作	刀
一四〇	三	楊當作	揚
一六九	一七 八	楊當作	揚
一八六	一〇	帙當作	帙
二三二	六	帙當作	帙
二四二	七	不善者吾下漏	亦
二四九	一	滕文下漏	公
二五九	一五	政當作	陳
二七一	一一	家當作	墨
二七七	一三	又當作	反
二九六	一二	別「惠」當作	墨
三二〇	九	相聞下漏	」
三三一	一七	為「也」當作	之
三三五	一三	轍當作	輒
三三九	一六	尤當作	犬
三四〇	一七	佗當作	侘
三四二	一四	階當作	陛
三四八	三	平生下漏	」
三四九	六	略當作	留
三六〇	六	在當作	存
三六三	四	楊當作	揚
三九五	一二	說當作	話

國家圖書館出版品預行編目資料

國學概論 / 傅隸樸著. -- 初版. -- 新北市：華夏出版有限公司, 2024.05

面； 公分. --（傳世經典；010）

ISBN 978-626-7393-32-1（平裝）

1.CST：漢學

030 112022133

傳世經典 010

國學概論

著　作　傅隸樸

出　版　華夏出版有限公司

220 新北市板橋區縣民大道 3 段 93 巷 30 弄 25 號 1 樓

電話：02-32343788　傳真：02-22234544

E-mail：pftwsdom@ms7.hinet.net

印　刷　百通科技股份有限公司

電話：02-86926066　傳真：02-86926016

總經銷　貿騰發賣股份有限公司

新北市 235 中和區立德街 136 號 6 樓

電話：02-82275988　傳真：02-82275989

網址：www.namode.com

版　次　2024 年 5 月初版一刷

特　價　新台幣 720 元（缺頁或破損的書，請寄回更換）

ISBN-13： 978-626-7393-32-1